WAGAMAMA ITTE WARUI NE!
TAISETSUNA OKYAKUSAN DASHI NOPROBLEM DAYO!
MOGITATE NO COCONUTS JUICE!
ITADAKI MAAAASU!
CHŌUMAI!
YATTA!
CHEW CHEW

YAI
OH!
ARIZONA CHOHJYU 2016
ZETTAI HENDA NANKA OKASHII
NITSUBE
1-TOH ITADAKI!
WAKATTA! HIMITSU HA SONO MASUKU NI ARU!
UGACHI
NAIBU NI TSUIKO...
TIURF
aloC

…DARU CHIIKI DE MAITOSHI
…RACE" GA
…SHITEITA…
ARIZONA CHOHJYU RACE 2016
START
DON
HAYYA!
PYU
A, MOUMODOTTEKITA! 1BAN HA?
CO, COYOHTEN!
GOAL
"NITSUBE" TTE DOKONODOITSUDA…
"YAI" TTE SORE NANIGO? HUTSUJANAINA?
HOTEL
BANK

ATSUKUTE NODO KARAKARA...
WOWOOOON
KOKORA HENDE COLA UTTE-RU TOKO ARUKANA?
OI, COYOTEN TROPICAL DRINK HUTATSU!
OK!
SEKKAKU TOHKUKARA KITAWAKE DASHI TENNEN NO NAMA JUICE NOMEBA!
COLA DE...
OK!
SOREDATTARA, FRUIT NI ANA AKETE CHOKUSETSU STRAW TSUKKONDE SUU MITAINA HOHGA MOTTO WILD NA IIN DAKEDO...
DATTE...

エレメンタル
批評文集

管啓次郎

左右社

エレメンタル　批評文集

Vite! est-il d'autres vies?
-Arthur Rimbaud

Yo no he nacido todavia.
-Federico García Lorca

La pensée n'est rien sans quelque chose qui force à penser,
qui fait violence à la pensée.
Plus important que la pensée,
il y a ce qui « donne à pensée »:
plus important que le philosophe, le poète.
-Gilles Deleuze

Che la mia ferita sia mortale.
-Iscrizione corsa

はじめに

二〇一九年九月、ひとりでアメリカ北西部にむかった。モンタナ州ビリングスで飛行機を降り、車を借りて走りはじめた。行先はイエローストーン国立公園。夏の名残の高原から標高の高い峠を越えるときには一瞬吹雪になり、地形と気候の荒々しさにたじろいだ。それから広大な国立公園区域に入った。

やがて小さな清流にやってきて、車を停め、外に出て手を冷たい水にひたした。このときの気が遠くなるような、みたされた感覚は忘れられない。イエローストーンを訪れたのは四十七年ぶり。自分の人生で旅と呼び学習と呼び探求と呼び認識と呼んだほとんどすべてが、よろこびも悲嘆も含めて、ここに回帰するための四十七年間にあった。こんな気持ちは、このときしか味わったことがない。これからも、他のどこでも、けっしてないだろう。

いろいろな場所に行き、住み、いろいろなことを考えてきたとはいえると思う。けれども自分の人生のもっとも重要な出会いはと訊かれたら、答えははっきりしている。それは「北アメリカ大陸」との出会いだ。この途方もない大陸西部の、合衆国という区分の中でいういくつかの州との出会い。居住と旅。大陸の土地とそこで出会った人々や本が教えてくれたことをたどりながら、考えられることを考え、書けることを書いてきた。その先にはもちろん考えていないこと、書く糸口にすらたどりついていないことが、広大無辺な地平として今もひろがっている。それでも。

二〇一九年十二月にベルギーのゲントのオルフェウス・インスティテュートで開催された学会DARE（ドゥルーズと芸術リサーチ）に参加したのを最後に、どこにもゆかない三年間をすごした。人生にそんな時期があるのは仕方がない。だが考えはつづいているし、さまざまな糸は手放されたようでも何かのきっかけでまたつながり、延びてゆくものだ。ぼくが訪れようが訪れまいが、イエローストーンはつづき、そこにあり、動植物も菌類も年ごとの再生と更新をくりかえしている。その想像は、それだけで力を与えてくれる。

本書には過去に出してもらったエッセー集のうちいまでは入手しづらくなっている三冊から選んだ文章のいくつかを集めた。三冊とは『トロピカル・ゴシップ』（青土社、一九九八年）、『コヨーテ読書』（青土社、二〇〇三年）、『オムニフォン〈世界の響き〉の詩学』（岩波書店、二〇〇五年）で、いずれもそれぞれの時期にぼくがぶつかって考えていた問いをめぐるエッセー（試論）集だといっていい。文をめぐって文化をめぐって世界をめぐって生死をめぐって考えてきたことの影が（そう、影が）ここには全面的にばらまかれている、ちりばめられている。その上で、末尾にこれまでの単行本には未収録だった三つのエセーを並べてみた。あらゆる限界を認めた上で、私はこのように世界を見てきた、考えている。そんな波動が、知らない誰かの生を励ますことができるなら、それでいい、それがいい。

われわれの文化の全般的商業化とともに、あらゆる作品があまりに擬人化され、個人主義的な相において受けとめられていることを、ぼくは心から危惧する。よい文学、よい考え、よい感覚を、われわれは誰ひとりとしてひとりでは達成できない。あらゆるジャンルのあらゆる作品は共同作業の結果であり、すべてはわれわれが集合的に生き延びるための一種の合言葉なのだ。われわれ、つまりヒトのみならず、この惑星で生命を共有するすべてのわれわれだ。財と蓄積と略奪をあたりまえのこととしてきたヒトは、そのままでは生命に敵対している。もうやめよう、そんな生き方は。現在はすでに非常事態だ。

「ポスト・ヒッピー」といっていい世代に属し、対抗文化の渦の中で自己形成を行い、ポストモダン、ポストコロニアル、ポストヒューマンといったすべてのメッセージを正面からうけとめてきたわれわれが、なす術もなくポスト真実の濁流にいまや溺れかかっている。どうしようか。ここまで追いつめられた世界の限られた年月に、何を試みるというのか。ぼくと同世代のきみには、その問いを訊ねたい。もっと若い世代のきみには、希望を祈りたい。さらに若い世代のきみには、ヒトの世界の外を探ることを呼びかけよう。言葉にならなければ口ごもろう。せめて自分が立つ場所の地形と気象をよく観察し、生命がどの土地でどんなふうに営まれているかを少しでも見抜けるようにしよう。そんなひとつの大きな生命のかけらとして、さらに生き延びることを試みよう。これはいわば参加自由なうろつき会議への参加の呼びかけ。

それが文の仕事で、心のさまよいに終わりがないことは、夜ごとの夢が教えてくれる。

二〇二三年二月一日、狛江

エレメンタル　批評文集——目次

装画―スージー甘金
写真―管啓次郎
装幀・本文レイアウト―ミルキィ・イソベ＋安倍晴美

物語が祖だった

Tzah dze guwaah ihskah nudahsqkunuh.
私は他のものになることはできない。
——サイモン・オーティズ（アコマ・プエブロの現代詩人）

北アメリカ大陸南西部は、激烈に乾いた高原沙漠だ。青空だけがつづく、鉱物的な土地だ。そこでは植物の存在は限定され、したがって動物の生存もひどく限定されている。

この広大な大陸で、もっとも人口密度の希薄なこの地域のかすかな水脈を追いながら、非常に大きな間隔をおいて点在して生きる、十九の土着の部族がある。そのうちタオスからズニにいたる十八はニュー・メキシコ州、そしてただひとつ、ホピはアリゾナ州に位置する。前世紀半ばまではメキシコ領だったこの地方に土着してきた、プエブロ・インディアン（プエブロとはスペイン語で「村」のこと）と総称される人々だ。

もっとも「アメリカ合衆国」の成立自体が、かれらの村の誕生の少なくとも数百年後のできごとだということを考えるなら、州の区分をいいたてることは近代国家の領土の区分をいいたてるのとおなじく、まったくばかげている。少ない水をよく活かしたトウモロコシの栽培や羊を主とするわずかな家畜の飼育で暮らすかれらの生活と、母系制にたち争いを好まず動植物のみならず岩や泉といった無生物をふくめてともに土地にあるすべての存在とのあいだに調和を探るかれらの心は、むりやり大陸をわがものとした「帝国」の歴史をはるかに超えて、古く、正しい。「正しい」というのは、かれらの生き方かれらの考え方が、この苛酷な土地でのつつましい生存を、数十世代にわたって実際に支えてきたからだ。

そして或る年を年に重ね、土地に生まれ土地に死んでゆくことを数十世代にわたってつづけるとき、人間はいやでも独自の洗練に到達せずにはいない。知識においてかれらは土地のすべてを知り、思想においてかれらは土地のすべてを考え、生産物においてかれらは美と機能性の新たな水準を実現し、絶えず変化しつつ、変化することで一種の振動する不動性とでもいえる状態にいたる。かれらもやはり、遠い昔にはふらふらとその土地にたどりついた移住者だった。その移住者が長い時をつうじて土地に全面的に関わってゆくとき、かれらは土着の人々となる。ヒトという種に「本来的な」土着は、ありえない。すべての人々は、世代の交代を重ねつつ、土地の者と「なってゆく」のだ。

この「土地の者」という意識が、自分ひとりの世代内だけではそもそも生まれようもないことは明らかだろう。さかのぼれば両親、祖父母、下れば子供、孫。少なくとも前後二世代を（想像的にでも）見通すことができてはじめて、「土着」の心は成立する。いうまでもなく、祖父母にはその祖父母がいて、またその祖父母がいて、この連鎖が永久に（本当はこの遡及が文字どおりの永久ではありえないのが恐ろしいところだが）つづくのは、人間の宿命だ。けれども

「現実」の体験があまりにも短い自分の生涯にかぎられる以上、この「土着」とはあくまでも想像的・観念的・物語的なものにすぎない。自分の生きなかった土地、自分の生きなかった時を、人に知らせ、思わせるのは、物語だ。

「私」を超えたすべての人間集団（家族／部族／民族）が、その集団性の核におき「われわれ」の「伝統」なり「魂」なり「心」と呼ぶのは、定式化されことあるごとに反復される、そんなさまざまな物語の束にほかならない。そして「私」が、必ず先行するなんらかの集団の内部に生まれる以上、「私」は発生の時点から、否応なくそうした集団性の物語の刻印を受けている。以後の「私」の展開とは、自分にいつのまにか押し寄せてきたこれら多様な水準の物語の、どれに忠誠を誓いどれに反発するか、どれと同盟をむすびどれに宣戦布告するか、という一連の選択の問題だと見ることができるだろう。アイデンティティとは、物語的allegiance以外のものではない。

「私」は「集団」なり「社会」に、遅れてはじまった。「かれら」が語る「われわれ」の物語を聞かされて、「私」は「私」になった。その「私」が成長していつしか語る力を手に入れたとき、ちょうど「再洗礼」とでもいうように、「私」の所属（＝物語的所属）が問いなおされる。われわれが或る社会の一員として社会的活動の網の目にみずからをくみこむのは、この「再洗礼」によってなのだといってもいいだろう。物語を聞かされることによって、「私」が生まれる。物語をかたることによって、「私」は集団との所属契約をむすぶ。

現在、プエブロ・インディアンの土地を訪れる人は、いたるところで実にさまざまな種類の土の素焼きの人形に出会うことになる。いま、ぼくの机の上にあるのは、一頭の小さな熊だ。ニュー・メキシコ西部の空に浮かぶ村（高さ100メートルの砂岩のメーサ、つまりテーブル状の台地の上にある）、アコマで買った。白地のごく単純な造形に、目が覚めるようにあざやかな幾何学的紋様が黒で描かれ、体の右側には黒い輪郭で縁どられた赤茶色の大きな矢印が、熊の口から心臓をつらぬいてゆく。これは生命の矢で、熊の大いなる生命力の象徴だという。口からとりこまれた生気が、赤い血の矢となって、熊の体にゆきわたるのだ。呪物としての意味があるのか（発生においてはたしかにそうだったろう）、それともただ飾り楽しむためなのか、こうした素焼きの像をプエブロの人々は昔から作ってきた。動物なら大小さまざまな、熊、ふくろう、亀、蛙。そして人間なら、何よりもまず、ストーリー・テラー人形だ。

物語の語り手。それは典型的には両脚を投げ出してすわった巨大な女性像で、彼女は口を大きく開けて何かを語っている。目を開いていることも、閉じていることもある。歌っているのかもしれない。両腕には何人もの子供たちをかかえ、子供たちも彼女に合わせて口を開けている。でも全員がそうしているのではない。中には彼女の肩によじのぼったり、膝枕で眠っていたり、子供どうしでふざけあったりしている者もいる。真剣に話や歌を聞く子もいれば、てんでかまっちゃいない子もいるのは、いずこもおなじ。けれどもたしかにこの巨大な女性の声は辺りに響きわたり、場をつつみ、すべてを抱きしめ、その声の中で子供たちは育ってゆくのだ。飾り気のないユーモラスで楽しい形象の中に、物語る母親から生まれたわれらプエブロの者という自覚が、みなぎっている。どこのプエブロでも作られ、おびただしいヴァリエーションをもつこのストーリー・テラー人形には、物語の中に生まれ土地と部族への強い帰属意識をもって生涯をすごす人々の姿が、みごとに映されている。どんな物語がかたられるのか。アコマの神話のひとつを、例としてあげよう。

北の山の神さまであり冬の精であるシャカクが、トウモロコシの処女たちのひとり、アコマの長の娘である「黄色い女」と結婚した。二人は「白い家」というところに住んでいた。そこはいつも寒く、誰も何も植えることができなかった。仕方がないので、人々はサボテンばかりを食べていた。

ある日のこと、食べられるサボテンを探していた「黄色い女」は、家からずっと遠くまでさまよっていった。ふらふらと歩いているうちに、彼女はミオチンに会った。「なぜ、サボテンなんか集めているんだ?」と彼はたずねた。「トウモロコシとかカボチャとか瓜なんかのほうが、よくはないのか?」そんなすてきな食べ物はうちの方では見つからない、そういったものは育たないのよ、と彼女は答えた。話をしながら、彼女は男がずいぶんいい身なりをしているのに気づいた。シャツはトウモロコシの毛で編まれていて、ベルトはトウモロコシの緑の葉。帽子もトウモロコシの葉とトウモロコシの房でできている。苔の脚半に、蝶々の縁飾りのついたモカシンをはいている。彼は脇にかかえていた緑色のトウモロコシを、彼女に与えた。贈り物を受けとりながら、彼女はそれがどこでとれたものかをたずねた。

「南にある、私の家のあたりで」と彼は答えた。

彼女は村に戻ると、この出会いについて両親に話し、男にもらったすばらしい緑色のトウモロコシを見せた。親たちはすぐ、娘が、ミオチン、つまり夏の精に会ったのだとわかり、明日また南の方へ行ってその男をここに連れて帰ってくれと、娘に頼んだ。

シャカクはずっと猟に出ていた。翌日、彼が家に帰りついたのは、雹とみぞれが猛烈に降りしきり風が吹き荒れる中だった。誰か他所者が自分の村、自分の家に来ていることを、彼はすぐに悟った。彼は怒鳴った。「おい、出てこい！」隣の部屋からミオチンが出てくると、シャカクは体じゅうにびっしりと薄氷をまといながら、そこに立っていた。二人は話しあい、四日後「黄色い女」を賭けて、決闘することを決めた。

ミオチンは夏の鳥や動物たちを集めた。シャカクは冬の鳥や動物たちを呼んだ。四日め、かれらは約束の場所に現れた。ミオチンは靄と霞の雲に乗ってやってきた。二人は長いあいだ戦ったが、やがてシャカクの武器の雹と雪が溶けはじめ、シャカクは自分の負けを認めなくてはならなくなった。

そこでミオチンは、これからは一年を分けることにしよう、と宣言した。ただし春と夏のほうが、シャカクのものである秋と冬よりも長くつづくことにする。そういうわけで、それ以来、一年はいまのようになったんだ。

Da hama tsaite.（物語の終わりの決まり文句）

各地に見られる万物の起源を説明する物語のひとつ、自分たちが土着することになった土地の季節を解釈するこの何気ない話は、注意して考えてみるならば、きわめて「自然主義的」かつ「歴史主義的」だということがわかる。つまり、かれらの土地の現実の自然条件や、かれらがたどってきたにちがいない移住と生活モードの変遷が、そこにはまぎれもなく書きこまれている。

北と南という緯度の対立は、あらゆる移住者がもっとも鋭敏に気づかずにはいられないものだ。緯度がちがえば、何よりも「地表の衣装」ともいうべき植生が、ただちに変わってくる。したがってそこに住める動物の種類や数もまったくちがい、したがって食料の内容も必然的に異なってくる。氷河期における海面の全地球的低下とともに陸橋化したベーリンジア(ベーリング海峡地帯)をとおって、いくつもの波をなして、アジア大陸から人々はこの大陸に移住した。遠くは現在のバイカル湖付近にはじまる長い長い移住の旅を、たとえばレニ・レナピ(通称はデラウェア族——現在の東海岸デラウェア州付近に住んだ人々)の口承伝説は、独自の絵文字の記録とともに、優に数千年の時を超えて語り継いでいる。この長い旅をつうじて、あらゆる人々はさまざまなようすの土地を知り、その知識と経験の物語を、子に、孫に、語った。

プエブロの人々の先祖がいつどこから来たのであれ、かれらもまた北を知り、南を知っていたことは確実だ。ヨーロッパによる侵略がはじまる十六世紀以前、すでにアメリカ大陸には広範な交易網が成立していた。現在の村の位置を基点として考えるなら、アコマの人々にとって、北は不毛で寒い、乾燥したコロラド高原。緯度と標高が同時に下がる南は、遠く熱帯原産の栽培植物をもたらしてくれる、ゆたかな緑の土地だった。冬の精シャカクが狩人であったことがしめすとおり、かれらは最初、さほど食物としてすぐれているわけでもない植物（ここではサボテン）の採集と、きびしい気候条件をついておこなわれる狩猟によって暮らしていた。それがあるとき、「南」の農耕文化と出会う。部族の娘「黄色い女」（その名前に忠実に物語のはじめから予表的に「トウモロコシの少女」であることが指定されている）の二人の夫として形象化されるのは、これら二つの食料生産体制の葛藤だ。

この葛藤自体、たしかに人々が（いつとはっきり確定することはできなくとも）経験してきたことなのだろう。その結果として、プエブロの人々は大規模な農耕は不可能なこの土地で、ごくつつましく作物をつくり、小さな人口で環境との「調和」を何よりも重視するという生き方を選ぶことになった。ニュー・メキシコの高原では、冬の夜は冷えこみ、ひどい雪嵐になることもある。しかし太陽さえ出れば気温は上がり、その結果三月でも十一月でも、日中は半袖で暮らせる程度の気候だ。青空は年間に三百三十日以上。ミオチンとシャカクの両者を知りながら、春の霞、夏の雷雲をはらんだミオチンの優位を人々が認めるのは、ただの想像されたお話のためではなく、それがかれらの生きる現実そのものだからなのだ。冬と夏の対立についての鋭敏な意識は、多くのプエブロで夏至と冬至を特別な祭祀の期間とし（特に有名なのはズニの冬至の祭り「シャラコの儀礼」だ）、また村人の全体を「夏の人々」と「冬の人々」に分けて、それぞれがその半年のあいだ種々の行事と村全体の幸福に責任をもつという体制を作らせる。

それでもこの話にはるかな「北」での狩猟文化の残像を読みとるのはゆきすぎだ、と考える人もいるかもしれない。プエブロの先祖たちの足跡はまるでわからないが、中南米へと広く連続するユト＝アステカ語族の分布からいって、かれらが北での狩猟を体験してから千年が経っていないとは思えない。千年を経て、部族の記憶は残るのか。だが、千年を百年の十倍と考えるのは、すでに西暦を知る者の感覚、それも印刷術の普及以降に育った者ならではの感覚ではないだろうか。ゲイリー・スナイダーはかつて「ホメロスとはひとつの伝統のはじまりなのではなく、むしろひとつの伝統の終わりなのだ」と語った。つまり、一般に「西洋文学」の始源に位置すると考えられているホメロスは、逆の視点から見るならそれ以前の広漠たる太古の口承文芸の終わりに位置する者だ、ということだ。ギリシャ以後、われわれは書かれた文字の「定本」を「文学」と呼んで疑わず、あるいは五世紀を一世紀の正確な五倍だと計算するようになる。そして口承の伝統を断ち切られ土地との絆を失ったわれわれが百年前に自分の住む土地で起こった事件を何ひとつ知らないことからの類推に立って、文字をもたない言語がそんな遠い過去を記憶しているはずがないと、頭から決めてかかるのだ。

けれどもアメリカ大陸各地の先住民諸部族が語り継いできた物語の数と量と質からいって、それがわれわれの憶測をはるかに超えた長い長い時間をかけて語られ新たに語りなおされ練り上げられてきたものだと考えることは、むしろ自然ではないだろうか。物語をかたること自体にも、多くの規則がつきまとっている。多く見られるのは、一年のうち一定期間しか、こうして人々が集まって物語を楽しむことは許されない、というものだ(また或る物語は或る特定の行事の日に際してしか語ってはならないという規則もある)。五大湖地方のオジブウェ族では、物語の季節は冬だ。夏に物語にふければ、それを聞く植物たちは成長を忘れ、鳥たちは秋が来ても南に飛んで帰るのを忘れる。そして人は怠ける。それを避けるために夏のあいだはせっせと働き、冬の長い夜を雪に閉ざされる季節がやってきて、はじめて物語の集いが解禁される。部族には男女を問わず、何人もの「語り部」がいる。十月になって長い夜を物語にすごすことが許されると、人々は誰かの家に集まり、部族の神話・伝説に耳を傾ける。十九世紀半ばでも、すぐれた語り部は、これから雪の融ける五月も末まで、毎晩、一晩の休みもなく、異なった話を聞かせることができたという。シェエラザード姫の千一夜にはおよばなくとも、けっして見劣りするわけでもない物語の大海が、そこにはあった。そしてこれはオジブウェの格別にすぐれた語り部にかぎった話ではなくて、部族の口承文芸の世界には、どこでもこれに匹敵する声の収蔵庫があったにちがいない。

プエブロ・インディアンの場合も、物語の季節は、典型的には冬だった。素焼きの壺をかれらは昔から使ってきたが(それを水入れに使うとじわじわ表面にしみだす水の気化熱が奪われるせいで中の水は真夏でもひんやりと冷える)、その技法や幾何学紋様を応用して現在われわれがいくらでも目にすることのできる洗練されたかたちのストーリー・テラー人形が作られるようになったのは、古い話ではない。十九世紀にもすでに何かを歌い語る小さな素焼きの人形は作られていたが、それらははるかに土臭く、たくさんの子供たちをたずさえてはいなかったようだ。ニュー・メキシコの州都サンタ・フェからリオ・グランデ沿いにしばらく南下したところにあるコチティ・プエブロ、十三世紀成立のこの村の女性エレン・コルデーロが、その生みの親だ。一九六四年に彼女が作りはじめた人形が、以後各地のプエブロで土産物としておびただしく作られる語り部人形の原型となった。ここでおもしろいのは、彼女が最初にその着想を得たのは、すぐれた語り部だった自分の祖父サンティアゴ・キンターナの記憶によるということだ(かれらの名がスペイン語名なのは、この地方が十七世紀以降、テワ語群の土着の言語とカトリックの布教によるスペイン語との二重言語地帯となっていたからだ。現在でもプエブロの老人には、自分たちの言語とスペイン語は自由に話せても、英語はまるでわからない人が多い。そしてプエブロ・インディアンではなくともニュー・メキシコ北部に数世代以上住んできた家族の多くが、現代でもスペイン語を生活言語としている。言語的飛び地にしばしば見られる現象だが、それは最近になってメキシコや中米諸国からアメリカに流入してきた人々のスペイン語ともかなり異なった、古い時代のスペイン語だ。かれらにとって、英語とは行政と学校の言語にすぎない)。

十九世紀終わり、この地方に初期の人類学者たちが入りこんできて以来、四十年以上にわたってインフォーマントとして活躍してきたサンティアゴ・キンターナは、おそらくこうしたおしとどめることのできない他所者たちの進入との和解の道を探りつつ、一方で自分たちの伝統をよく守ることに心を砕いた、村の精神的な指導者のひとりだったのだろう。人々が

「われわれ」と口にする際の核心が「われわれの物語」にある以上、すぐれたストーリー・テラーこそ、行政的な長や経済的な実力者に増して強い存在だったということは疑えない。孫のエレン・コルデーロは、祖父をしのびつつ、膝や背中に五人の子供をまとわりつかせたこの語り部の姿を人形にした。

祖父は、プエブロの男性なら当然なのだが、髪をおかっぱにしていた。エレンの作った人形でも、もちろん髪形はおかっぱ。それが白人たちには「歌をうたう母親像」だと見えたのだろう。でも彼女にとって、究極的にはその人形の性別が男であろうと女であろうと、どちらでもよかったにちがいない（男の中に女がいて、女の中に男がいる、ひとりの人間の中の男と女の割合はひとつの生涯のうちにも絶えず変化すると、プエブロの人々は考える）。それ以降、エレンのしめした方向に沿って他のプエブロでも作られるようになったストーリー・テラー人形には、明らかに女性のものも、明らかに男性のものも、どちらとも決めがたいものも見られる。ひどく漫画的な顔だちのものや、縞模様の道化服を着たもの、人間ではなく熊やふくろうの親子のものなど、着想とおなじだけの変異型があるのも当然だ。あるいは子供たちにまとわりつかれる代わりに、太鼓やガラガラなど、楽器を手にしているものもある。いずれの場合にも、物語が、歌が、人々をひとつにむすぶものだとする心に変わりはない。多くは観光客相手に売られる民芸品だとはいえ、手作りのひとつひとつに作り手の創意工夫がこめられていることもおなじ。おなじ物語が語り手の、それも一回一回の語りごとに微妙に変わってゆくように、ストーリー・テラー人形にもひとつとしておなじものはない。

そしてこの人形が「土でできている」ということにも、大きな意味がある。地水火風のエレメントに大きな注意を払うかれらにとっては、「土」とはまさに自分たちをかたちづくるもっとも基本的な物質だと見えるからだ。土は、それ自体、神聖だ。なぜなら人は死ねば土に帰るし、それならこの土もかつては自分の祖先だったかもしれないから。土で建築された家の中の、土間の土埃を掃くという行為にすら聖性とのつながりを見いだすのが普通であるかれらにとって、土をこね、それを火で焼き、結局はつかのまのものであるにせよそれにかたちを与えることは、祈りにきわめて似た行為となる。あるコチティの物語はいう。

イクティナクは「粘土ばあさん」と「粘土じいさん」を作った。彼女は二人をコチティの村に送った。「粘土ばあさん」は村の真ん中の広場にゆき、そこでおもむろに腰を下ろした。おばあさんは粘土と水と砂を持ってきており、それらを混ぜはじめた。混ぜ終わると、おばあさんはそれをひとつの団子に丸め、白い布切れで包んだ。

準備ができると、おばあさんは団子を紐のように延ばしてそれをとぐろに巻き、壺を作りはじめた。「粘土じいさん」は、おばあさんが働いているあいだ踊ったり歌ったりし、村人はみんな出てきて、それを見物した。村人は一日中見ていて、「粘土じいさん」が踊りながら歌うのに耳を傾けた。でもおじいさんは踊っているうちに、おばあさんの壺のひとつを蹴り割ってしまった。「粘土ばあさん」はひどく腹を立て、棒をもっておじいさんを広場中追い回した。でもそれから二人は仲直りして、おばあさんはまた焼き物作りをはじめた。おばあさんは壊れた壺のかけらを集め、それを水に浸けてやわらかくして、また一塊の団子に丸めなおした。「粘土じいさん」はその土くれからかけらをとって、村人の全員に少しずつ分け与えた。みんなは、おばあさんがやっているのを見たとおり、それを紐のように延ばして壺に巻きはじめた。

そんな風にして、わたしたちは焼き物の作り方を学んだんだよ。「粘土ばあさん」と「粘土じいさん」は、焼き物を作ることをけっして忘れるなと、教えてくれたんだよ。

単純な話だ。ろくろを使わずに壺を作る、かれらの技法のはじまりの物語。「火で焼く」という過程がすっぽりと抜け落ちているのが、おもしろみを欠くといえば欠く。しかしその教訓は明らかだ。一見分業に立つように見える焼き物作りの過程も、やはり両性の協力でできているのだということ。また人間関係が壊れてもそれは修復可能であり、必ず仲直りしなければならないということだ。プエブロ・インディアンの世界では、焼き物は女の仕事だった(同様に竃の火を使って焼く無醗酵パン作りや、ホピ族の場合なら青トウモロコシ粉のピキと呼ばれる紙のような薄いクレープ焼きも女の仕事だった。火は、女のものだった)。これに対して織物は男の仕事であり、また歌舞音曲も主に男の技だった。この話でいえば、「粘土じいさん」の姿が、焼き物の仕事にはまるで役立たずのように見えながらも、やはり何かの役に立っているのだ。いや、さらに積極的に、おじいさんが歌い物語ることは、焼き物の造形に欠かせない補完的行為なのだといってもいいかもしれない。これに加えて、土そのものが本来もっている聖性の次元を思うとき、この簡単な話の背後に意外な広大さが横たわっていることがわかるだろう。

土の聖性を成立させるのは、あらゆる生命が土へと帰ってゆくという物理的事実だ。古代のプエブロの人々は、日乾煉瓦作りの母屋に付随した、屋根が落ちてなかば崩れかかった部屋に死者を埋葬した。雨嵐が訪れるたびに、崩壊した砂と粘土は埃のように床につもる。それが十分に深くなったころに、土のやわらかい他の地方に比べればごく浅い墓が掘られ、死者が横たえられるのだ。同様に、かれらの生存の決め手であるトウモロコシの皮や茎、あるいは動物の骨も、むやみに捨てられることはなかった。人の命を支え終えたそれらはすべて、分解して土埃へと帰還する途上のひとときを、しかるべき敬意を払われながら、そのために定められた場所ですごす。猟師がカモシカを狩ったなら、肉はけっして粗末にしてはならないし、骨や毛はきちんと祀らなくてはならない。すべては大地という母親に帰ってゆくのだ。そう思うなら、岩や粘土も、砂も土埃も、この大いなる母親の肉体にほかならない。だから岩にも砂粒にも、動物や植物のそれとはちがったかたちでだが、「心」がある（したがって、生物／無生物という分離は、ここでは成り立たない。ただ「生きているもの」と「それほど活発には生きていないもの」の区別があるだけだ）。万物は「大地という母親」から生まれ、この母は妹でありときには分離不可能な一体となる「トウモロコシという母親」とともに、われわれの命を全面的に養ってくれる。彼女らの気前のいい協同、土から緑が湧きだしてくることの驚異の上に、われわれはやっと生きてきた。

「粘土ばあさん」の話には、もうひとつけっして忘れてはならない点がある。それはたとえばこの話に出てくる「広場」が、どこかの村のどこでもいい広場ではなく、「われわれ」の小さな村の、すべての村人が毎日通りがかる、このおなじ広場だということだ。舞台はひとつであり、それはかけがえがなく、あまりにも具体的な、「われわれ」の現実そのもの。この現実の舞台に、物語が重ね書きされてゆく。プエブロの人々にとって、或る物語はつねに或る実際の場所にむすびついている。その場所に物語は何世紀にもわたってこだまし、そこでは空間に神話がたちこめ、「いつ」と指定することのできない時以来の「歴史」のすべてが、同時に露呈している。だからこそ、この土地はわれわれのものなのであり、われわれはこの土地の者であり、他の何にもなりようがない。この場所に（物質的に）住み、この場所の（観念的な虹のような）記憶を知ることによって、われわれはプエブロの者となった（一回的に、解消しがたく、なってしまった）。この濃厚な現実性に対して、たとえば「アメリカ合衆国」といった、他人からむりやり与えられたあまりに作りごとめいた身分を優先させることなど、とてもできない。物語が湛える強度が、ぜんぜんちがうのだ。

かれらアメリカ先住民の歴史は、ヨーロッパ系住民が作った近代国家「アメリカ合衆国」からの侵略の歴史だった。土地の人々が少なくとも数百年を暮らし稠密な物語にかたり慈しんできた土地は、血まみれの手で奪われた。十九世紀、当初は東海岸の国家にすぎなかったアメリカの西部への発展と大陸国家への拡大の過程は、酸鼻をきわめる虐殺のくりかえしだ。強大な軍事力の展開のまえになす術もなく土地を奪われた部族たちの中にあって、プエブロの幸運は、皮肉にも、「アメリカ」に二百年あまり先行してかれらに接触し、それ以上あまり大きな関心はしめさなかった「スペイン」の存在にあった。書字記録をもたないばかりに英語系白人たちに勝手に土地を蚕食されていた、土地の「登記」や「所有」とはまるで別の論理に立つ口承世界を生きるプエブロの人々にとって、昔、スペインが国王の名においてこれこれの土地をどこどこのプエブロのものと認めると書き残した証文が、「アメリカ」に対する唯一の歯止めとなったのだ。これでかれらは「西洋」の論理の土俵で、自分たちの「固有の領土」を主張することができた。「アメリカ合衆国」の誕生のずっと前に成立していたこのささやかな外交関係が、すべての土地を失うことから、プエブロを救ったのだった。

こうしてかろうじて維持されたプエブロの土地は、効率のいい土地ではない。なにより、水が少なすぎる。かれらの主食であるトウモロコシは、夏に房をつけるころ、どうしても水が必要だ。この時期に干ばつに見舞われれば、人々は飢える。だから夏のあいだは毎日、人々は西の空に雨雲の影を求めて、一日中地平線を見つめてすごす。それでもこの地方に、人々は最低でも千年、住んできた。ニュー・メキシコ州のアズテック遺跡を見ると(ヨーロッパ人はそれを当初アステカの遺跡だと考えたが、実はそうではなくこの地方のプエブロ・インディアンの祖先にあたるアナサツィの遺跡だ)、西暦一〇〇〇年ごろすでに、巨大な円形の集会場をそなえた、五百室におよぶ集合住宅が作られていたことがわかる。おなじころ、チャコ・キャニオンでは、五階建ての石と泥の建築が作られていた。

人々は土地との関わりをたしかめるために、非常に具体的な物語をかたりついできた。現在でも、毎年、冬至の季節がくるたびに、四日四晩をついやしてかれらの創世の神話、出現の説話がかたられる。われわれはこの穴から地表に出てきたという聖なる場所を、どのプエブロも村からさほど遠くないところにもっている。そして物語はそんな創世神話にはつきない。世界ができたあと、人が動物やその他の存在と自由に言葉を交わすことのできたころの物語や、スペイン人がはじめて姿を見せたころの物語。アタパスカン語族の北方系狩猟民アパッチが南下してきてプエブロに攻撃をしかけてきたころの物語や、あるいははるかに日常的で身近な、どこそこの誰某があしたこうしたといった物語。およそあらゆることが語られ、それを耳にした者がまた新たに語り、その連鎖が人々をむすび、伝統とはその物語の連鎖以外のものではなかった。

物語は、くりかえすが、具体的な土地の細部とむすびついている。アコマとは姉妹関係にあるラグーナのプエブロ出身の小説家、疑いなく二十世紀後半のアメリカ作家でもっとも重要なひとりであるレスリー・マーモン・シルコは、次のような例をあげていた。彼女のエセー集『黄色い女と精霊の美』(一九九六年)からだ。

オールド・ラグーナ(彼女らのプエブロの集落のひとつ)から1キロ半ほど北、パグワテ(もうひとつの集落)へむかう道すがらに、巨大な砂岩塊が一個、ごろりと横たわっている。高さは3メートルあまり、周囲は6、7メートルもあるだろうか。レスリーの子供時代、つまり一九五〇年代、パグワテにむかってここを通りかかるたびに、かならず誰かがコチニナコ(「黄色い女」）と巨大な怪物エストロクヨの物語に言及した。彼女はもう少しで、巨人に食べられてしまうところだったのだ。或る日、コチニナコは母親や妹たちに食べさせるための野うさぎを狩っていた。そこを巨人に見つかって、彼女は小さな洞窟に逃げこんだ。洞窟が小さすぎて、怪物は頭も入らない。腹をすかせた怪物を追い払おうと、コチニナコはせっかくとったうさぎも、履いていたモカシンも、身につけていた着物も、次々に投げ与えた。怪物は満足しない。そこにプエブロの文化英雄である双子の兄弟がやってきて、コチニナコの弓矢を使って怪物を退治してくれた。怪物の胸を切り開くと、双子とコチニナコはその心臓をとりだし、それを思い切り遠くに投げた。それはどすんと地面に落ちて、そのまま石になった。それが、この道路脇の石だ。

この挿話を独立して見るなら何ということもないといえばそれまでだが、これは一方で文化英雄の双子の武勲、他方ではトウモロコシの精であり大地母神の姉妹でもある「黄色い女」をめぐる、それぞれにたくさんの物語の一部だ。プエブロの世界でもっともよく親しまれる神話形象のひとつである「黄色い女」は、儀礼に登場する必要があるときには緑色の仮面をかぶって現れる。髪は頭の両脇に、丸く蝶々のかたちに束ねている。刺繍のある毛布を衣裳とし、肩には白い肩掛けをかけている。先にあげたアコマの伝説での「首長の娘」だけではなく、「花嫁」「魔女」「熊の娘」「人食い女」など、善悪を問わず彼女は自由自在に変化する。そして道路脇の砂岩にとどまらず、彼女やすべての神話的存在の足跡はプエブロの生活圏をみたし、しかじかの場所にとおりかかるたびごとに、誰かがその物語を（すべて語ることはしなくとも少なくともその存在を）連れに思いださせるのだ。

神話だけではなく現実の事件も、場所の記憶にはきわめて重要だ。ラグーナの村から南東に25キロほど行ったあたり、青々とした草原に、黒っぽい色のメーサ（テーブル状の岩山）が劇的にそそりたっている。この草原で、百四十年前、レスリーの曾祖母の叔父とその義理の弟が、羊の群れを飼っていた。この空っぽの草原では優に30キロ先を見渡すことができる。したがって二人のラグーナの羊飼いに忍び寄ろうとする者は、そのメーサの陰に姿を隠さなくてはならない。アパッチの男たちは、まさにそれをやった。メーサを使って巧みに身を隠しながら、男たちは羊飼いを両側から挟み打ちにした。レスリーの遠い親戚たちはたちどころに殺され、羊の群れはそっくり奪われた。

さらに新しい話もある。ラグーナのリザーヴェイション（保留地）の境界を出てすぐのところに、キングズ・バーという酒屋がある。リザーヴェイション内ではアルコールは禁止されているので、そのすぐ外でこうして酒を売っているのだ（ここでついでに述べておきたいことがある。「リザーヴェイション」というと、先祖伝来の土地をうばわれたインディアンがむりやりに他所のひどい土地に押しこめられた場所だと思われることが多い。これはインディアン・テリトリーつまり現在のオクラホマ州への血と涙の強制移住を経験した東南部の部族などの場合には、真実だ。しかし南西部のプエブロの場合は、それとは事情がちがう。プエブロの土地はまさにかれらの父祖の土地であり、リザーヴェイションと呼ばれるのはかれらの固有の領土なのだ）。このバーのすぐ裏手は、アローヨになっている。アローヨとは一年のうち豪雨が降ったときにのみ水が流れる、沙漠の涸れ川のことだ。赤土が深くえぐれ、両岸は垂直に切り立った小断崖となっているることが多い。数年前のこと、あるヴェトナム帰りの男が店で六本パックのビールを買っているあいだに、彼の赤い新車のフォルクスワーゲンがなぜか勝手に後ろ向きに走りだして、アローヨに落ちてしまった。兵士の報酬のすべてを注ぎこんで買った車を失った男に、人々はこんな話をしてなぐさめた。おまえさんはまだ運がいいよ。何年かまえ、ステーション・ワゴンのエンジンをかけたまま店に酒を買いに入った男がいた。車には男の子供たちと、義理の母親が乗っていた。酒屋から男が出てくると、車が見当たらない。車は乗っていた人間もろとも、深いアローヨの底に、落ちてひっくりかえっていたのだ。折れた骨が肉をつきやぶり、ひどい切り傷と打ち身、血が流れている。完全に破損した車の残骸。そしてこのアローヨにまつわる大小の悲惨な話は、まだほかにもいくらでもある。

けれどもこうして物語にかたることによって、多くの人々を絶望に追いやったこのアローヨは、奇妙な人格めいたものをそなえた、生きた存在となる。こうして伝承がはじまる。人々は、ここをとおりかかるたびに、背筋の寒くなるような話を思いだしつつ、同時にこの自然の造形に対して、不思議な愛着を覚えるようにもなる。数々の忌まわしい事件を生んだこうした地点は、その印象深さによって、いわば大地と人間世界のあいだの、結び目となるのだ。アローヨは人に注意を求め、警告を発し、尊敬をうながす。その彼方に、具体的な土地のポイントを一歩一歩たしかめつつ暮らしてゆくほかはない人間の、生活の大地がひろがる。

レスリーの子供時代の語り部は、スージーおばさんと呼ばれる百六歳まで生きた老婆だった。そのおばさんが子供のころ、彼女のおばあさんは子供たちを集めて話をするたびに、そのとき部屋にいるいちばん小さな子に、戸口にいって扉を開けておいで、と命じたそうだ。「扉を開けてきて」と祖母はいう。「扉をあけて、わたしたちの大切なご先祖が、物語という貴重な贈り物をもってきてくださることができるようにしてちょうだい」。開け放たれた扉からは、乾いた高原の夜の風が吹きこむ。コヨーテの遠吠えが聞こえ、草と土の香りがただよい、星が空を埋めつくすように輝くのが見えたことだろう。祖霊が部屋に入り、物語が仮の忘却の底からふつふつと沸きおこり、子供たちは期待にみちた沈黙のうちに待つ。語られた物語は村の周囲の地勢に、風景に、ファウナ（動物相）に、フローラ（植物相）に、雨に、風に、太陽に、分かちがたくむすびつきながら、子供たちに「なぜわたしたちはここにいるのか」「なぜわたしたちはこのように暮らしているのか」を教える。物語が祖《おや》であり、物語が祖《はじめ》だったのだ。

　プエブロの創世神話では、創造主はツェツィナコ、「考える女」だ。蜘蛛でもある（完璧な均整のとれた巣を張る蜘蛛ほど巧みな作り手はざらにはいない）彼女は、まず三人の姉妹を思った。彼女が思うと、姉妹たちは現実の存在となった。ついで姉妹たちと心を合わせて、「考える女」は太陽と星と月を思い、それらを存在させた。作り手であるこの母たちは、それから大地を思い、大洋を思い、動物や人々を思い、山々に住む各種の精霊カチーナたちを思った。作り手の母たちは、さらに花を咲かせるすべての草、実をつけるすべての木々を思った。「考える女」とその姉妹たちの思考につれて、宇宙のすべてが存在しはじめた。この宇宙には、絶対の善もなく、絶対の悪もない。ただ潮がみちひきするように移り変わる、バランスと調和があるだけ。或る年には、高原沙漠はゆたかな雨と豊作に恵まれ、或る年にはほとんど雨は降らず、作物は実らないだろう。また或る年には、あまりにおびただしい雨が降って、洪水が生じ、人に災いをもたらすかもしれない。それでも雨そのものは、良くも悪くもない。他のすべての自然物とおなじく、雨はただ、雨なのだ。

こうして、自然力に対する全面的な降伏がプエブロの人々の心を規定しているとは、いえるかもしれない。だがそれをいえば、地水火風や動植物にかぎらず、人間の存在もまた自然力のひとつの表現にほかならない。そしてあらゆる自然力とおなじく、われわれもはじめから「考える女」によって考えられている。つまり、物語られている。そのわれわれがこの土地で生きるとは、土地の物語をいかによりよく語りなおすか、という一点をおいてはありえない。いかによい作物を作り、いかによく子を育て、いかに土地を美しくし、いかに土地の他の住民——動植物のすべて——とのあいだに調和を作りだしてゆくか。土地との絆を喪失したわれわれには本当には想像がつかない心ばえをもって、異常なほどに人口の希薄なこの地帯で、プエブロの人々はつつましく、誇り高く、美しく、生きてきた。その生き方はいまもつづく。古くからの物語が新たに語られるかぎりは、かれらはこの土地でかれらであることを、これからもやめない。

かなわない望みだということはわかっていても、二百年後、せめて百年後のプエブロの姿を見たいと、ぼくは痛切に思う。水の絶対量からいって、北アメリカ南西部のこの地方に住める人口はかぎられている。資源開発や物流の体制に今後どんな変化があろうと、この地方が高原沙漠という本質を失うことは(人間的尺度の時間のうちには)ありえない。それなら土地を知り土地を語ってきたプエブロの人々が、「ただのアメリカ人」になってしまうこともありえない。かれらはここに残る。そこに、あくまでもかぎられた数の他所者が物質的・物語的に合流して、新たなプエブロを形成するだろう。

「美しさ」とは危険な観念かもしれない。しかしプエブロの「美」には、きわめてマテリアルな意味がある。鉱物が露出し、土地の衣裳ともいうべき植物の生存がひどく限定されているこの高原では、生命力がそのもっとも単純な姿で見える。その裸の生命力が、生存という奇跡が、「美」なのだ。はじまりの日々、地球は鉱物だった。そこに、太古、有機物が生まれた。生命は複雑化し、種の数も個体数も増した。だがこれらの土地では、始源とのつながりが、いまも目に見えるかたちで、そこに残っている。生物種は少なく、個体数も少ない。もちろん、人も少ない。驚くほど清浄な、不毛の砂岩のメーサの上で、いっそう不毛な赤く輝く大地が沈黙のうちに全方位の地平線までつづくのを見ながら暮らすホピ族の長老は、ホピの者は「祈りによって暮らさなくてはならない」といった。この心はホピだけではなく、すべてのプエブロの人々に共有されていると思う。ここでは欠乏が美であり、エレメントの露出が美なのだった。

時間と運動と空間　サイモン・オーティズ

ぼくはバーバラにいった。
「おれが子供のころね
アアクの崖っぷちからみんなで
よく石を投げたものさ。
夢中になって。
落ちてゆく石が
なんだか
時間を止めるっていう感じに見えたからさ」
そのとき、それは本当であり
明らかなことだと思えたのだ。
時間はとても深く、計り知れず、
その時間がつづくあいだいつだって人は
正確な一点にそれを止めることはできないし、説明もできない。
でも落ちてゆく石を見つめるときには……
そのとき、時間は、手でさわれるものだった。
それは自分の手から放たれて

落ちてゆく石ころ
空間にむかって、その中を通過して、地面へと
ひたすら落ちてゆく
崖っぷちの底まで。
そのときわかる。
時間と運動と空間。
松《パイン》の樹と樅の樹、
風、
太陽に温められた平たい岩の苔、
ずっと下の谷間を走る道路、
ともだちの声、
ぼくら。
「松の歌《パイン・ソング》」と彼女はいった。
蝶がやってきた。
それから明るい黄色と黒で
すっかり身をつつんだ蜂。

「そういうことなんだよ」

「作り話じゃないんだぜ」

Simon Ortiz. "Time and Motion and Space" in *Woven Stone* (The University of Arizona Press, 1992). pp.54-55.

1996

夢の鏡

夢はおまえよりも賢い——オマハ族の諺

夢のことを考えると夜になる。夢のことを考えているとそれに熱中するあまりどんどん時間がすぎていつのまにか日が暮れる、というのではない。むしろ、時間はすぎなくなる。夢とは何かについて、あるいは夢で見られた形象や断片化されたミニ・ストーリーについて、いったんそれらを対象化して考えはじめると、きらめく朝陽もまばゆい午後の光も関係なく、考えている意識自体がどんどん昏くなり、外界からは一種の皮膜で隔てられ、いつしか夢を見ているときそのものと実質上あまり差がなくなってしまうということだ。その意味でいえば、熱帯の海岸の過剰な光が蜂蜜色をした天の精液のようにふりそそぐ正午でさえ、夢のことを考えると夜になる。ちょうど日蝕のとき、青空があくまでも青を保ったまま深い暗さに染まってゆくように。そこではもう睡眠と覚醒の区別も曖昧で、それ以上に、自分の声と自分以外の何者かのささやきの区別もつけにくい。だが、あらゆる夢は目覚めたのち回想のうちに語られるのでなければ、ひとりひとりの「個」を超えて共有されることがないし、このほの昏い中間地帯以外には、夢をめぐるすべての言語の出発点はない。夢を語る言葉は他のどんな言葉にもまして、ごくゆるやかにしか「自分」に所属しない。夢を語ることにおいて、「自分」が課する抑制が解け、「自分」が融ける。夢についてのすべての議論は、どれほど理知的な装いをもっていても、すでに夢の模倣に足を踏み入れている。

レヴィ＝ストロースはこう語る。共感できる言葉だ。「たとえば、プラトンやアインシュタインのような巨大な精神を人類が生むことができたのが、ようやく近年のことだと考えなくてはならない理由など、どこにもないとおもいます。二十万年、三十万年より以前にはすでに、もちろんこうしたもっと新しい時代の思想家たちがとりくんだような問題の解決にその知性を使ったのではないにせよ、かれらに匹敵する知的能力をもった人間が、たしかに存在したにちがいありません」

幻視者レヴィ＝ストロースの仕事は、ただ西欧近代特有の合理的理性を、現代に残存する無文字社会の思考によって相対化しようとしているわけではない。文字の発明以降のすべての知性のあり方を、人類史のごく最近の（特に質的にすぐれているわけでもない）一部として位置づけようとしているのだ。ヒト科の脳の容積が現在のホモ・サピエンス・サピエンスのそれになったときには、脳の活動モードはすでに現代人（あるいは本格的な書字時代がはじまった最近の二千五百年ほどの人間）のそれと、まったく変わらないものとなっていただろう。その脳を通過してゆく情報やイメージは、もちろんまるでちがう。しかし、脳が溌剌とした刺激に踊り、さまざまな要素をむすびつけ、散乱する光に答える虹のような思考の紋様を描きだす、その運動ぶりには——個体差は大きく抜きがたくあったとしても——この二、三十万年といった時間の幅では、別にどんな差も生まれなかったのではないか。アリストテレス、ダンテ、ホーキングの脳に匹敵する強力な頭脳は、三十万年かそれ以上前にもすでに、夜空の中緯度オーロラや地平線につきささる稲妻を見て、何事かを考えていたにちがいない。そして地表をみたすエレメンタルなあらゆる力に対する感受性と思考の深みに関して、われわれが太古のかれらよりいくらかでも遠くまでやってきたと考える理由は、どこにもない(逆に人工的環境をどんどん肥大させてゆくわれわれの感覚と思考が、かれらのそれに比べてひどく衰弱してしまったという推測なら、いくらでも可能だとおもわれるものの。天体や天候の推移についても動植物の生活についても、われわれの大部分は度しがたい無知を生きている)。

しかし、それでは実際に、かれらは何を考えていたのか。想像するしかないこととはいえ、ぼくは断言してもいい。かれらは、かれらもまた第一に、死について考えていたのだ。あるいは、ヒトとヒト以外のすべてを分かち、かつむすぶ、ある絆の存在について考えていた。実在の世界ではたしかめようのないものである以上、すでに一種のメタフィジックスだと呼ばざるをえない思考が、これら二つの主題(死とは何か、ヒトとは何か)をめぐって生まれた。そしてそれらの主題が主題化されるにあたって大きな役割をはたしたのは、脳の過剰な活動がもたらした、夢という夜毎の避けがたい旅だった。

なぜ、われわれは夢を見るのか。それは脳の巨大化が、必然的にもたらしたものにはちがいないだろう(犬や馬といった他の哺乳類も夢を見ていることは確実だとおもわれるが、かれらが言語によって脳の機能を外在化させていない以上、その夢がヒトの夢よりも単純なものだと考えることには根拠がある)。あるいは器官としての脳が必要とする休息時間と(その全体が活動を停止することは生きているかぎりはありえないわけだが)、身体の他の部分、おそらく消化器系の必要とする休息時間のずれが、睡眠と逆説睡眠との差、さらには夢の発生にかかわっているのかもしれない。経験的にいって、睡眠時間そのものは消化に必要な時間によって大きく左右される。釈尊の昔から食休みは健康のために奨励されてきたが、夜、通して眠る時間にしても、摂取する食物が少ない場合は少なくてすみ、消化すべき食物量が多いときには長く要求される(多忙をきわめている日本のある有名作曲家が、一日一食で平均睡眠時間は三、四時間におさえているという話を雑誌で読んだことがある)。睡眠自体は(脳内の睡眠物質の蓄積が指令するのだという説をおいても)体内の血液=酸素の循環体制の要請にこたえて起こるのではないかとおもうが、この睡眠のあいだにも脳の(特に言語脳の)一部は活発に活動している。部分的には、完全に覚醒しているのだ。脳の眠りと身体の別の部分の眠りとのずれが夢を生む。だが、それをいうなら、部分的な覚醒と全的な覚醒を区別する線は、いったいどこに引けるのだろう。眠ってみる夢と起きてみる白昼夢、幻視、完全に目覚めているときの思考の萌芽といったすべてに、はたして決定的な差はあるのだろうか(たとえば完全に目覚めたままこうして文章を書こうとして白紙に最初のひとことを記すときの不確実なあやふやさだって、それは「夢のように」とでも形容する以外にないような気がする)。

太古の夜のことを考えてみよう。ヒトがヒトとなる以前のことはともかく、火の使用がはじまってからのことだ。

焚き火が、最初の映画だった。長く寒く危険な夜、漆黒に閉ざされ、視覚による周囲の環境の把握が挫折する夜は、聴覚の世界であり、触覚と皮膚感覚の世界だった。火の使用には、しかしこれらすべての感覚に訴えかけるものがあった。皮膚には焚き火の放射熱があたり、小さな盗まれた太陽のように、からだを温めてくれる。ぱちぱちと木の焼ける音が立って、それは自分たちの「住処」を画する音として、周囲の非人間の世界からの独立を保証してくれるものとなった。そして視覚は、見通せる長い距離を奪われているためにいっそう、ゆれる焔のオレンジや火の粉の赤、それに対応してひときわ濃くなった影の躍動に、魅せられたように釘付けになっていたにちがいない。夜、視覚が見いだす光は空の光（月、星々、ときおりのオーロラや稲妻）でなければ地上の火の光だけで、目覚めているかぎり、人はこれらの光を長い長い時にわたって見つめていたはずだ。そこでは見つめることと夢想が重なり、現実のかすかな光のむこうに幻想の光景が展開する。回想が、過去を放浪する。未来へと折り返されて投射された想起が、明日を予告する。

かれらは普段どれくらいの時間を眠ったのか。いうまでもなく個体差があり、生活の季節ごとのサイクルの中でも差はあっただろう（たとえば長い猟に出ているあいだは四、五時間、「家」にいる時期には八、九時間といったように）。いずれにせよ睡眠時間が現在のわれわれのそれとは大きくちがっていたと考える理由は別になく、それなら、特に冬には（特に高緯度地方では）

長い夜のかなりの部分を人々はこうして焚き火をかこみ無為にすごしたわけだ。火を見つめ、お互いにむかって何かを語りながら。伝承や神話はこうして長い時を費やして、いくつもの語り／語り直し／中断／再開をはらみつつ洗練されてきたにちがいない。そしてこれらの物語に、昼間の現実を支配する諸原則をはるかに超えた深みと色彩を与えたのが、夢だったことは疑えない。

なぜ夢を語ったのか。夢は不安を誘うものだったのか、魅惑の源泉だったのか。楽しみだったのか、悲しみだったのか。

夢と現実との見分けがつかない、ということはまずありえなかっただろう（これもまた単なる憶測にすぎないが、睡眠中に何の夢を見てかいきなり吠えだす犬だって、もしそれを覚醒後におもいだすことがあるなら、やはり夢と現実との区別がつかないということはないのではないだろうか）。ヒトにとっては夢は、覚醒時の現実とは明らかにちがう。描かれるイメージの世界を支配する規則がちがうのだ。しかし、夢はあくまでも現実の記憶を素材としてつむがれるものであり、目覚めたあとの記憶のなまなましさは、現実を回想するときのなまなましさと本質的に同質だ。現実の記憶と夢の記憶とは、記憶としておなじものなのだ（夢の中でしか訪れたことがないのにまるで現実の記憶のように語ることのできる場所が、ぼくにもいくつかある）。夢がもうひとつの現実、「第二の人生」（ネルヴァル）と呼ばれるようになるのは、ロマン主義者たちの近代を待つまでもなく、おそらく自分の体験を言語によって他人に語るという実践とともに古いことだったろう。

夢は、いわゆる現実（実在する外界との相互干渉によって生起する現実）を束縛するさまざまな規則を超えて、別の原理に立つもうひとつの世界を——あるいは少なくともその可能性を——見せてくれる。

夢がもたらす超越のあり方として特に決定的だったろうとぼくが想像するのは、つぎの二点だ。まず、「死後の世界」という観念の発生は、まちがいなく夢からはじまった。ついで、動物や植物や地表にあるすべてが、かれらもまたそれぞれにヒトであること（つまり交渉可能な存在であること）を明らかにしたのも、やはり夢によるものにちがいない。夢において一方で、人はひとりの「個」の生涯を閉ざす時間的な限定を超えて、すでに死んだ人とも改めて出会うことができる。他方では、ヒトという「類」の意識の限定を超えて、目覚めのときには語りあうことのできない鳥や獣、草や樹木や岩とすら、言葉を交わすことができる（これら種々の精霊たちの住む世界とは、目覚めの後に想起された夢の世界そのものだ）。流れすぎればもはや帰らない時間の経過をものともせず、あるいは存在論的空間の棲み分けを無視し、人は夢でのみ、この二つの位相に自分を拡大してゆくことができる。

ところで、あらゆる無知から知への移行は不可逆的であり、忘却はあっても、無知への帰還はない。夢の世界をいったん知ってしまえば、人はそれを知らなかった昔の無知へと戻ることはできない。神あるいは絶対者の観念がいったん成立したあとでは、だれも本当に無神論者であることはできない――「神の空位」が位置として存在することを知りつつ「神はいない」と言明しつづける者を便宜的名称として「無神論者」と呼んでも、その位置そのものは元来、たしかに占拠されていようが空虚であろうがおなじことだ――ように、時空の限界を想像的に無限に拡大してゆくことのできる夢の世界が知られたあとでは、いわゆる現実の、覚醒時の世界が、われわれの住む世界全体の一部にすぎないということは、だれにも否定できなくなる（それ自体「現実の世界」の過去の経験のみを素材として作られる「夢の世界」が「現実の世界」よりも大きいとはいえないが、「現実の世界＋夢の世界」はつねに「現実の世界」よりも大きい）。夢の世界で起こることは、通常の現実の世界で起こることとはたしかに次元がちがうが、やはり確実に起こっていることであり、それはわれわれの生の本質的な一部をなす。そして夢という、脳の過剰な活動から生まれるこの現象は、解剖学的現代人の成立以後は等質に、人類にとって普遍的な体験としてある（ただ、ある社会は夢の領域を上手にとりこんで現実の社会生活を織りなし、別の社会では夢は現実からきびしく排除される）。徹底的に覚醒することをめざした近代理性の冒険は、夢の突拍子もない論理を日常的現実においてある程度まで回避することを可能にしたものの、夢そのものの広大な領域は、びくともしなかった。そしてそんなことはたぶん、懐疑＝覚醒の方法化に思考の命運を賭けたデカルトが、すでに知り抜いていた。

おそらく太古から途切れることなく続いてきただろう伝統に立って、夢とともに生きる社会＝文化は、いまも惑星の各地にある。それとは逆に近代以降の産業社会では、夢の論理をたとえば文学や造形芸術、あるいは劇場や遊園地といった限定された空間に封じこめることで、予測可能性の論理をあくまでも守ろうとしてきた。しかしこれら二つの社会のあり方をそれほど峻別することは、じつはできないのではないだろうか。合理主義の実現を合言葉とし因果律に社会の全体を支配させようとする近代産業社会でも、夜は夢が自由に噴出する時間として受けとめられるのはむしろ当たり前だったのではないか。逆に、たしかに昼の現実と夜の夢それぞれが見せてくれる異なった情報体制を調和させながら、理性の眠りの影で夢が現実に浸透することに生の高揚のきっかけをゆだねた「夢見」の文化を生きる社会でも、夢そのものをめぐるプロトコルは、じつはきびしい制度化の下に置かれているのだ。夢の技法をもつ人々のあいだには、夢の知を統括する専門家が存在する。解釈は監視され、集合的な神話が絶えず参照される。この意味でいえば、伝統的な解釈の格子が完全に破綻することにより「夢見の自由」が真にはたされるようになったのは、むしろ近代産業社会の側ではないか、とさえおもわれる（もっとももちろん、そこでは夢は生を深く方向づけあるいは変容させる原理とはなりえず、日々の泡としてすみやかに忘れられてゆく場合が大部分なのだが。そして夢の科学としてはじまった精神分析が、この暗闇の領域のために新たな解釈格子を樹立しようとして大きな努力を払う）。

けれどもそうした「夢見」の世界から遠く離れてしまったわれわれの現実にとって、通常の因果律によって世界と事件を解釈し、自分自身が体験しうる有機的限界を限界として甘受するという態度を捨てること——因果律に代えて共時律（物理的法則を超えて意味によってむすばれた出来事が同時に生起するというシンクロニシティ原理）を解釈原理として採用し、自分の「個」を超えた何者かとの非物理的接触・交感の可能性を信じること——は、無意味な混乱か娯楽・慰撫以外の何をもたらすだろうか。夢の原理は、われわれの社会では、現実に代わることができない。それに「理性という夢」が、それほどたやすく放棄すべき無価値なフィクションだとも、ぼくにはおもえない。夢は個々の夢見る人を個別化し、かれらが夢を他人と語りあうためには現実への帰還が必要であるのと平行して、個々の「夢見」の文化を隔てる分厚い壁を超えて、ある集合的な夢が別の集合的な夢との対話を開くためには、別の平面への徹底した覚醒が必要なのだ。そしてその共有平面として実用に耐えるものは（少なくとも現在のところは）西欧近代的な「理性という夢」しか見当たらない（民族誌や文化精神医学といった「科学」化をめざすプロジェクトのそれぞれにどれほど大きな欠落があるように見えても、民族学者ではまったくないぼくすら、それらの学科が生んだ資料に頼って他者の文化をつかのま「夢見」、アカデミックな論文ではまったくないこのエセーすら「理性的」な解釈を少なくとも模倣していることは、否定しがたい）。

しかし、くりかえすが、眠りなき理性はない。たとえば夢の中で死者と出会うことは、どれほど機械的な合理主義者にとっても、太古の人々にとってそうであったように（あるいは現代においても所属する社会がどこであれ夢に学びつつ現実を生きる多くの人々にとってそうであるように）切実な体験だろう。夢の中で、死者は（まだ）生きている。何かを語っている。あるいは語ろうとしてはたせず、そのはたせない姿によって何かを語っている。もちろん、夢の中でもかれらがすでに死んでいるということが、痛切な悲哀をもって自覚されることもある（しかしそのときには、その喪失感を燃料として、かれらはさらに生き延びる）。死者のイメージは、生きていたときのかれらのイメージそのままに、異様なまでの実在感をもって迫ってくる。あるときには死者は何気ない日常的な姿で、ずいぶん具体的な指示や教えをもたらしてくれることがある。それなのにその死者もまた、ただわれわれ自身の内部に残された痕跡に由来するものにすぎないのか。それとも本当に、別の世界へと移っていった死者が、別のとき、別の空間から、ある知らせを送ろうとしているのだろうか。この問いに、覚醒した言語は「そんなはずはないさ」とただちに否定の答えを出すことができる。しかしどれほど覚醒した思考の側につく人であろうと、その孤独な夜の眠りでは、たしかに死者がいまなおどこかで生きていることを、信じているにちがいないのだ。それは避けがたい「夢見」の運命だ。

なぜ通信が許されないのか

（宮澤賢治「青森挽歌」）

実在の世界のごく一般的な論理で可能な内容を述べるものを「物語」、実在の世界の論理では不可能な内容を描くものを「神話」と仮に呼んで区別するなら、死者が生き、すべての生物

／無生物が何らかの意識をわれわれに通信してくる夢の世界は、一面に「神話」の世界だ。というよりもこの意味での「神話」をわれわれに教えたのは、夢だった。夢そのものについてそれを見ながら同時に語ることはできない以上（自由連想がそれにもっとも近い試みではあるだろう）、夢についての語りは想起に立つ、多かれ少なかれ整理された語りとならざるをえない。それなら「語られたものとしての夢」と「神話」には、それ以上の区別はない。夢は反復して語られ、また見られ、また語られるうちに定型化され、共同化され、伝承されて神話となってゆく。そして夢解釈とは、神話の論理が炸裂する個人の夢の内容から、目覚めの世界で行動化＝実用化できる物語をすくいとることにほかならない。

神話の源泉である夢は眠りに属するが、あらゆる目に明らかなとおり、眠りは死に似ている。目覚めの世界に死ぬことで人は夜毎に眠りに移り、眠りの世界に死ぬことで朝の目覚めに帰ってくる以上、死という大きな眠りが分かつ相手に日々の小さな眠りの中で出会うことは、だれにとっても一貫した論理に立つ事実として受けとめやすかったのではないだろうか。賢治のおなじ詩篇から引く。

そしてあんなにつぎのあさまで
胸がほとつてゐたくらゐだから
わたくしたちが死んだといつて泣いたあと

とし子はまだこの世かいのからだを感じ
ねつやいたみをはなれたほのかなねむりのなかで
ここでみるやうなゆめをみてゐたかもしれない

これは現代の人間とともに太古のすべての人々にとっても、もしかれらに伝えることができたなら、容易に納得できる感慨だろう。しかし死者が夢見ているのを夢見るのは、あくまでも生きているわれわれだ。そしてその夢見の正しさを基礎づける権威がどこかにありうるとすれば、それは死という不可逆の、生者には永遠に体験することのできない事件の圧倒的な重み以外ではなかったろう。死者の死後の生は、「現実」の対極にあるからこそ、けっして手のとどかない「真実」に、ひどく似かよってくる。

夢はその権威を死から借りている。死は、人類の最初の、そして最大の、謎だった。夢という死後との交通の可能な時空で練り上げられる神話的思考が、世界中のさまざまな土地で、この謎に対する回答を準備してきた。「最初の死」を扱う神話は、たとえばアメリカ・インディアンのあいだだけでもおびただしく見られるが、その中から二つの、ごく短いヴァージョンを読むことにしよう。

① 「大地の作り手」が男と女を作り、すべてができあがったとき、「大地の作り手」、男、

女、そして動物たちは、みんなそこに集まり、美しくできあがったすべてに見とれながら、あれこれとおしゃべりをしていた。「大地の作り手」は人間と動物たちに、質問した。「さて、これからどういう風にする？　おまえたちは、増えてゆくことになる。そこでだ。死んだら、そのまま死んだままでいることにするか、それともまた命に帰ってくることにするか？」それで男と女と動物たちは、決めなくてはならなくなった。審判は「大地の作り手」だ。

男は干からびた野牛の糞をとりあげ、水に投げこんで、こういった。「われわれの命は、こんな風にしてほしいな」。糞はまず沈み、ついで水面に浮かんできた。「命ってものは、こんな風だといいな。死ぬけど、また生き返るってことさ」

けれども熊はいった。「いや、それじゃあだめさ。すぐに大地はいっぱいになってしまい、住む土地は足りなくなり、みんながじゅうぶんに食べることもできなくなる。みんなが死ぬことにしたほうが、命にはよろこびも仕合わせも多くなるよ。そうすれば、後を継いでゆく新しいやつらが、いつもいるということになる」。そこで熊は石ころを拾い上げ、水に投げこむと、こういった。「おれには、命はこんな風だといい」。石は沈み、沈んだままだった。

そこで「大地の作り手」は決めた。「それでは、そういうことにしよう。命は石みたいにする」

（アメリカ北部高原インディアン、グローヴァン族の神話）

②コヨーテが旅していた。すると性の悪い自分勝手な酋長で、他人には何につけても面倒をかけたがる癖に自分では厄介ごとはまっぴらごめんというワタリガラスがやってきた。ワタリガラスは、獲物は独り占めにしたいし、冬は長ければいいし、人間が不死ではなければいいとおもっていた。コヨーテは、ワタリガラスになぜ人間が死ねばいいとおもうのか、とたずねた。彼はいった。「もし人間が死ななければ、数が多くなりすぎるよ。病気になって、死ぬなら死んだほうがいい」。コヨーテはいった。「なぜ死ななくちゃならない？　死は世界に悲しみをもたらすよ。そして悲しみというのは、とてもつらいもんだ。死んだら、どうなるんだ？　どこにゆくんだ？　病気になるのはいいさ、でも死なせるのはね」。ワタリガラスはいった。「いや、死ななくちゃならん。おれたちの敵が、ずっと生きているなんていうのはごめんだよ。人間の数が増えすぎたら、食べ物が足りなくなって、あいつら、ひもじいおもいをするぞ。あいつらだって、死んだほうがいいんだよ」。ワタリガラスの人々は酋長の意見に賛成し、人間は死ななくてはならないと騒ぎ立てた。ワタリガラス、カラス、ハエ、ウジ、その他にも多くの者たちが、人間が死ぬことを望んだ。死体を食えるからだ。コヨーテはいった。「人間にしばらく死なせて、それから生き返らせることにすればいいじゃないか。死を、眠りみたいなものにすればいいじゃないか」。ワタリガラスはいった。「いや、死んだらもうそのままずっと死なせたほうがいい。そしてからだは、朽ちさせるべきだ」。ついにコヨーテも折れて、こ

ういった。「そうだな、来るべき時が来たなら、人間は死ぬということに決めよう。からだは埋め、魂は霊の邦にゆく、と。しかしこれは世界がまた変わるまでだけのことだよ。世界がまた変わればこんどは、かれらはもう死ななくなるんだ」

それからまもなく、ワタリガラスの娘が病気になり、死んでしまった。彼女が、最初の死者となった。ワタリガラスは彼女を生き返らせようとしたが、できなかった。それで娘のためにすすり泣いた。ワタリガラスはコヨーテのところにゆき、こういった。「前いったことを、変えようや。人間が死んだら、そのままずっと死にっぱなしというのは、よそう。あの決まりを、変えよう!」コヨーテは答えた。「いや、もう決まったことだ。いまさら変えられることではない」。こうして人々は死に、葬られることになったのだ。

(カナダ・ロッキー山脈南東部のサリッシュ語族の神話)

①は単純な構成だが、すでに「生/死」および「ヒト/動物」という、夢による超越にとっての二つの大きな問題が、あざやかに表れている。まず創造神にとって、ヒトと動物は同様にその意見を聞くべき、また互いに意見の交換が可能な、平等な存在だった。ここで人間は、死という事件をいったん認めた上で、それが甦りによって解消されることを望んでいる。このヒトの意見に対して、自然の理法の側につく熊は、ある人口論的洞察と道徳論的叡智をもって答えるのだ。死は必要だ。命は、永遠に生きるある個体によって占められるべきではなく、新しい個体たちにゆずられなくてはならない。

②のほうでは、ヒトは舞台には姿を現さないが、人間以外の動物たちもじつはすべて一種の人々として、きわめて民主的な動物たちの会議に平等に参加していることがわかる。ヒトを支配する生命の法則は、いったんそれが選びとられたなら、ただちに自分たちにも適用されることになる。したがってここでは①で明晰に語られるような、文化（ヒト）は不死を望むが自然が賢明に死を命ずる、という対立の構図はなく、文化（ヒト）をも含めた自然の選択した規則に自然自身が悲嘆しつつ、断念をもってそれを受け入れる、という「あきらめ」が結論とされている。コヨーテが語る「世界が変わったら」という不定の未来の話は、「この（今回の）世界」には関わりがない。そしてわれわれがどうしても生きなくてはならないのは「この世界」である以上、いちど決められた生死の規則には、従容としてしたがうしかない。

ここでおもしろいのは、死とは「ワタリガラス」という「かれら」が「われわれ」（ヒト）に望んだものであるとともに、「ワタリガラス」である「われわれ」が「敵」（ヒト）に望んだものでもある、ということだ（「人」というカテゴリーの伸縮がこれを可能にする）。そして動物の人々と人間の人々が、あるラディカルな平等原則でつらぬかれている以上、成就した望みはすべての生物を拘束することになる。もちろん①と②のいずれにしても、語りの上で一種のごまかしに立っていることは否めないだろう。「最初の死」を語る神話でありながら、いずれの場合も「死」とは何かは、あらかじめ知られているからだ。だがじつは、そもそも「死」の存在は、ヒトがヒトとなる以前からつねに知られていた。ただあるとき、人類史の太古のどこかの時点で、それは主題として（改めて）発見されたのだと考えるべきだろう。そしてこの発見は、「死後」の可能性を探り当てる夢の思考によってなしとげられた。

この「動物の人々」の登場する二つの神話にすでによく表れていることだが、夢による超越のもうひとつのポイント、ヒトという類の超越について、さらに考えてみよう。

夢はアニミズムの範例的な宇宙であり、そこではヒトは動物でも植物でも岩石でも機械でもありうる。ヒトはそれぞれに霊魂をもつそれらと交感し、交感は物質的循環への通路をひらき、ヒトとこれらの事物は融合する。たとえば植物への変身譚も各地の神話には枚挙にいとまがないが、現代におけるその再話（しかもみずからが再話であるという意識を苛酷にみなぎらせた再話）の一例として、エズラ・パウンドのある作品（「少女」）を挙げることができる。

樹木がわたしの両手に入った、
樹液がわたしの両腕を上った、
樹木はわたしの胸の中で育った――
下に向かって、
枝々がわたしから伸びてゆく、腕のように。
おまえは樹木、
おまえは苔、

おまえはその上を風が吹きゆくスミレ。
おまえは——そんなにも高く——こども、
そしてこんなことはすべて世界にとっては愚かさにすぎない。

最初の連では「わたし」は樹木と化しつつあるひとりの少女であり、つぎの連では話者は植物として遍在しはじめたその少女を対象化して呼びかけているだれかだが、それは平坦に解釈すれば少女＝植物を恋する何者かだし、スナップをきかせた解釈なら少女自身でもありうる。意識が突然に別の局面を迎えるのは最終行であり、ここではじめて、そして一気に、「世界」の現実原則が、少女から樹木への化身という夢の離れ技を「愚かさ」として否定することになる。だがこの詩の存在理由は、最終行による否定にもかかわらず、いったん召喚された——作品空間の十分の九を占める——夢の論理が、あの夢ならではのなまなましさをもって、消しがたい刻印を読者に残すという点にある。それがいかに愚かな幻想であろうとも、「夢を見た」という事実を、人は解消することができないのだ。

動物であろうと植物であろうと、あるいはそれ以外の非生命的物質であろうと、ヒトがヒトの輪郭からはみでて別のかたちを手に入れるという夢の論理に関しては、しかしパウンドのこのわかりやすさよりもはるかに衝撃的なイメージを、ひとりのアメリカ・インディアンの現代詩人が提出している。牛に孕まれた人間や魚の顔をした少年といった、夢に見られた奇怪なハイブリッド生物の映像を多く素材としてきたアイオワのメスクワーキ族のレイ・ヤングベアー（「若熊光」とは、何とみごとな名前だろう！）の詩篇から、つぎの一節をとる。

それ以来　私は
北だった
それ以来　私は
北風だった。
それ以来　私はだれでもなかった。
それ以来　私はひとり。

私の黒い目の色は
獲物を狙うカワセミの
目の色の中で
私を弱らすのだ　だが岩々からあんなにぴかぴかと
反射してくる陽光と
植生が　私を強くする。
私の両手と指先が
さしのべられひとつに重ねられるとき
そこに捕えられるのは泡や砂粒の

晴朗な美しさ――かつての夏の水たまり。
（「水の獣の意味」より）

言葉は素朴だが、この濃密なアニミズム的風景の中で「水の獣」がどのように存在しているのかは、即座にはわかりがたい。しかし、おそらく世界の創設（「それ」）以来この地方では季節風である「北風」にその起源を負うらしい水が、まさに水の性質そのままに拡散と同時にある統一体として存在しつつ、獲物の命を奪うカワセミの姿が提示する殺しの悲しさに自分の弱りを感じ、逆にひどくまぶしい水辺の岩々の反射と力強い植生からは力を汲み上げて、時間を超えた遠い夏の記憶をいまもとどめながら、まどろむように、しかし鋭敏な感知力をもって存在しているようすは、読みとることができる。記述としては、よく整序されたパウンドの詩篇よりもこちらのほうが、存在のモードの一貫性が危機にさらされつつたしかにある秩序を保っている点で、いっそう夢のそれに近いといえるかもしれない。

アニミズムとは、人間の意識の自己拡大の、端的な表れだ。ヒトはみずから夢を見るとともに、他の存在、とりわけ動物たちが、やはり夢を見ていることを想像してきた。クワキウトル族かハイダ族か、カナダ太平洋岸の先住部族のもので、大きな嘴をもった鳥の顔が真ん中から二つに割れるとその中からヒトの顔が出てくるという二重の仮面があったが、たとえばそれがよくしめしているように、動物たちもまた「人々」だった。ヒトの目が見た動物たちにも、昼の現実（動物そのもの）と夜の夢（動物の人々）という、存在の二つのモードが与えられているのだ。

世界中の儀礼や舞踊で、人間が太古から動物を演じてきたことは確実だが（むしろそれこそ儀礼や舞踊の起源かもしれない）、ここにもある種の両義性が読みとれそうだ。ヒトは動物たちを人々として、対等な存在として遇した。ヒトはまた動物たちを真似ることによって、かれらの力を呪術的に借りてもきた。しかしヒトが儀礼的に動物へと変身しうることにおいて（この変身可能性によって）ヒトはまた動物たちに対する決定的な想像上の優位を確立しようとしてもいたのではないだろうか。おそらく、ヒトは自分が生きてゆく上で動物とのあいだに力の競合関係があることをつねに意識し、あるときはみずからの卑小な弱さを感じ、あるときは傲岸な力を過剰に発揮させながら、長い時をすごしてきた。力の表現は、拡大と縮小の両方向にむかったはずだ。どんな条件の生態系に住み、どんな動物を狩り、あるいはそれらに狩られることがあったかによっても、力関係の意識は変わる。しかし個々の文化においては、こうして動物たちを相手にヒトの力を計ることは、ある時点で必ずある均衡に達することだろう。その一例として、マレーシア先住民チェウォン族の「タライデン」と呼ばれる掟を考えてみることにしよう。

タライデンとは、動物たちを笑ったりからかったり貶めたりすることの禁止だ。動物を食物とするときでも、厳密に礼をつくした上で殺し、料理し、すっかり食べ上げてしまわなくてはならない。タライデンを破れば、「第七大地」と呼ばれる、暑く、湿気にみちて、陽光が絶えずさんさんとふりそそぐ地下世界の水の中にまどろむ巨大な原初の蛇にして超自然の女「タロデン・アサル」が飛びだしてきて、たちまちきびしい処罰を与える。彼女の力は熱帯の嵐の雷／稲妻／大風で、地下世界のゆたかな水を地表に送って大洪水をひきおこすのも簡単。ふつふつと沸きおこるような熱帯の生命力のすべてが、彼女に集中しているのだ。

このタライデンは、純粋な好意によってすら犯されることがある。あるときチェウォンの若者とその許嫁が森を散歩していて、かわいいリスを捕まえた。ふたりはリスを連れて帰り、ペットとして飼いはじめる。ふたりはやがて生まれてくる赤ん坊のことを想像しながらか、人間の乳児のために紐で編まれたハンモックにリスを入れ、やさしい言葉をかけたり歌をうたったりしながら、それを揺らした。これがタライデンを犯した。地下で永遠にまどろんでいるタロデン・アサルはその全知の夢の中でただちにこれを知り、からだを怒りにしぼりあげると大嵐をひきおこし、風と雨と洪水によって村をずたずたにしたあげく、若い恋人たちをその強力な顎の中に呑みこんでしまったのだ。それとともに、彼女はふたりの「ルワイ」、つまり世のはじまり以来つづいてきた魂のかすかな炎をも、吹き消してしまった。これによってふたりは本来なら死後「第七大地」の彼方でも燃えつづけるはずの命の火すらも失ない、まったくの虚無に帰されてしまったのだった。「死後の生」を奪うという、これは最大の厳罰だ。

人類学者はこの神話を、ふたりが「動物／ヒト」の区別を無視してリスをヒトの子のように扱ったことに対する処罰なのだと考える。それは自然界／人間界の分割を破ることの禁止の寓話なのだ、と。たしかにそうなのだろう。動物は動物、ヒトはヒト、完全な分離に立って、しかるべき尊重を与えなくてはならないと、チェウォン族は考えている。だが、この寓話には同時に、もうひとつのレベルでの意味が隠されているのではないかと、ぼくはおもう。日常的には地下世界に眠っている「法」が、みずからに対する違反を知るとただちに目覚め、地上に夢の混乱をもたらし、しかるべき犠牲をとった上で、秩序の回復を図る。地上世界での自然界／人間界の水平的分割は、ここでは地上世界（＝日常的現実）／地下世界（＝法的権威の空間）という垂直的分割の上に立っており、その「法」に権威を与えるのは、まさに地下世界へと投射された夢の、あらゆる区別（大地／水、村／森など）を攪乱する暴力（のイメージ）なのだ。

われわれはたしかに、夢を恐れている。夢はひとりひとりの人間によって個別に見られるしかないものであるにもかかわらず、同時に夢によってすべてが知られてしまうのではないかという恐れがぬぐえない。少なくとも自分の思考とおなじように自分に属しているはずなのに、同時にそれは目をつぶっても見え耳をふさいでも聞こえる「他」なるイメージと声の領域であり、時の流れを超え場所の隔てを超える目覚めのとき以上の完全なコミュニケーション空間として、およそ「存在」と呼べるあらゆる者たちにむかって開かれているようにさえおもわれる。人が絶えずさらされている個別性と共同性が、いずれも自己のコントロールをはるかに超えたかたちで、攪拌され暴走しはじめる時空。あらゆる精霊たちが激しくゆきかう交通の時空としての夢の魅惑と恐ろしさは、この抑制を超えた性格において、その全体が人に対する暴力となる。

以上で見てきた詩と神話のいくつかの例は、いずれも夢がもたらした認識と深い関係をもってはいても、夢そのものを対象とした議論ではなかった。けれども見られた夢を言語化し、それを自分に、あるいは他人に、長い期間をつうじてくりかえしくりかえし語りながらその意味を少しずつ発見してゆくという「夢見」の文化では、夢そのものをめぐる言葉も、抽象化・典型化・脈絡化といった操作を経て、こうして神話や詩とおなじレベルにまでせり上げられてくることは確実だ。「夢見」の文化の多くは、夢と夢で見られた形象とを区別せず、夢と夢の追体験を区別しない（ギリシャ語の「オネイロス」は、元来ホメロスの用法では夢よりもむしろ夢で出会う存在のことをさしていた）。日々の残滓を素材に無意識がつむぐおびただしいまの夢そのものから見るなら、かれらが問題にする「夢」とはそれに覚醒時の言語的作業——覚醒しているとはいってもそれ自体、意識と無意識の境界面で仕事をすることをまぬかれえない——がかなり徹底的に加えられた、いわば「メタ・ドリーム」なのだ。また「夢見」の文化に生きる人々がつねに夢を喜々として受け入れるべき自明のものとして考えてきたとも、ぼくはおもわない。それよりは夢は、つねに崇高な（見るものに畏怖と魅惑を同時にひきおこす）異物的思考だったのではないか。それは望んで見るものではなく、由来もわからない（マルティン・ルターは、夢を神が見せているのか悪魔が見せているのかどうしてもわからないので、もはや夢などまったく見せないようにしてくださいと、神に祈ったという）。この得体の知れない夢という現象の中で、人は徹底して「自分」（と私がおもっていたもの）ならざる者と出会ってきた。夢こそ他者だったのだ。

「夢見」の文化とは、この他者の言語化に精力的にとりくんできた文化だといっていいだろう。個人的にも集団的にも言語化の努力が払われることで、人は実際よく夢を覚えるようになる。「夢の話」という定型化、すでに他人によって夢見られ語られたさまざまな夢の形象の受け渡しと変型は、かれらの夢の世界をいっそうゆたかなものにしただろう（語りも技術であり芸術である以上は、洗練化への動きは必然だ）。夢もまた社会的な制度であり、人が独力で夢を見、それを語りはじめることなどありそうにない。眠ったままで笑顔を浮かべる乳幼児ももちろん夢を見ているだろうが、三、四歳児が「おもしろい／こわいゆめをみた」などと語りだすのは、夢がそのように語られうることを知って以後のことにちがいない。それ以後、夢についての語りが複雑精緻なものとなってゆくのは、ただ覚醒時の思考の複雑化、知識の増大に対応するものにすぎない。

それでは夢を語ることには、どんな意味があるのか。どんなものであれ個人の経験が語られたときそこにはじつは経験の「影」しかない以上、夢も語られたときそこには夢の「影」しか見当たらなくなる。だが、この「影」に、夢の思考がはじめて開示する「純粋な可能性」とでもいったものの力が移しとられていることも、否定できない。それはただの「写し」ではなく、たしかに「移し」なのだ。言語が力を吸いとりそれを伝達するといっては単なる言霊論になってしまうが、むしろ言語自体はまったく無力な「影」でありながら、その「影」が投射されたとき、受け手がこうむる変容は確実に肉体的なものとなる。言語自体は空虚な「型」でしかないものの、そのステンシルは人をマテリアルに打ち抜くのだ。この意味では夢についての語りも詩や神話と差がなく、「夢見」の文化とはその集合的な詩学に、夢からの刺激を受けとめつつ終わりなく続く対話をくみこみ、その成果を日々の行動方針にまで生かしている文化だということになるだろう。とはいえそれを創造性のユートピア、至上の詩的文化だと見なすのは、あまりにロマンティックすぎる。「夢見」の文化を生きるかれらにとっては、それは選択の余地のない知の継承制度にすぎないだろう。そしてそこで語りつがれる特に強い意味をもった夢は、なんらかの大きな危機の訪れに対する、この知の継承制度に立った、解決策の模索だったと考えるべきではないか。目覚めの思考が夢の事件の意味を執拗に考えるのに対応して、鏡の向こう側では、夢の思考が、目覚めの世界の問いを必死に考えている。

目覚めて夢について語りはじめるとき、夢は（定型化の程度にこそ差はあっても）神話や儀礼とおなじレベルへと送りこまれる。逆にいえば、ある文化グループの神話や儀礼は、いわば集合的な「夢の模造物」として存在する。けれどもあらゆる夢は、定義上、いつかはそれから覚めざるをえないものだ。ここで最後に、この集合的な夢からの覚醒、ひとときの魅惑の彼方にある幻滅を、子供たちの成長の過程の1ステップとしてくみこんでいる、特異な文化についても記しておこう。アリゾナ北部の荒涼この上ない不毛の高原に住む、ホピ族の場合だ。

ホピの精神生活の中核をなすのはカチーナ信仰だ（ホピ語では「カツィナム」だが、一般には広くカチーナという英語化された形で知られているので、それにしたがう）。現代のアリゾナを旅行する人ならだれでも、あちこちで土産物として売られているカチーナ人形を目にするにちがいない。鷲や蜂鳥や蝶やオオツノヒツジなど種々の動物の形象をとりこみながらさまざまに象徴的なカラフルな姿に作られた、三百五十種以上におよぶといわれるじつに多様な木彫人形で、それは観光客用の土産物とはいえ実際にホピの人々の手になる、楽しく、また深い魅力のある工芸品だ（これらの人形の原型はホピの子供らへの教育用に使われるものだった）。カチーナとはホピの精霊（祖先／動物／植物）のこと。年間のサイクルを通じて何度となくおこなわれるさまざまな儀礼に際しては、男たちのだれかが仮面をつけていずれかのカチーナに扮して広場で踊り、彼は単なる踊り手ではなく、まさに神そのものとして扱われる。いずれかのカチーナが村の中に住みその姿を見せる期間は、冬至の頃から七月の「ニマン」の大祭まで、半年以上にもおよぶという（残りの半年、かれらは遠い山々のいただきへと帰っている）。精霊の化身は村人の身近に、ほとんど絶えず姿を現しているわけだ。

カチーナは踊り、ときには子供たちに贈り物をくれる。ときには子供たちをひどく脅しつけて、何事かを教えることもある。教えがめざすのは、ホピとしての正しい生き方だ。幼い子供たちはだれもが、こうしたカチーナはたしかに神なのだと信じこんでしまう。カチーナが仮面をはずす場面や、だれかがカチーナへと扮装してゆく場面は、幼い子供たちの目には注意深く隠されているのだ。村をあげての芝居じみた日常生活が続く中で、幼児はこの夢のような存在を「現実に」見せられている。同時にそれぞれのカチーナをめぐる神話を何度も聞かされ、ホピの生活はカチーナとの関係にかかっているのだという信仰を心の底にたたきこまれる。かれらはカチーナとともにある生活を現実として成長する。

その子供が十歳前後の分別のつく年齢を迎えると、イニシエーションの儀礼がおこなわれる。その年の最初の大きな祭礼である二月の「ポワム」に際して、該当する子供たちが集められ、ホピの文化とカチーナの起源について、これまで知らなかった多くのことを教えられる。ついで儀礼的な笞打ちがおこなわれるが、このとき知る痛みが、カチーナの秘密を絶対に明かしてはならないという契約の一部となる。

儀式の夜遅く、日干煉瓦で作った建物の、キヴァと呼ばれる円形半地下の集会室での踊りが終わるころ、最大の驚きがやってくる。イニシエーションを受ける子供たちは、はじめてこの踊りに参加することを許されるのだが、「おまえたちも中に入って踊るがいい」という呼びかけに答えてキヴァに降り立った子供たちは、すぐにひどい失望を味わうことになる。中にいるカチーナたちは仮面をとったただの人間であり、しかも（いっそう悪いことに）日頃からよく知っている親戚の男たちばかりなのだ。子供たちはひどく裏切られた気がし、このすさまじいショックは、その後長くあとをひくことがある。

しかしこの幻滅の教育には、ただならぬ叡智がこめられているのではないだろうか。自分たちの肉眼がたしかに見て信じてきた存在がその秘密を失うとともに、ヒトが神を演じ、演じるのみならずたしかにわが身に神を呼び寄せ、神になるのだというからくりを知らされることで、子供は聖性と部族の伝統への真の接近をはじめる。苛酷な乾燥と強い陽光、激しい風にさらされるホピの赤い砂岩の大地に、年々のめぐみをもたらす、雨やトウモロコシやすべての生命の精霊たちが、目には見えないかたちで辺りをみたしていることを、新たに自覚する。幼年時代を美しく彩ったひとつの夢から完全に覚醒することで、かれらはもうひとつの、峻厳な生活のための本格的な戦いをマテリアルに支えてくれる、より高次の夢の気圏へと、しずかに歩み入ってゆくのだ。

メタフィジックスの戦闘的一形態としての夢。永遠にめざめることのないまどろみではなく、折々の覚醒から大きな力を得、そこで得られた力が現実の行動をさらに別の高原（別の段階／別の舞台／別の場所）へと連れだしてゆくような夢のあり方を、ぼくらもまた必要としている。夢とは純粋な可能性の空間、「〜の可能性」とはいえない「可能性そのもの」の空間だ。単なる過去の反復、悔恨の改訂、日々の残滓の遊戯に終始する「ファンタジー」の彼岸で、けっして到達できない未来を反復する「想像力」のための種子は、その激しく流動する不定型の空間のどこかに、何気ない顔をして身を潜めているにちがいない。

参考文献

Beck, Peggy and Anna Walters. *The Sacred : Ways of Knowledge, Sources of Life.* Navajo Community College, 1977.

Devereux, Georges. *Ethnopsychoanalysis.* U. of California Press, 1978.

Gattuso, John ed.. *Native America.* APA Publications, 1993.

Gill, Sam D.. *Native American Religions : An Introduction.* Wadsworth, 1982.

Howell, Signe. *Society and Cosmos : Chewong of Penninsular Malaysia.* U. of Chicago Press, 1989.

Kilborne, Benjamin. "Dreams," in Mircea Eliade ed.. *The Encyclopedia of Religion.* MacMillan, 1987.

Lévi-Strauss, Claude. "The Concept of Primitiveness" in Richard Lee ed.. *Man the Hunter.* Aldine Publishing, 1968.

Niatum, Duane ed.. *Harper's Anthology of 20th Century Native American Poetry.* Harper & Row, 1988.

Suzuki, David and Peter Knudtson. *Wisdom of the Elders : Honoring Sacred Visions of Nature.* Bantam Books, 1992.

1995

存在と風

「おれは知っている!」と彼はいった。「おれはあらゆるものについて、すべてを知っている。この大地の中に何があり、大地の上に何があるのかを知っている」と彼はいった。「おれは風だ!」

――ナバホの創世神話から

1

「サイケ」という言葉は、ぼくが小学生のころの流行語だった。派手な極彩色がぶつかりあい軋みあって、見れば目はチカチカ、頭はクラクラといったデザインが、サイケ調と呼ばれていた。いたるところから花が無意味に咲きだし、余白なく空間を埋める。音でいえばファズのきいたエレクトリック・ギターの、宇宙的な響きの、長々しいソロ。すでに高校生か大学生だった従兄が、クリームの最初の二枚のアルバムを並べて聞かせてくれたことを思いだす。やたら元気よくはねまわるみたいな、つややかな音色の『フレッシュ・クリーム』から、『カラフル・クリーム』(とは邦題だが言いえて妙)に移るとギターの音もなんだか魔法めいていて、きらびやかに濁り、濃厚にエロティックで、ミュージャンはみんなひどい長髪で、絢爛たるジャケットを着て、ギターのボディにも目がクルクルまわりそうな(あきれた低調なオノマトペの連発でごめん）紋様が描かれて——全盛期にあった意匠としてのサイケデリック文化は、こうして遠くから、商品として、日本の一般児童にも波状攻撃をかけつづけていた。

遅れてきたフラワー・チルドレン（の模倣者）だったぼくらの中学生時代の服装も、いまから見ると爆笑ものだ。一枚革のインディアン・モカシン、裾をわざとほぐしたベルボトムのジーンズ、赤やオレンジやピンクや紫や緑の渦巻き模様が混じりあった絞り染めのTシャツに、ねじり鉢巻きにした汚れた赤いバンダナ。誰と会っても「ピース！」というサインを交わし、「気分は？」と聞かれたら「グルーヴィー」と答えた、なつかしいばかばかしさの時代。何の自覚も思想的背景もないまま、先進国世界のすべての岸辺を洗いつつあったアメリカ対抗文化のはるかな波の末端で、ぼくもトウモロコシの穂のように無言のうちに成長していた。これは、一九七二年ごろのこと。昔といえばずいぶん昔だけれど、つい昨日のことのようにも思える。

長髪、モカシン、ひらひらのついた革のベストやジャケット、ビーズ細工の腕飾り、麻吸い行動、「母なる地球」という概念、すべてはアメリカ先住民文化の模倣、白人の子たちのインディアン化への動きがもたらしたものだったが、そんなことは子供心では、とうてい考えもつかない。こうして見ると、六〇年代後半から七〇年代はじめにかけて、一方にアシッド系の幻覚的イメージを複製するサイケデリック文化、他方に平和と愛を歌う自然志向の（マリワナ系の？）ヒッピー文化があった、とも図式化できそうな気がする。もっとももちろん両者は重なっていて、その大部分は、アメリカの白人ミドル・クラスの子供たちに風俗として広がっただけで、その風俗は輸入されても魂は霧散し、ぼくらはついに何も学ばなかった。だがどこか人工的な印象のつきまとうアシッド系文化だってＬＳＤに先行するメスカリンがアメリカ南西部からメキシコにかけて自生するペヨーテから抽出されたものであることをはじめ、直接にアメリカの土着の伝統を継承していることに変わりはない。いいかえれば、六〇年代のアメリカで開花しついで先進国世界各地に飛び火した、意識の変容を探る（と称する）ドラッグ文化とは、その総体において、キリスト教西欧近代が忘却し他人にも忘却を強いた、石器時代以降の人類史の本来の伝統、意識の制御をめぐる技法を、なんとか回復しようとする絶望的な努力だったのだ。そしてこの努力自体は、いまも（いつの時代にも顕隠の別を問わず多様な流れをなしてあったように）さまざまな手段で継続されている。

サイケデリックという言葉の意味を知ったのはそのさらに数年後で、これはＨ・オズモンドなる人物による、ギリシャ語からの造語なのだった。彼は一九五六年、当時すでにメスカリン体験にもとづく『知覚の扉』や『天国と地獄』を著していた作家のオルダス・ハクスレーに宛てた手紙の中で、それを提案している。提唱者によれば、その意味は“mind-manifesting”。つまり、心を顕す、ということだった。二人の共通の関心は、或る種の化学物質によって得られる人間の意識の変化／拡大にあった。その薬物がもたらす未踏の明晰さ、至福感、無垢のヴィジョンは、どうにも類例のないものと思われたため、それを言い表すにはどうしても新しい言葉が必要だったのだ。神仏を信じている者なら、その体験を見神といい影向《ようごう》と呼ぶこともできたかもしれない。けれどもメスカリンやＬＳＤの服用によってかれらの見た光の横溢、輪郭の崩壊、色彩の乱舞は、確定した支配に安住する全権の神とは、もはや関わりがなかった。この薬物が「私」においてひきおこす反応は、「神」という自己を超越した何者かからもたらされるのではなく、「私」という小さな自然の隠された領域から、はじめて機会を得てひきだされてきた反応にすぎない。この物質が、私の内部の秘密の扉への鍵となるだけだ。私の内部には自覚しえぬ、未知の、影の領域が存在する。この個人的な心の局所論的意識は、それ自体いかにも近代的なものだと思うが、ともかくそれがサイケデリックという造語の産婆だった。

したがってその発生に即していうかぎり、サイケデリックという言葉は、二つのごく限定的な意味をもっている。サイケデリックな体験とは、まず、薬物の摂取による物質的・化学的な反応であること。ついで、サイケデリックな体験においては、私がすでに内にたずさえているものが(それのみが)知覚の閾下から浮上し、意識の領土的拡大をはたすのだということ。ここで断っておくが、ぼくにはこれらの物質の摂取経験はない。だからサイケデリック体験について何をいおうと、それは水に入ったことのないものが水泳について論じるようなものでしかない(あるいはサーフィングでいえば、ボードに立ったことすらない者がパイプラインをわたることのエクスタシーを語るようなもの。こうした例はあらゆる分野について、いくらでもあげられるだろう。体験は、どのようなものであれそれが体験の名に値するものであれば必ず、意識に決定的な切断をもたらすというのに)。それを認めた上でなおいうが、ぼくには以上の限定的な意味でのサイケデリック体験には、ほとんど興味がもてない。意識の新次元を探る冒険といっても、それがすでに自分の内部に形成されているものを明るみに出すというだけなら、どうにも大したことだとは思えないし、化学的反応がどれほど自己（というそもそもフィクショナルな印象）の限界を拡大してくれるといっても、そのめくるめく体験が外部世界との相互作用を欠いた、文字どおりの「幻覚」であれば、いったい何になるというのか。その程度のことなら、法的な処罰の危険を冒し結構なお金を投じて規制物質を入手し服用するよりも、自分の体が別の土地、別の心と接触し、傷を負い、究極的にはどれほど幻想的なものであれ一応われわれが相変わらず「現実」と呼びつづけるもの／ことの地平を、さらに拡大してゆくことをめざすほうが、ずっといい。この「現実」とは、ごく粗い、日常的なものだが、それは自然言語の指示参照性に見合った水準で設定されているといってもいいだろう。この観点からすれば、ぼくは『ジャングル・ブック』の作者ラドヤード・キプリングの次の意見に与するものだ。「言葉とは、もちろん、人類が服用するもっとも強力な薬物だ」。あるいは現代アメリカでもっとも刺激的な批評家のひとりであるアヴィタル・ロネルの指摘するように、文学とはつねにひそかに薬物依存とのあいだに親密な関係をもっていたということを考えてみてもいい。文学とは、鎮静剤であり、治療剤であり、逃避をはたし多幸感を得るための幻覚剤であり、模倣の欲望をかきたてる毒だった。人間社会があいかわらず言語的相互作用を基盤として社会性を維持している以上、「言葉がもっとも強力な薬物だ」という事態は、今後も変わらない。ＬＳＤはたしかに言葉の彼岸を見せてくれるかもしれないが、その服用にいたる道も、トリップの宴の後も、人間はべったりと「文学的に」体験せざるをえないのだ（ヴァーチャル・

リアリティと呼ばれるものにぼくがまったく興味をもてないのも、これと並行している。かつてフロイト理論に対する意見を求められたジョイスは「無意識の神秘だって？　どうでもいいね。意識の神秘を探ろうじゃないか」と答えたそうだ。それに倣っていえば、生化学的反応としての幻想や、テクノロジーが神経系に直接刺激を与える仮想現実の神秘は、ぼくにはそれ自体としてはどうでもいい。ごく普通の意味でわれわれが「現実」と呼ぶレベルの圧倒的な広大さと謎のない神秘、この「現実」の構築と崩壊の歴史的連鎖こそ、おもしろいのだ）。そしてこのような「現実」との接触、痕跡の発生は、ごく端的にいって或る時、或る場所での風の体験を、その提喩としてもつ。

2

風。ニュー・メキシコ州の高原沙漠の小都会の図書館の前で、晩秋、ぼくはひとりの友人と立ち話をしていた。よく晴れた一日で空は暗い藍色に見えるほど深い青をたたえ、空気は冷たく、ときおり強い風が吹いた。何を話していたのか、もう覚えていない。なにしろ六年も前のことだ。白い幹のシカモアの大木から落ちた黄色く色づいたおびただしい枯れ葉が、ベンチの置かれた一角に吹きだまっていた。その枯れ葉がかさこそと音をたてると、突然、足元を流れるようにつむじ風が吹き抜けた。くるくると回るその螺旋はぼくたちの見ている前でたちまち成長して、大人の背丈の二倍ほどの風の塔となった。吸いこまれた木の葉が舞い、ぼくらの耳元にも強い風の音が響き、つむじ風はまるで細長い独楽のようなしっかりとした存在となって、すっくとそこに立ち上がった。ぼくらからは、ほんの4、5メートルの距離だ。ぼくはふと思いついて、それに歩み寄ろうとした。

「あの中に入ってみるよ」と声をかけ、同時に(カマイタチのように皮膚が切れたりするだろうか)とも考えながら、ぼくは足を進めかけた。

「だめだ、よせよ!」友人は思いがけない強い調子でぼくに答えた。ぼくは(なぜ?)といった表情で、彼の方をふりかえったのだろう。しばらく、といってもおそらく十秒あまり、その場にじっとしているように見えた枯れ葉と風の柱は、また走るように動きだし、2、30メートルもゆくうちにただの風、ただあてどなく飛び散るありふれた落ち葉となって、姿を消してしまった。

「悪いことが起きるよ」と、風を見送ってから彼のそばにひきかえしたぼくに、ナバホ・インディアンの友人はしずかにいった。ぼくは笑った。「だってさ、あのコヨーテだって、その後、何にもないじゃないか」。その二、三週間まえ、彼を乗せて山際の田舎道を走っていたぼくらの車の前を、一頭の灰茶色のコヨーテが横切っていた。彼はそのときも顔をしかめ、「バッド・ラック」とつぶやいたのだ。ナバホの伝統的な考えでは、コヨーテは不運をもたらす。どこかにゆくとき道の先方をコヨーテが横切ったなら、いったん家に帰ってから出直さなくてはならない。もちろん、そんなことは誰もが守るわけではないが、正直にいえばあまりいい気持ちじゃないよ、と彼はいっていた。しかしぼくにしてみれば、コヨーテが間近に見られたことがうれしいようなもので、別に不運だなどと思ういわれがない。事実、その後もこれといった嫌なできごとは、起こっていなかった。

「まあ、そうだけどさ」と彼は照れたような笑いを浮かべながら、しずかにいった。まったく、こっちがけたたましいテレビ番組の司会者なんかに見えてくるくらい、物静かな無口なやつだ。その彼がきっぱりという。「でも風は特別だ。風には力がある」。それから、吹きっさらしの寒さをいとわず、彼はざっとこんな話をしてくれた。

現在、アメリカ先住民中の最大民族であるナバホのナバホ国家は、ニュー・メキシコとアリゾナにまたがった索漠たる高原沙漠に、広大な領土をもっている。その土地に点在するいくつもの村のひとつで、彼は羊の群れを追う手伝いをしながら育った。小さな村で、広場のまわりにはぱらぱらと十数軒の簡易住宅があるだけ。砂埃が吹きぬけるのに数秒もかからない、荒野の離れ島だ。

或る日、彼が四歳か五歳のころ。何かの拍子に、村にひとりでぽつんと取り残されたことがあった。いや、人が辺りにいないはずはないのだが、大人も子供も、目に入るかぎりの範囲には、誰もいない。彼は広場に面した家の、屋上にそのまま上がれるように作られた階段に腰を下ろして、つかのまの幼児の孤独に、ぼんやりと浸っていた。そこへ、むこうから近所の犬がやってきた。見すぼらしくやせこけた、飼い犬とも野良犬ともつかない哀れな犬たちの一匹だ。彼はこの犬が好きだった（好きだったといっても、ときどき石をぶつけたり、棒をもって追い回したりするといった仲だったのだが）。犬はなすこともなく、こちらにむかって歩いてくる。するとそこに唐突に、突風が吹いてきた。砂つぶてを顔にびしびしとぶつけてくるようなその突風から、ちょうどさきほどのようなつむじ風が生まれ、成長し、その旋風は犬をめがけてかけだした。犬は何も知らない。少年はただ、風に目を細めながら、おなじ情景を見ている。たちまち、不気味な風の柱は犬に追いついた。背後からその足をすくうように、透明な怪物が獲物に襲いかかるように、風は無力な犬をふわりと宙に浮かばせ、家並の屋根の高さほどにもちあげると、いきなり見えない手を放し、まっさかさまにたたき落とした。悲鳴をあげたのか、あげる暇もなかったのか。犬は口から血を吐き、そのままこと切れた。一瞬のできごと。あまりにびっくりしてしまった彼は驚き騒ぐことすら忘れ、そっとその場を去り、それから何を見たかを、誰にも話さなかったという(ナバホの伝統的行動規則にしたがうには彼はまだ幼すぎただろうが、死に対する禁忌の非常に強いかれらは、たとえ人間の死体を荒野で見つけても、それを誰にも話さない)。やがて何年も経つうちに、彼には自分が見たその風景が現実だったのかどうかがわからなくなった。おそるおそるその犬のことを話題に出してみると、家族はたしかにそんな犬がいたことは覚えているが、それがいつどうして死んだのかは誰も知らない。映像の記憶はひどく鮮明なのに、もう自分にも、それが本当にあったことなのかどうか、何とも断言することができない。大体、あの程度のつむじ風で、小柄だとはいえ一人前の成犬が、空中に浮かぶものだろうか。でも、そんなことがないというには、あまりによく、自分はその場面を覚えているのだ。熱い太陽も、光の色も、砂埃の強さも、あの犬の歩き方も、立ちのぼる風も。

この彼の幼年時代の記憶が真実かどうかは、ぼくにとっては別にどうでもいいことだ。それよりは、大人になった彼がふともらした「風には力がある」という言葉の、疑えない真剣さの方に、ずっと興味がある。それからまもなく、ナバホをはじめとするアメリカ・インディアン諸民族の思考の宇宙に関心をもちはじめたぼくは、ナバホの世界観がまさに風の力を中心に組み上げられているのを知った。

ナバホの伝承はいう。

かれらに命を与えたのは風だった。私たちの口から出てくる風が、いま私たちに命を与える。これが吹くのをやめれば、私たちは死んでしまう。私たちの指先の皮膚には、風が通った跡がある。それはわれわれの祖先が作られたとき、風が吹いた場所を、しめしているのだ。

息も風であるなら、風が体を吹き抜けることによって、はじめてわれわれは生きる。その風は体をかけめぐり、指先には指紋、頭髪にはつむじを痕跡として残して、われわれの命をささえる。私とは、風の編み物にすぎない。風に吹かれなければ、人は生きられない。この認識からふりかえって見るとき、ナバホ国の片隅で一人の幼児が目にした凶暴なつむじ風の情景は、生と死の謎をむすぶ結び目となって、その場に居合わせなかった者にすら、鮮やかによみがえってくる。風は生かし、風は殺す。それは清浄な力であり、同時に不吉な力でもある。いずれの方向に働くにせよ、「風には力がある」。友人のこの簡単な言葉は、以後ぼくがそれを思いだすたびに、そのつど改めて重く輝いた。

3

ところで意識とは、いまここにしかないものだ。それは時に限定され、場所に限定されている。それでは何をもって、或る時、或る場所に自分がいること——意識が意識としてあるための条件そのもの——を、人は強烈に意識するのだろう。視覚がそれを教える、もちろんそうだ。聴覚のはたす役割も、きわめて大きい。匂いと味が加える彩りも、無視するわけにはゆかない。しかしじつは、これらの諸感覚の印象をすべて統括する土台をなすのは、触覚がもたらす、皮膚にそのつど刻まれる感知ではないかと、ぼくは思う。自分が置かれた場所と状況によって、意識／思考／気分がまったく変わってしまうのは、人間の常だ（常ならざることのみが人間の唯一の常数、といったのは誰だったか）。その際、肌が感じとる空気の温度、湿度、動きの速さ＝強さは、人々の精神に、どれほどの影響をおよぼしてきたことだろう。そのようにその場ごとの特性を帯びて運動する空気を、われわれは風と呼ぶ。いいかえればわれわれの魂は、たしかに或る程度まで、風によって造形されている。目が見たもの、耳が聞いた音、鼻が嗅ぐ匂い、感覚へのそうしたすべての刺激は、肌が感じた風によって、われわれの身体の輪郭をなぞるようにして、ひとつにまとめあげられる。自我とは、心理的というよりは皮膚的な存在なのだ。私は或る風景を見やり、視覚的に自分を定位し、同時に耳をさらけだすともなく外部の音にさらして、聴覚的にその位置を確認する。でもそれだけでは、ガラス張りの密室の中、まるでローマ法王の専用車の中から見た風景に、比較的単純な音響効果が加えられた場合と、あまり変わらない（音の世界こそ再現も欺きももっとも容易な分野だということは、改めていうまでもないだろう）。或る時、或る場所への圧倒的な臨在感のためには、体の表面にすっぽりと全方位から攻撃をしかけてくる皮膚への刺激が、絶対に欠かせない。「ここ」にいる、それを教えるのは風だ。「いま」がある、それを教えるのも風。静止という運動の一状態を含めて、空気というわれわれが殊更には意識しない媒体は、それ自身の火（温度）と水（湿度）と地（匂いをもたらすその場の物質）をたずさえて、人がその時、そこにいることの全面的な境位をなしている。強く、弱く、強く、弱く吹き、あるいはそのリズムをうちこわすように吹き、吹かず、捉えることはできずとどめることもできず、ただその場で体験するしかない、絶対的な他者の運動。一言でいおう。風が吹いている、したがって、私は存在する。

そもそもぼくらの思考も、ナバホの人々によれば、風がなす技だった。思考に、原因がないということはない。われわれの内部には或る者が立っていて、それによってわれわれは話す。その者、つまり風は、四つの基本方位から吹いてくる四つの風から派生してきた小さな風、風の子だ。われわれの内部に立つそいつは、耳から突き出している（これは貝殻状の耳殻を風の造形物と見なしたものだと思う）。その存在は「内部に立つ者」「人の中に住む風の魂」「人の中の風」などと英訳され、呼ばれてきた。ここではそれを、風魂《かざたま》と呼ぶことにしよう。人が生まれる時には、「夜明けの女」（大地そのものの神格化である「姿を変える女《チェンジング・ウーマン》」のひとつの相）が、どの風魂がその子に入るかを決める（赤ん坊が生まれた直後、その子の内部にたたみこまれていた風がぱっとひろがり、赤ん坊は最初の泣き声をあげる。その子のはじめての呼吸によって赤ん坊の内の風に、外からの風が合流する。それが人生のはじまりだ）。ついでその子が育ち生きてゆく上でのさまざまな行いを風魂は見ていて、「夜明けの女」にそれを逐次報告する。姦淫だの盗みだのといった良くないふるまいが報告されれば、人は生きているうちにその罰を受けることになる。風は個人と超越性をつなぐ使者であり、また超越性そのものだ。

風が人間や動物たちに、ずっと力を与えてきた。というのも最初は人間も動物も縮んでいて、ぺちゃんこでぐにゃぐにゃしていたのを、風がふくらましたのだ。風は生き物の最初の食物で、あらゆるものに命を与え、自然に動きと変化をもたらした。山や水の流れだって、風に命を与えられたのだ。

ナバホの創世神話では、風が最初に存在した、とされている。風はヒトとして存在し、大地がはじまったときにその世話をしたのは風だった。人間は、暗闇がいくつも層をなして積み重なっていたところで、生まれた。その暗闇のいちばん上の層の、全体が白々と染まり、それが夜明けとなった。昔、互いの上に積み重なっていたもの、それは風だった。風とは暗闇だった。だから夜、暗闇が大地の上をおおいつくすときには、美しく風が吹きわたるのだ。

風が暗闇であり、それはヒトだ。だから夜が明けるとき、美しく明けて白い陽の光がいくすじもさしはじめるときには、普通、いつも風が吹いている。風は美しく存在する……。

　かれらの宇宙のはじまりにあったとされる地下世界でのこうした一連のできごとは、そのままではどうにも理解しがたい。ぼくらの通常のカテゴリー分けでは対処できない。それがいくらかでもわかるようになるのは、いくつかの段階の地下世界の遍歴を経て、この地上の世界に「地表の人々《アース・サーフェス・ピープル》」と呼ばれるわれわれ人間が出現して以来の論理、かれらがいま生きるこの大地の現実の地勢との、対応が見えてきたあたりからだろう。広漠の地に暮らすナバホには、六つの聖なる山がある。ブランカ（白い）山、テイラー山、サン・フランシスコ岳、ヘスペラス（宵の明星）岳、ウエルファノ（みなしご）山、ゴベルナドール（総督）円丘だ。それらひとつひとつの山の内部には、風が立っている。それで、それらの山々は、われわれの時の尽きるまで、神聖なのだ。山は美しく風を宿し、山々から風が吹いてくる。人はその風に朝夕美しく吹かれながら、このディネ（ただ「人々」を意味するナバホの自称）の邦で生きる、死ぬ、生きる。

　その一方で、風をかれらは次のように分類している。大地からは、二つの風が生じた。水からも二つ。これらの風が出会い、上の方に六つの風、下の方にも六つの風が生まれた。人間は、それら十二の風のはざまで生きている。それらの風のすべてが、われわれに影響を与える。大地は一方に回転していて、空はそれとは逆方向に回転している。地表の人々であるわれわれは両者のあいまに暮らし、天と地それぞれのあらゆるできごとに影響を受ける。天を動かすのは聖なる風、地を動かすのも聖なる風。そして風はひとつで、それだけがわれわれにとっての聖なる存在であり、それだけがわれわれの祈りだ。考えてもみたまえ、われわれの足の指には、なぜ渦巻きがついているのか？　それは大地に摑まる（風により接続される）ためだ。手の指のそれは、天に摑まるため。これによって、われわれ人間は、上下どちらにも落っこちることなく、地表を動きまわることができるのだ。

こうしてわれわれは、現実的にも神話的にも、風に吹かれ、風につらぬかれて生きている。途方もない広大さをもった空はぐるぐるとまわり、やはりどこまでも続く大地も（逆方向に）ぐるぐるとまわる。そのあいだでは風が渦巻き――右巻き（太陽＝時計まわり）の渦は良い兆し、左巻きの渦は悪い兆し――人生のあらゆる事件を用意する。われわれの生は、風に吹かれ、風を自分の内に呼びこみ、風の動きを生きることにある。

それでは人間とは、ただ風に翻弄されるだけの存在なのだろうか。天と地のあいだに垂直に宙吊りになった、操り人形めいた風袋にすぎないのだろうか。

そうではない、とナバホは考える。人間はただ風につらぬかれるだけではなく、またみずから風を作りだすこともできる者だからだ。そしてこの人為の風の核心をなすのは、言語だ。言語とは思考の外在化であり、息の結晶であり、内なる風を変形し送りだすことによって、外部の世界、外部の風に或る「かたち」を与える手法だ。これによって、人間はかれらをとりまく「聖なる人々」（さまざまな自然力に内在する存在）にむかって、みずからの意志を伝えることができる。ここから、種々の「歌」によってとりおこなわれるナバホの宗教儀礼の重要性が生まれる。

ナバホの人々は、環境と生活のすべてに調和のとれた状態を、ただ単純に「美」と呼ぶ。夜明けの風、夕方の風が「美しく」吹くときが、その美の絶頂だ。だがこの美は失われやすい。ひとりひとりの人間が責任をもって、毎日の暮らしの中で、その美を絶えず力づけてやらなければならない。そのためには儀礼をおこない、祈らなくてはならない。歌わなくてはならない。それは人と外界とのあいだの、風のやりとりだ。まず人は、定められた手続き(トウモロコシの粉をはらはらと地面に撒く、といったこと)をおこなって、自分の内部に美(浄化された状態)を作りだす。ついで祈りを歌い声に出すことで、その美＝秩序＝調和を外界へと送りだす。儀礼の最後は、いったんこうして外化された美を、ふたたびゆったりと息を吸いこんで自分の中にとりこむことで終わる。こうすることでナバホは、自分を「聖なる人々」の住む外界の美の一部として、改めてその「かたち」の中に織りこむのだ。歌をうたい祈りを唱えることによって、いわば人は自分自身を「風」の浄化装置としている。この意志において、かれらは自分がともに暮らす他の人々、動物、植物、ひいてはディネの邦の土地のすべてに対して、日々みずからが負う責任を確認している。

風は目に見えず、風にむかって歌われる歌、唱えられる祈り、吐かれる息は、そのままどこへともなく消えてゆく。だが、それらは本当に消えてゆくのだろうか。姿を消しながら、おなじその場所に別の次元で存在している見えないものたちの元へと、そっと送り届けられるのではないだろうか。言葉は物質ではないが、それは「かたち」だ。この非物質的な、振動の持続として存在する「かたち」だけが、可視／不可視の境界線を越えて、聖なる諸力と自分たちをむすぶ。人間が人間であるかぎり、生活に或る種の様式化が必要なことは疑えないが、風というもっとも捉えがたく不定型なものの言語による定型化を構想し、その定型化＝発話の行為そのものを生活秩序の中心に置いたことに、ナバホの叡知があった。

土地を美しくする声！
上からの声、
雷の声。
暗い雲の中で
くりかえし、くりかえし、それは響く
土地を美しくする声。
土地を美しくする声！
下からの声、
キリギリスの声。
植物のあいだで
くりかえし、くりかえし、それは響く
土地を美しくする声。

——ナバホの「山の歌」から、第十二歌「雷の歌」
（ワシントン・マシューズの英訳による）

1995

トロピカル・ゴシップ
トリン・T・ミンハの余白に

帝国。ローマにあってはローマ人のように／としてふるまえ。古来、あらゆる世間的な英知は、人にそう教えてきた。きみが異邦人として帝国の首都にやってきたなら、その首都の人々の身振りや口調、習癖や嗜好によく気をつけ、それらをよく学び、よく内面化し、だれが見ても見分けがつかないくらい、ローマ人に自分を似せたまえ。それが成功の夢を実現させるための秘訣であり、異邦人がいたるところでさらされる危険を回避して帝国で生き延びるための骨《こつ》なのだ、と。そしてもしできることなら、きみの出自はよく注意してもはやだれにも明かさず、系譜と経歴を捏造してでも、ローマ人そのものになりなさい。首都の人間としての身分証明を手に入れ、経済力と政治力との階梯を上り、上ったら、いま上ったばかりの梯子を蹴り捨てるのだ。ローマ人として。きみはきみのルビコンの流れをわたった。過去の時と邦は忘れよ。できるなら名前も肌の色も、表情も変えるがいい。それがこの帝国の首都に適応するための、唯一の道なのだから。

流浪。けれどもこの顔のない、あるいは無数の群衆の顔をもった、ささやきに肩をすくめて、こう平然といってのける連中もいる。ローマにあってはギリシャ人のようにふるまえ（ケネス・バークのモットー）。現代世界の日常生活の情景に、外国人の存在が歴史上これまでになかった規模で露出していることは疑えない。政治的、経済的、その理由はなんであれ、あらゆる大小のローマに多くの外国人がやってきて、住みついた、あるいはむしろ、旅を継続している。かれらはどうやって、外国人だと見抜かれるのか？　言葉がちがう。物腰がちがう。服装がちがう。顔だちや表情がちがう。肌の色がちがう。こうしてひとつの姿（広い意味での「顔」）とひとつの声（「われわれ」と言葉を通じさせることのできない声）を与えられて、「かれら」は「われわれ」の都市のけっして歓迎されてはいない住民、ときには憎悪と嫌悪と恐怖の対象、しかし追い払うことはきわめてむずかしい新参の隣人として、その顔と声を日々「われらローマ人」の前に提示することになる。ときには珍奇な見せ物、危険な獣のように。

外国人。異邦人の多くは、もちろん必死になってローマ人としての顔と声を手に入れようとする。もっともそれは多くは「家」の外でのことにすぎない。「家」を一歩出てローマの「街路」を歩くとき、私はローマ人。「家」（たとえそれがどんなに仮初めのものでしかなくとも）に戻り、労働の昼間をささげたローマからポータブルな「故郷」の夜へと帰るときには、私はあいかわらず非ローマ人、昔ながらの私。「帝国」と「辺境」を隔てた冷厳として辛辣な「国境」が、こうしてはるばるローマにやってきた私の日々を、いまだに見事に二つに分割している。国境は私につきまとい、私の家の戸口をなし、私の夜明けと日没をなし、私の顔と声を整然と断ち割っている。だがたとえどんなにこの状況が不快に思えても、この分割に成功／生存が賭けられているかぎり、私はそれに耐えなくてはならない。私と妻／夫は、それに耐えよう。そしてここローマで新しく生まれる子供たちには、ローマ風の名前をつけ、はじめからローマの言葉だけを教えよう。髪の癖や肌の色は隠せないが、それも工夫しだいではさほど目立たなくできるはず。私たちの家系は、ローマ人となろう。**外国での苦労も／子供たちに託す希望によって／我慢できる**（日本人移民の歌）[1]。「移民」という各世代ごとの最大の冒険が、あらゆる帝国で作りだしてきたにちがいないこんな状況で、後戻りのできない人々が正統性を模倣しつつローマ人として生きてゆくことを選ぶのは当然だ。たとえばアメリカにやってきたメキシコ人（あるいは中国人、あるいはイラン人、あるいは……）が、アメリカ人のように／としてふるまう。しかしそのとき、かれらの耳にはつねにかれらの両親や祖父母の声（おまえはメキシコ人であるということを忘れるな）が響きつづけ、ときには怒りの雷鳴のように炸裂する。その一方で、かれらはつねに子供たちや孫たちの声（わたしたちはもうメキシコ人じゃない、アメリカ人なんだ）にさらされてもいて、まるでかれらの身体を舞台に、国境という空間的布陣と世代という時間的配置の葛藤が、終わることなく戦われているみたいだ。みたい、ではなかった。かれらこそ、この潜在する戦争のエージェント／提喩的な小型の戦場そのものであり、この危険な戦いは社会／家庭というもうひとつの対立項を越えて、かれらの毎日の生活で、あらゆる機会をとらえては突発する。

　移民。アメリカという新たに選ばれた国への帰依を誓うか、それともメキシコという家系が指定する故国への忠誠を誓うか。あいかわらず「アメリカ人」（ローマ人）と「メキシコ人」

（故郷の人々）という両者の漠然としたイメージを「本質」と見なして、そのいずれかに自分を似せてゆくという生き方だけが温存されるこの選択には、永遠の反復以外の出口はない。それなら**ローマにあってはギリシャ人としてふるまえ。**これはギリシャ人のための命題ではない。非ギリシャ人（自分を正統づけるどんな神話ももたない者たち）が、なんの根拠／予測／自信もないままにこの命令を自分自身にむかって発するとき、はじめてある批評的な運動が開始される。ここで「ギリシャ人」とは、あらゆる異邦人の別名だ。ひとつの故国をさししめすことができず、ひとつの名か声を与えることができず、どこにも所属せず／いたるところに接続され、無名を貫徹し／あらゆる名を名乗り、しぶとい沈黙を守り／すべての言葉を話す。「ギリシャ」という知的な伝統に立つふりをしながら、じつはそのひとつのギリシャの名のもとに千のギリシャを混在させ、危険な火花が散るまでそれらを相互にショートさせ、すべての伝統をそのつど解消し、新たな流れを起こす。程度の差と名目のちがいこそあれ、あいかわらず帝国とその植民地という構図が数えきれないほどの層をなして積み上げられるこの世界で、層と層とのあいだの界面を多孔化してゆくのは、これらすべてのローマでその場その場の「ギリシャ人」としてふるまう、同一性《みぶん》を失った異邦人たちだけだ。

現実。しかし、こんなふうに力強く解放的な「ギリシャ人」ぶりが、ただ想像の中にしかありえないことも、また明らかだ。「現実」と呼ばれる平面で、きみの名はひとつ、声は（たとえ何か国語を話そうとも）ひとつ、顔はひとつ。きみの国籍や所属はほっといても確実に指定され、創造的な接続の約束はなかなかはたせず、真の無名も遊戯的な多人格化も許されず、話すことは強要され、強要されるとき以外には「黙ってろ！」といわれる。そしてこれらの数々の命令にしたがわなければ、きみは肉体的に、生命の危険にさらされる。それが「現実」の意味だ。言葉によって外国人と判定されることの残忍な危険は、たとえば一九三七年のドミニカ共和国の例が物語っている。大統領トルヒーヨの命令のもと、砂糖黍プランテーションで働く隣国ハイチの黒人たちが狩り出されることになった。どうやってかれらを見分けるのか？　独裁者の判定基準は「ペレヒル《パセリ》」という一語を発音させてみればいい、というものだった。Perejilといってみろ。いえるか？　おまえはスペイン語のrを正しく発音できるか？　おや、いまのはPelejilと聞こえたぞ。おまえはハイチ人だな、一緒に来てもらおうか！　lとrが、ひとつの島の二つの国家を分割し、生と死を分割する。ある一日、こうして二万人の「ハイチ人」が、この「共和国」で殺された。この血まみれの挿話を出発点としてサント・ドミンゴ、ベネズエラ、マイアミ、トリニダードで黒人たちが出会う差別、飢餓、恐怖を追ったドイツ作家ヒュベアト・フィヒテは、さらにつけくわえる。ハイチ人に限らずじつはドミニカ共和国の黒人たちにも、要求されるrを発音できる者はいなかった。それどころか「新世界」の征服者であるスペイン人たちさえ、英国王ヘンリー八世へと嫁いだかつてのカトリック両王の娘をはじめとするカタリーナという女性名をCatalinaと発音していた。しかしラテン語名のcatharinaにはじまるこの名は、スペイン語を除けば、葡／仏／伊／英／独語のいずれでもr音によって呼ばれるものだ。[2]　この残虐で無根拠なshibboleth（試し言葉）状況は、日本語の島の首都でも一九二三年の震災時に（何者のどんな命令によってか）生まれた。そればかりか、あらゆる土地、あらゆる時代に、外国人を排除する必要が生じたなら、そのたびごとに完全に恣意的な「パセリ」が発明される。

音声。lとrがあらわす舌の分割。一般にrをlのように発音することはlambdacism、lをrのように発音するのはlallationと呼ばれる（日本語のネイティヴ・スピーカーとして育ったぼくは、あいかわらず英語を話すときにもたとえば、clash / crashを、しょっちゅういいまちがえずにはいない。衝突。破壊音）。多くの言語で見られるこの二つの音声学的現象が告げるのは、この音の交換過程自体はいくらでも自然発生するものだ、ということだ（隣接するスペイン語とポルトガル語のあいだにすら、その例はいくらでもある。Blanco / branco —— この「白」の差異が人の命を奪い赤く血に染まったことは、ないのだろうか?）。人の流れそのものとおなじく流れる音を、支配の意図が断ち切る。国境をなぞるかたちで支配の圏域を確立し、その内部でのコミュニケーションの（つまりは指令の）透明化をはかるために。けれどもわれわれは、いたるところで透明さに戦いを挑まなくてはならない（エドゥアール・グリッサン）。あらゆる試し言葉に対しては、たとえ正解を知っていても、わざとまちがえてやろう。制御された閉域に混乱を作りだし、攪乱を戦うために。与えられたひとつの顔／声を複数化し、集合的にローマにおける「ギリシャ人」となるために。すべての民族《ネーション》＝国家の境界に巣くって内／外、支配／服従、主体／臣下を分けようとするshibbolethの力に、もっともよく対抗するのはpataquèsの力だ。つまり、リエゾンのまちがい。音の連結につけこむ、過剰。こじつけめいたハイフン。橋としてさしだされた、私の背中（アンサルドゥーアとモラーガ）。現代という多層的な時間を共有する多くの人々の日常生活の旅を自分も生きながら、それがイメージ化／言説化されるレベルで戦われる批評的＝創造的作業において（art / theoryではなくart=theoryという、さらにはart=theory=lifeという、すでに解消できない一体をなす作業において）もっとも基本的な戦略として浮上してきたのは、これら非本質的な数多くのハイフンの創出だった。

所属。マクシン・ホン・キングストンの小説ではChinese-Americanという呼称につきまとうハイフンが廃棄されることがめざされていた。「本質」と見なされる先祖の国籍によってファイル・キャビネットに区分けされてゆく多くのハイフン付きアメリカ人ではなく、各世代ごとに新たに生成するアメリカのネイティヴな娘たち息子たちとなること。実際、「本質的ハイフン」にはいくらでもねじれが含まれる。たとえばある人がJapanese-Americanと呼ばれるとして、小笠原のユーロ＝アメリカ系日本人とカリフォルニアの「純血」の日系二世のアメリカ人とを両親として生まれた子を、だれが想像するだろうか。国籍、血統、フィクション。それらは人がきみに与える「顔」の一部をなすものとしても、その顔は肉に貼りつけられた仮面にすぎない。しかしここで、「本質的」と見なされるハイフンをただ廃棄してしまうのは、最善の策ではない。文化ポリティクスの多くの場面につきものの背反した命令が、ここでも浮上する。ハイフン？　捨てなさい。ハイフン？　それを忘れてはだめ。ハイフンは苦境と力を、同時にもたらす。**ここでAsian-Americanとなることは、同時に移行的状態でも定常的状態でもある。人は固定された実体ではなくハイフンとして何度もくりかえして新たに生まれ、そうすることによってあるひとつの（チューブ状の）世界、あるいは別のひとつの世界**

に、落ちついてしまうことを拒絶する（WMW, p.159）[3]。ハイフンという「顔」の廃棄は、自分ひとりの意志を越えている。自分が「伝統」あるいは「血統」への帰属を意識しようがしまいが、この「顔」は避けがたく他人から与えられるのだから。ハイフンを廃棄する理想的な非本質主義と、ハイフンを自分の一部としてひきうける自覚的な本質主義のあいだで、戦略はハイフンをそのつどむすびなおし、さらに別のハイフンたちとのあいだに新しい結合を探ることにある。**人は本質主義者でないわけにはゆかないのだから、それなら自分がどんなふうに本質主義者であるのかを見つめ直し、代表的な本質主義の立場をきちんとおさえて、そうすることの危険をよく思い出しつつ古い規則群にしたがって政治にとりくむべきではないでしょうか**（ガヤトリ・スピヴァク）[4]。人に本質をもたらすもの、それは過去であり、過去の想起だ。血統／伝統／所属文化という（ここでぼくは「民族」という一語を自己検閲しているのか？）元来フィクショナルでありながら現実に多くの生をマテリアルに規定し、ときには抗争の真只中へと投げこんだ「本質」たちの痕跡は、ただ悪い夢として捨て去るわけにはゆかない。その傷は、まぎれもなく現在に露呈しているのだから。**思い出すこととは、けっして静かな内省あるいは回顧の行為なのではない。それは苦痛にみちたre-membering（身体各部の再統合）であり、ずたずたに引き裂かれた過去をひとところに集め、現在に残る外傷の意味を理解することだ**（ホミ・バーバ）[5]。

　集結。トリン・ミンハの多くの批評的エセーをつらぬくのは、引用という手法だ。引用により多くの声／顔／名が集結し、互いにかけ離れたいくつもの生のあいだに（生＝理論＝創造に）結合の線が引かれる。アメリカ（彼女の「居住地」）だけでなく、アジア（彼女の「出自」の地）だけでなく、ヨーロッパ（彼女の「教養」の地）、アフリカ（彼女の「遍歴」の地）の、さまざまな立場のマイノリティの声が、紙片という舞台に集められる。引用は彼女の思考に流れを起こさせ、もともと歴史そのものとおなじくはじまりも終わりもない言説の流れに仮の開始点／中断点／終結点を与え、あるときには突然流れの方向と速度を変え、あるときには平行したいくつもの流れのあいだで彼女を瞬時のうちに転位させる。これは彼女の映像作品の場合もおなじ、彼女はさまざまな声と顔をそれぞれの歴史的位置からいったん浮遊させ、一瞬のうちに何千キロもの荒野と千年もの時を越えて集結する魂たちのように、数々の音調を共鳴させる。そして声を集めるために、彼女は好んで放浪し、迂回する。**彼女は迂回によろこびを見いだす**（p.24）。文章とフィルム、どちらも記述だ。記述において集結する声は、そこでそれぞれの元来の同一性をそのままに温存することはありえない。位置性の刻印をうけた同一性を失うことなく、あらたに共感や反発、溶融や離反、接続や暴発が生きられる。記述とは何よりも、変容と運動の場だ。**心には一万以上の存在がいる。私、とはその存在のひとつにすぎない**（トリンの引用するアルトー p.144）。記述する彼女の心が生産するテクストは一万以上の存在の声が集められる場であり、同時に彼女の心はみずからをテクストのように／として、これらの声への圧倒的な模倣を生きつつ、作り上げる。記述の生産と私（たち）の変容は、記述者においても引用される声においても、同時に起こりつつある。**生きることとは本当に大きな贈り物なので、生きられたひとつひとつの生からは、何千という人々が利益を**

得る（トリンの引用するクラリシ・リスペクトール *ibid.*）。

記述。それは運動によって創造のための空白を開き、そこに入りこむこと。入りこみ、しかしその空白をただ占拠する／充満させるのではなく、空白にさらに多くの存在たちを招き入れること。自分がそこを開き、そこに率先して入りこむことで、空白はかえって大きく育ってゆく。多くの雑多な人々がそこに集結すればするだけ、さらに多くの群衆がそこに入りこむことができる。なぜ、そんなことが可能なのか？　それはそこで時間が延長されるからだ。記述の空間において、人は一瞬のうちにいくつもの長い時を凝縮されたかたちで見わたすことができるばかりではなく、そこでは一瞬が計測可能な時間からはみだして、ゆっくりと、強烈に体験される。**人々がふつう映画を見にゆくのは時間のためです。失われた時、何かに費やされた時、あるいはまだ訪れていない時。人々は生きる体験を求めて、映画にゆく。というのは映画とは、他のどんな芸術よりも、人の経験を広げ、強度を高め、凝縮するものだから――そしてただ強度を高めるだけではなく、それを長く、はるかに長くしてくれるものだからです**（トリンの引用するタルコフスキー p.111）。人生と人生、人生と作品のあいだの inter-view（インタヴュー、間に生まれる視線）により、別の瞬間、別の場所、別の生の可能性が、はじめて露出する。フィルムを見ること、文を読むこと、それらもまた記述だ。ある新しいかたち／視覚／存在の関係群が、読むという体験において刻まれる。予定された意味の空間以外に、予測のつかなかった空白がさまざまな隙間をおしひろげてゆく。

空白。**創造性の空間とは、そこの占拠が、さらにいくつもの異なった占拠を招き入れる空**

間（p.187）。数々の要素がおびただしくそこに流入し、めまぐるしく動きまわりぶつかりあい、混成し、成長する。まるで胚分割がはじまる直前の受精卵のように、不動の中に動きと力がみなぎっている。ただし性を欠いて。あるいは二つの性ではなく、いくつもの性によって同時に奇蹟的な結合がなしとげられたかのように。この空白は虚ろではない。彼女に空白を教えたのはロラン・バルトだった。禅において経験される「空白としての言葉」とは、じつは純粋に創造的なかたちなき言葉を胚胎する空白が、突如として姿をのぞかせる亀裂だ。**同時に、この空白が記述を可能にする。それこそすべての意味を宙吊りにしたまま、禅が「庭を、仕草を、家々を、森を、顔を書く」ことを可能にするものなのだ**（p.209）。意味という同一性の反復から逃れたからっぽの「かたち」としての言葉のむこうに、あらゆる言葉に成長力を与える運動の場がひろがっている。それはあらゆる映像を宿す空白の鏡、あらゆる音声をこだまさせるノイズにみちた共鳴箱だ。**夜明けの前の陽のように空虚**（エメ・セゼール）。「私」として定義される存在が、同一性の仮面を脱ぎ捨てて何度でも帰ってゆく場所も、またこの空白の原野にほかならない。私という同一性の存在証明自体、トリンの方法論においては固く収束してゆくことを拒まれる。不定型、むしろかたちの解除へと、拡散する同一性。根源の探究をなぞればなぞるほど、その系譜のしめす方向から逸脱して、多数化する私。自分ではなく、あらゆる他人に似かよってゆく私（たち）。

　同一性。**アイデンティティとは再＝出発のためのひとつのやり方だ。というより、拒絶された遺産へと帰ってゆくことで、人は異なったいくつもの再＝出発、異なったいくつもの休**

止、異なったいくつもの到着をめざして、ふたたびスタートすることができる。アイデンティティは特異性を抑圧することなくみずからの複数性をよく語ることができるのだから、知識のさまざまな異論理《ヘテロロジー》は、自己のすべての実践に対して祝祭的な、めまいを誘うような外見を与えることになる（p.14）。結局、人が自分自身の輪郭を決定しようとしておこなうアイデンティティの模索は、それが細心なものであればあるほど、アイデンティティを生き崩す方向にむかわざるをえない。**私は一個の多文化的事件**（ポーラ・ガン・アレン）。しかし人が本当に同一性を証明してみせなくてはならないのは、あくまでも他人に対してのことだ。内面ではなく、外面の同一性。私には管理することのできない、私に与えられる「顔」。これが私の身分です。これが私の国籍／所属／家系／能力／言語／嗜好／信条です。ある社会を支配する法にのっとって、きちんと自己の位置を登録できるなら、存在は少なくとも合法化される。だがその合法化がまた「かれら」のあいかわらずの優越と支配を正当化するものでもあるとき、すべての異（邦）人の苦境は、まったくゆるぎもしない私が私に語る「私」が私の魂をいかに解放し力づけてくれようとも、「かれら」が私について語る「私」は（「私」というゴシップは）あいかわらずきわめて限定的に指定された場所に私をしばり、機会をとらえては私を肉体的な脅威にさらすのだ。

　ゴシップ。ゴシップとは第三者について人々が交わす、定型化されたごく小さな物語たちのことだ。ゴシップが、人に「顔」を与える。**この場合も物語作者がかたることのできるすべてを認可するのは死だ。彼はその権威を、死から借りてきた**（ベンヤミン）(6)。あらゆる物語において、すべてはすでに終わっている。決定され、整理され、それに逆らうことはできない。「かれら」が私について語ることにより私は造形され、そこに私が関与する余地はない。そしてあらゆることは三度語られたなら真実となってしまう。「かれら」が私に与える同一性を、私は拒否することができない。まるで「おまえはレイシストだ！」という断定文とおなじく、それはだれにとってもまったく反論できない決定済みの事実として扱われ、流通する。『未開人の性生活』を書いた人類学者が彼の学科的好奇心によって村人の「うわさ」を集大成しそれに「科学」というラベルを貼ったように、(7) ゴシップによって造形される「私」は情報好きな顔のない人々の民衆科学におけるきわめて正確なデータとなる。ゴシップの前に、私の「私」をめぐるあらゆる弁明はことごとく敗退し、それはただ物語をおもしろくするための修飾語として吸収されてしまう。ねえ、Aさんてじつは B国の人なんですって。ああ、それに奥さんのCさんはD系らしいね。そうなの？ 道理で子供たちが遊びながらE語を話していると思ったわ。へえ。じゃあFには、あの子たちと遊ばせないようにしなくては。Gみたいな考え方を吹きこまれてはかなわないからな。そうよ。そうそう、それにね、Hさんのところで働いているIさんはJらしいから、Kに感染しているかも。そちらにも気をつけなくちゃね。もちろん私とは自然なものではありえないが、ゴシップで語られる「私」は鏡を見ればはっきり映る、この顔すら欠いている。そこにはマテリアルな参照物は何もなく、ただイメージと言説の編み出す「顔」だけが、亡霊のように無数のささやきに乗って旅をする。顔のない、無色の「かれら」による「私」の排除。新しい場所への私の移植あるいは帰化（＝自然化）は拒まれ、私は無防備な流浪の継続を強いられ、かれらの言葉は終わりのない壁となって私をおし消す。

反撃。物語は物語によってしか解消されず、ゴシップは会話への通路を開くこと以外によっては追い払うことができない。当人に面とむかって語られるゴシップは、もはやゴシップではない。だが「排除のゴシップ」の内容が対決的に相手にむかって投げかけられるとき、後に続くのはどんどんエスカレートする暴力だけだ。みずから人種主義や外国人排除を熱心に唱えて省みることのない者たちがひきおこす流血の争乱に対しては、どんな抑止をかけることができるだろうか。ここで語られるような言葉は、すでにそんな局面にはまったく対処することができない。無力? けれども「ローマにおけるギリシャ人」という元来まったく無力な存在として、われわれはゴシップという限定された領域での抵抗を試みることまではあきらめたくない。どうすればいいのか? ゴシップを反復しよう。それが自分(たち)について語られているのだと気がつかないふりをして、ゴシップの連鎖にくわわろう。「かれら」が排除する「私」の声で、ひそやかに、死が冷厳と定型化したゴシップを反復し、反復の中に偏差を導入し、ついにはその定型を崩し、無効にするのだ。**かれらはかれら自身の言語しか話さず、外国語の音を聞いたときには――それはかれらの耳には言語ですらない――うんざり顔で、こういいながら歩み去ってゆく。「あれには深みがないよ、私たちは何も学ばなかったな」**(p.62)。そのかれらの耳にむかって執拗に語りかけるには、まずわれわれが、かれらの言葉を話さなくてはならない。逆転的に。転覆への意志を隠して。**言語もまた戦いの場所**(ベル・フックス)。

反復。与えられた「顔」を生きる、ふりをする。毎日、指定された位置で指定された態度で生きる、ふりをしながら、その「顔」を少しずつ演じ＝生き崩してゆく。**遊戯＝演技なき戦略と音楽なき遊戯＝芝居は、結局は、聞く耳をもたない人々のあいだの会話**（p.199）。ゴシップの主題に耳を傾ける、ふりをして、そのゴシップに次々に別の要素を接ぎ木しては、まるでちがった意味をもつ物語にしてしまう。与えられた仮面の下にくぐもった声を、それでも潑剌と響かせながら。**転位とは生き延びるためのひとつの方法だ。それは真理のいくつもの体制のあいだを生きる、不可能な、真実にあふれた物語。あいだにあって混乱を生きるこんな生活ではたさなくてはならない責任とは、きわめて創造的なものだ。転位させる者は、絶えず反復の中に差異を導入することで、ものごとを進めてゆく。自明とされることを何度もくりかえして問い直し、自分と他の人々に、変化そのものは不変に続くのだということを思い出させることで。そうすることで、自分の思考の習慣を攪乱し、見慣れ紋切型となったものを散逸させ、受け入れられた諸価値の変更に参加しながら**（p.21）。**反復は反復としてのそれ自身を打ち負かし、反復は一度ごとに、けっしてそれ以前の反復とおなじではない。そこには交通があり、強度があり、革新がある**（p.190）。時が多層的なずれゆきを含みながら流れ、人々がそれぞれ不断の変容を続け、世界というデザインが安定した外見にもかかわらず絶えず変化を続けることだけを不変の規則とするとき、ある物語の建築の土台も、つねに流砂のように崩れ落ちている。ゴシップを補強的に再生産する力は、たしかにひどく強力だ。人に与える「顔」をそのつど更新するゴシップは、限りなくくりだされてくる。そしてそれに対する抵抗は、比喩《トロープ》の領域で戦われるしかない。「かれら」が本質として指定するものの充満した内実を、空虚にし、空白へと回復し、あらたな不定型の成長への領土とする。「かれら」が語る物語を読み換えて、「私」を構成する雑多な混成的要素に、局地的な、しかしきらびやかな開花のための空間を与える。トロピカル・ゴシップ。文彩の戦い。「綾」とは斜交線による紋様。大きな意図（国家／民族の）が流そうとする「歴史」に小刻みに渦巻く、ごく小さな区域での変動。流れを斜めにつらぬく錯乱の線。そしてひとつひとつに孤立しがちなこれらの線を相互に、突然に、脈絡なくむすびつける力をもつのも、またゴシップの特性だ。**配列《アジャンスマン》、それは共＝働、それは「交感《サンパティ》」（パトスの共有）、それは共生**（ドゥルーズとパルネ）[8]。優位を誇るあらゆる「北」が指定するゴシップに対抗する、すべての「南」がくりだす解体的な噂話。自分がゴシップにすぎないことを自覚し、力を欠いたまま戦いにのぞむ、混成するゴシップ。

密使たち　フランツ・カフカ

王さまになるか、それとも王さまの密使たちになるかを、かれらは選ぶことができた。子供たちのだれもがそうであるように、みんな密使になりたがった。それで世界をかけまわる密使ばかりが生まれ、お互いにむかって——だって王さまというものがいないのだから——意味のないものとなった伝達を叫びあった。かれらはこんなみじめな暮らしをおしまいにしたいとは思ったが、あえてそうするものはいなかった、かれらの仕事へ

の誓いのせいで。(9)

伝達。比喩《トロープ》が編み上げられる平面での戦いには、おそらく規則はひとつしかない。われわれにはもはや沈黙という贅沢は許されない、ということだ。あるいは沈黙すら一種の言語として、それに非常の言葉を語らせなくてはならない。指令をもたず、密使はいたるところにゆき、伝達を叫びあう。王は永久に不在、あるいは王を名乗る者がいてもその命令に服従する気はないのだからおなじこと。こんな状況ではささめきあう空虚な声が世界をみたし、みじめさが日々を味気ないものにするばかりだろうか。けれどもぼくらのひとりひとりがこうして自己任命した（仕事を誓った）密使たちになること以外に、「世界」という巨大な「顔」の変容は、はたしてどうやってはたされることだろうか。密使の誓いには二つの義務が含まれる。つねに走りまわること（たとえその場で、であっても）と、つねに叫びあうことだ（聞く耳をもたない者たちにむかって、さえも）。ここで足跡を（自分のものであれ他の密使たちのものであれ）、運動する足そのものと、かんちがいしないようにしよう。足跡は風に消えていい。一瞬ごとに密使を密使として生むのは声。そして声とは同時性であり、（選別的な視覚とはちがって）声という暴力性をはらんだ音は敵／味方の対立を超えて（敵／味方／中立の区別すら超えて）届き、その場にいるすべての人々を、共有されたひとつの状況にひきこむ。叫ぶ彼女（たち）、すすり泣く彼（たち）の声を耳にするとき、きみと異なった顔／舌／肌の色をもつすべての異邦人を、もはやきみはきみが暮らすローマに無関係な人々と呼ぶことはできない。**軋**

みと響き。／軋みと響き。絶対の明瞭さをもって／彼は自分がどこにいるのかを知る（マイケル・オンダチエ[10]）。

（1）Ronald Takaki. *A Different Mirror*. Little, Brown&Co., 1993, p.274.
（2）Hubert Fichte. *Petersilie*. cited in Bernd Brunner. "The World as a Heart Surrounding Me." Unpublished paper, 1991.
（3）Trinh Minh-ha. *When the Moon Waxes Red*. Routledge, 1991. 以下，ページ数だけが上げられた引用文はすべて同書より。
（4）Gayatri C. Spivak. *The Post-colonial Critic*. Routledge, 1990, p.45.
（5）Homi K. Bhabha. "Remembering Fanon" in Kruger and Mariani ed. *Remaking History*. Bay Press, 1989, p.146.
（6）Walter Benjamin. *Illuminations*. Schocken Books, 1968, p.94.
（7）Trinh T. Minh-ha. *Woman, Native, Other*. Indiana UP, 1989, p.69.
（8）Deleuze et Parnet. *Dialogues*. Flammarion, 1977, p.65.
（9）Franz Kafka. *Parables and Paradoxes*. Schocken Books, 1975, p.175.
（10）Michael Ondaatje. *The Cinnamon Peeler*. Knopf, 1993.

1994

否定の騎士

フェルナンド・ペソア

秋になって学校をやめた。リスボンにむかうと、そこでは九月はまだ夏で、ひどく暑かった。午後の光が異常に鋭くきらめき、テージュ河の水面で跳ねるように散乱していた。カイシュ・ド・ソドレの鉄道駅の近くでは黒人の太ったおばさんたちが魚と花を売り、その光景はブラジルと変わらない。夜になると町は暗くなり、地下鉄の入口ではアンゴラかモサンビークから来た黒人学生たちが深夜まで話しこんでいた。ぼくは「インペリアウ」と呼ばれるグラス売りの生ビールを一杯だけ飲んで、毎晩おそくまで広場をぶらぶらしていた。ただ酔っているというだけではない中年男が、道端で神を見ている。「ほら、そこにいる！　そこだ！ほら、みんな見えないのか?」と、通行人に声をかけながら真剣な顔で驚いている。こどもたちはにやにやしながら男をからかい、老人たちはベンチにすわったまま自分たちの世間話にふけっていて気にもとめない。ぼくもベンチにすわり、ペソアのことを考えていた。

Não sou nada.
Nunca serei nada.
Não posso querer ser nada.
A parte isso, tenho em mim todos os sonhos do mundo.
（おれは何者でもない。
おれは何者にもならないだろう。
おれは何者かになろうとすることができない。
その点を除けば、おれは自分の中に世界のあらゆる夢をもっている。）

アルヴァロ・デ・カンポシュの有名な「煙草屋」からの一節だ。悪しきバロックの絢爛たる呪縛にとりつかれていた先行するポルトガル語詩人たちに比べると、〈異名《エテロニモ》〉のいずれとして書いているときでもペソアの簡明なことばは簡明なだけに強烈で、心に残った。ぼくがポルトガル語の勉強をはじめたのはフランス語からの逃避でもあったが、はじめからペソアを読むつもりだったので目的ははっきりしている。ポルトガル語は甘く、美しく、くぐもり、しゅうしゅうとかすれた音を出し、さびしかった。そしてフェルナンド・ペソアと呼ばれる「人々」は、他のだれにもまして激烈なさびしさを、しずかに湛えていた。

Nada fica de nada. Nada somos. ——Ricardo Reis

（無からは何も残らない。われわれは無だ。）

かつて十七世紀のぼくの祖先は『どちりな・きりしたん』を読み、信仰のために初歩のポルトガル語を学んでいた。祖父は香港の華僑を相手に商売をしており、マカオに犬の肉の晩餐を食いにゆくついでにカモンイシュ（ポルトガル史上最大の詩人、『ルシタニアの人々』の作者）の住んだ洞窟に詣でたり、ゴアのポルトガル系ユダヤ商人の出店から胡椒を買いつけたりしていた。叔父のひとりはブラジルにわたり、アマゾン河口のベレンで零落して野生のマンゴーばかり食べて暮らした。などというのはすべて偽の記憶だが、その後ぼくがブラジルに行ったのはロラン・バルトの弟子で「テル・ケル」派に近かったレイラ・ペローネ・モイゼシュの『フェルナンド・ペソア――私の手前、他者の彼方』（一九八二年）が出版されてまもないころで、主にフランスに住むブラジル人たちの活躍によってペソアが二十世紀前半の芸術的前衛のひとり（ロマン・ヤコブソンの呼ぶ「一八八〇年代生まれの天才たち」のひとり）として再認識されはじめた時期だった。これ以後、一九八〇年代をつうじて、ようやくそれまでは一部のルゾフィル（ポルトガル好き）にしか知られていなかった「だれでもないペソア」の死後の名声が、世界化される。

去年の夏、ヴィム・ヴェンダースの『リスボン物語』を見た都会に住む友人から手紙がきて、ペソアの影がこの作品に大きなモチーフを提供していることを教えられた。田舎に住むぼくはまだそれを見る機会がない。その映画の中で失踪した映画監督の部屋に書き残されていたことば——

Ah, não ser eu toda a gente e toda a parte!

とはペソアのどの作品にある詩句か、わかったら教えてほしい、と友人はいった。“Ah, my not being everybody everywhere!”というわけか。いかにもペソアならではの感慨だなあ。これなら、「映画監督」には強く訴えるものがあって当然だ。

ぼくは詩集をひっぱりだした。こうした気分はペソアの詩集の、ほとんどいたるところにあふれている。“Ah, poder ser tu, sendo eu!”(ああ、私自身でありながらおまえになることができるなら)あるいは“Ah, seja como for, seja por onde for, partir!(ああ、どんなかたちでも、どこにむかってでもいい、出発するのだ!)といった詩句は、基本的にはボードレールそのままの慨嘆だが、ペソアはみずからの人格の複数化をつうじて、そうした慨嘆を強烈に増幅してゆく。自分があらゆる人間でないこと、あらゆる場所に遍在しないことを嘆くこのフレーズは、彼の〈異名〉のひとつアルヴァロ・デ・カンポシュの「勝利のオード」の最終行だった。

それを月を求めて泣くこどものような頑是なさ、といって笑えるものだろうか。ぼくにはこの気持ちは、すべてのぼくのうちのどれかひとりもまたそのままに体験しているものだと思える。ぼくもまた、何者でもないからだ(ブラジルで、日系人のともだちとくりかえし使った日葡語呂合わせの冗談。フランス語で「だれもいない」という意味のペルソンヌを、ポルトガル語ではニンゲンという。だから「だれかいるか？」とたずねられれば「ニンゲン！」と答える。つまり「だれもいないよ＝人間がいるよ」。居留守の返答としては完璧に完成されている）。しかしこんな「何者でもない」という感覚は別に特別なものではなく、近代のある一群の詩人たちによって、血統なく、でも根強く、継承されてきたものだった。

まず、キーツ。あまりにも短い詩的生涯のはじまりで、この天才は〈ネガティヴ・ケイパビリティ〉という概念こそ詩人の基本的な能力だという説を唱えた。彼は弟たちにあてた手紙で、こう書く。この否定的能力とは「シェイクスピアが甚大にもちあわせた」ものであり、「文学において何事かを達成するためには不可欠」の能力だ。それはたとえば「コールリッジのように中途半端な知識に耐えることのできない」連中にはうかがい知ることすらできない境地で、否定的能力を備えた詩人はただ「美の感覚」だけをみちびきの糸として、他のすべてに優先させるのだという（われらが「詩人＝劇場」たるペソアもやはりシェイクスピアを文学的理想としていた）。

この〈ネガティヴ〉ということばは、二つの水準で作用している。能力というものが一般に他に働きかける力だとすれば、否定的能力とは能力の否定だ。「何かを知る」という、それ自体、極限までゆきつく論理をはらんだ営みを半ばで否定して、「中途半端な知識」に耐えること。同時にそれは「知る主体」としての〈私〉を否定し破壊し空無化して、この〈私〉の場所にあらゆる他の存在を招き入れ、語らせるという能力でもあった。

それはいわゆる〈エンパシー〉（感情移入）の能力だ。けれどもM・H・エイブラムスは、ロマン主義文学思想史の古典『鏡とランプ』で、キーツのそれがいかに独特のものであったかを指摘している。コールリッジやワーズワースは、自己と外界との荘厳な溶融に価値をおいた。シェリーも周囲の万象が存在の中に吸収されることを歌い、バイロンは自分がまわりのものごとの一部となることに目をみはった。これに対してキーツは、安易な自己の拡大や拡散を嫌い、鳥であれ人であれあくまでも個別の存在との同一化を選んだ。存在が、そっくり入れ替わるのだ。

Le Moi comme résidu d'une suite de substitutions. —— Valéry
（代入をくりかえしたあとの剰余＝残滓としての私。）

ワーズワースらの想像力を〈エゴティスティカル・サブライム〉（自我拡大的崇高）としてしりぞけるキーツは、詩人には自己がないのだ、という。詩人とはすべてであり、何者でもない。詩人に人格なんてない。貞淑な哲学者たちに衝撃を与えるようなものを、カメレオンである詩人はよろこぶ。詩人とはそれ自体、もっとも詩的でない存在だ。なぜなら詩人にはゆるぎない同一性というものがないのだから。太陽、月、海、男、女といった、それ自身の推進力《インパルス》をもつ不変の存在は詩的だが、詩人にはそんな性質はまったく欠けている。詩人に自己はなく、もし〈私〉が詩人であるとすれば、こうして書いているのは、もはや〈私〉ではない。

まるでペソアみたいだ、とぼくには思えてくる。もちろんそれは回顧という視点がはじめて可能にする、あやふやな系譜学でしかない。しかし「だれでもないペソア」が改めて思いださせる「だれでもない詩人たち」は、キーツだけではなかった。

マラルメがいる。キーツに半世紀おくれて、だれよりもラディカルに「虚無の詩学」を実践した人物だ。人が手紙に書く内容がどれだけ現実に対応しているのかはだれにもわからないが、二十四、五歳ごろのマラルメが友人たちにあてて書いていたことを信じるなら、彼は一八六七年のはじめごろ、非常な危機に直面していた。リラダンにあてた書簡によれば、この危機をくぐりぬけることで、彼は「ただ感覚だけを頼りに」「〈宇宙〉そのものの〈理念〉に到達した」。そして「純粋な虚無という、いうにいわれぬ観念を守るため」には、「自分の脳に絶対的空無の感覚を強いなくてはならなかった」と述べる。この間の苦しみは「とても語りえぬもの」だが、「さいわい、ぼくは完全に死んだ」(アンリ・カザリス宛書簡)。こうしてテーブルにむかって手紙を書いていても、その正面にある鏡に映る自分の姿を見ながらでなくてはものを考えることもできず、それどころかまた自分が「虚無」に帰ってしまう気がする。「いっておくが、ぼくはいまや非人称の存在となり、もはやきみの知っていたステファンではない。——ぼくはひとつの傾向となり、霊的宇宙が、かってぼくであったそれをつうじて、みずからを見、また展開してゆくのだ」。

詩人という存在が「インスピレーション」(息を吹きこまれること)あるいは「エンシュージアズム」(テオス、つまり神が入ること)により語りはじめるものだという考え方は古代以来のものだが、〈私〉の成立以後の近代詩の世界（オクタビオ・パスは「詩的自己」の発生をダンテに見ている）にこの「インスピレーションの神話」がよみがえったとき、それは「詩人とはみずからの意志によって自己を空無化できる存在だ」という確信として定式化された。みずからはアイデンティティを欠いたまま、他のアイデンティティたちに自己の場を、声を、ゆずることができるとするキーツ。みずからはすでに死んだ存在として、スピリチュアルな宇宙という超越的実体に〈私〉を自己認識の道具として使わせるのだというマラルメ。いずれも「自己の中断」と「声の提供」を創作に不可欠のモーメントとしている点では、みごとに「インスピレーションの神話」を再演している。

「死」という「イニシエーション」を経て「詩人」に変容した私の生は、定義上、「死後の生」だというほかはない。マラルメがカザリスらに自己の危機を語った四年後、マラルメより十二歳年少のあきれるほど早熟な少年ランボーは、みずからを「見者」とすると誓う手紙をジョルジュ・イザンバールにあてて書いていた。

　ぼくは詩人になりたいと思い、自分を「見者」とするために努力しています。といっても、ぜんぜんおわかりにならないと思いますし、説明のしようもないのです。肝心なのは、あらゆる感覚の攪乱をつうじて、未知に到達すること。そのための苦しみはすさまじいもので、強くなくてはならない、詩人に生まれつかなくてはならないのですが、ぼくには自分が詩人だということがわかりました。そんなの、まるでぼくのせいじゃない。

「私は考える」なんていう言い方はまちがっている。「私は考えられる」といわなくてはならないんだ――だじゃれ、ごめんなさい。

私とは一個の他者なんだ。


ランボーが「だじゃれ」といっているのは、「私は考えられる」（On me pense）が「私は包帯を巻かれる」（On me panse）と同音だということ。まるでミイラのように、私は包帯をぐるぐる巻かれ、他者により造形される。その包帯の中身はすでに徹底的に死んでいて、見開かれた目はうつろな空虚だ。感覚は相互に分離せず、すべてが通底し、私は死後の錯乱を生きる。それが、詩人の仕事だった（この態度をドイツ・ロマン主義の神秘家フランツ・フォン・バーダーに対比することもできる。デカルトのコギトを、「（他者により）考えられる、したがって私は存在する」と変型した人物だ）。そしてここで「他者」と呼ばれるのは、だれと名ざすことのできる存在ではなく、あくまでも非人称の領域の何か、しいていえば「言語」そのものとしか呼べない何かだった。

こうして「だれでもない詩人」となったキーツ、マラルメ、およびランボーにおいて注目したいのは、かれらは「詩人」という存在そのもののイメージを疑うことがなかった、という点だ（「破壊こそ私のベアトリーチェだった」といったマラルメ、さえも）。キーツにとって巨大な先行者はまずワーズワースであり、マラルメとランボーにとってそれはだれよりもボードレールだった。強烈な自己をもった「詩人」というものが、たしかに存在する。〈私〉は詩人になりたいと思い、みずからを〈詩人〉と認定する。認定の根拠にあるのは、先行する詩人のイメージに対する確信だけ。先行者の巨大な影は、みずからを詩人と認定した生まれたての詩人にむかって、二つの背反する命令を出す。「私のように書きなさい、ただし、私のようには書かないこと」。いわば、非模倣的模倣(non-mimetic mimesis)の命令とでもいえる、この二重拘束こそ、絶えざる更新を唯一の原則とするモダニズム芸術の根底にある生殖(血統形成)の原理だったのではないか。

「生きるとは他者になること」(Viver é ser outro)と、フェルナンド・ペソアのひとりであるベルナルド・ソアレシュは書いていた。模倣とは避けがたいことであると同時に、きびしく禁じられている。この無力化あるいは去勢の感覚を、たとえばマラルメは"muse moderne de l'impuissance"(不能という近代の詩神)と呼んだ。そしてイギリス・ロマン主義からは一世紀、フランス象徴主義からは半世紀おくれて、南アフリカ育ちの英葡バイリングァル詩人ペソアもまた、孤独と後進性の意識のうちに、その不能を内面化したのだった。

O poeta é um fingidor.
Finge tão completamente
Que chega a fingir que é dor
A dor que deveras sente.
(詩人とは偽り装う者。

あまりに上手に装うので
ついにはそれが痛みなのだと装うことになる
本当に感じている、その痛みさえ。）

自分の姓をフランス語に翻訳したならばそれは「人」と「だれもいない」を意味し、ラテン語に翻訳したならば「仮面」を意味し、それらの意味と翻訳という操作がもたらす転位を完全に意識しながら育つとは、いったいどういうことだろう。六歳のペソアは、すでに架空の存在を身のまわりに作りだすことに興味をもち、みずからLe chvalier de Pasと名付けた人格を遊び相手としていた。歩みの騎士？　いや、やはりそれは「否定の騎士」だったろう（まるで六歳のブランショだ）。その名はカルヴィーノの「非在の騎士」すら予見しているようだが、ペソアという否定の騎士がけっして否定しなかったのは、マラルメやランボーと同様、「詩人」という空虚な形式だった。

Le Moi est négation. —— Valéry
（〈私〉とは否定だ。）

死の年、ペソアは若い友人のアドルフォ・カザイシュ・モンテーロにあてた長い手紙で、みずからの〈異名〉のプロジェクトの全体についてかなり詳しく語っている。改めていうまでもないが、それは単なる偽名ではなく（ついでに述べておくならマラルメは『最新流行』のためにいくつもの女の偽名を使って記事を執筆していた）、個別の伝記・性格・作風をそなえた、それぞれ別の詩的人格だ。この人格創造がヒステリーと並行関係にあることも、精神医学に関心をもった晩年のペソアは、よく理解していた。

シャルコーが膨大な写真に記録したような十九世紀のヒステリーが一種の仮面劇としての病だったことを『ヒステリーの発明』のジョルジュ・ディディ＝ユベルマンは指摘したが、二十世紀になってもなお広く「女の病」と考えられていたヒステリーが「男においては主としてメンタルに発現し、すべては沈黙と詩のうちに終わる」とペソアは考えた。詩人の仮面もまた、言語的・演劇的模倣の病にすぎない。しかしその仮面とは、自由にひきはがしては素顔を風にさらすことのできるようなものではない。いくつもの仮面は仮面、それはめまぐるしく入れ替わる、だが仮面と素顔とのあいだにもはや区別はなく、入れ替わるたびに肉は破れ血は流れうめき声はもれ生命は危険にさらされるのだ。そして仮面の人格たちへの投資がすすめばすすむだけ、私の空無化もすすむ。私はからっぽの存在となり、ただ墓の彼方からのまなざしだけをたずさえて、かたちのみがそこに残されたミイラとして、死後の生存をつづける。

Não sei quantas almas tenho.
Cada momento mudei.

Continuamente me estranho.
Nunca me vi nem achei.
(いくつの魂を自分がもっているのか、私は知らない。
一瞬ごとに、私は変わった。
自分がつねに見知らぬ者となってゆく。
自分自身など見たことも信じたこともなかった。)

私を横断する「距たり」、私を距てる「遠さ」、私と私を遠ざける「言語」。ペソアの広大さを、ぼくはまだ本当には知らない。少なくとも四人の(あるいは「ベルナルド・ソアレシュ」を加えて五人の)ペソアの、われわれにとっての実質は言語だけだ。かれらを権利上実在する詩人たちとしてよく読み分けられるようにならないかぎり、ぼくらは何も知らない。けれどもそのかれらがかたちづくる風景を、ぼくはたぶんこれからも一生、ときおり訪れつづけることになるだろう。ぼくもまたひとりの、だれでもない者として、ついにはそこにまぎれこむために。

Sou minha própria paisagem.
Assisto à minha passagem.
Diverso, móbil e só,

Não sei sentir-me onde estou.
(私が私自身の風景
私は私の通行に立ち会う
さまざまに、うつろいつつ、ただひとり
私はいまいるここに自分を感じることができない。)

1994

鳥のように獣のように

国境・沙漠・翻訳

二つの文化、二つの言語、二つの社会のあいだで生きること。社会と社会のあいだを、鳥のように獣のように、わたること。現代世界でいっそう多く見られるようになった、そんな「わたり」の生き方に、ぼくは興味がある。一九八〇年代の半ばから、ぼくは職業的翻訳をはじめ、翻訳の仕事と平行して、文化や言語の衝突と融合をめぐる問題を(どう考えればいいのかよくわからぬままに)「思って」きた。旅行もしたし、外国に住んでもみた。その経験はごく限定されたもので、自信をもって人に話すほどのことは何もない。けれどもやはり自分の経験を抜きにしては、翻訳の作業の裏側にある「なぜ翻訳をするのか」「なぜ翻訳は必要なのか」といった本質的な問いに、たちむかうことすらできないのも事実だ。翻訳も他の手仕事とおなじく根気のいる作業だ。それを支えてくれるのは、かつて自分が出会ったいくつかの光景であり、分かちがたくいくつかの顔や声とむすびついたそれらの光景を反芻しつつ、ぼくは外国語にむかうことをくりかえしている。そんなぼく自身の日々の作業の周辺に、ときおり浮上してはまた忘れられる光景のいくつかを、語ってみたいと思う。

ちょっとした思い出話からはじめよう。一九八四年から翌年にかけて、ぼくはブラジルをはじめとする南アメリカ各地を旅行した。アルゼンチンのブエノス・アイレスに本拠地をおくある日系企業が当時提供していた奨学金（ガセイ南米研修基金）によるもので、この基金は奨学金とはいっても別に学校にかよわなくてはならないわけではなく、自分がそうしたいと思うやり方で南米を体験すればそれでいい、以後も何の義務もないという、信じられない自由にみちた、画期的なものだった。これといった計画もなくあわただしく出発したぼくは、ふらふらと、ゆきあたりばったりに、迷いの旅をつづけて一年近くをすごした。そのしめくくりとしてメキシコにたどりつき、鼻血が出るほど空気の汚れた首都シウダー・デ・メヒコ（メキシコ・シティ）から逃げ帰るように国境の町ティファーナに飛び、そのまま歩いて国境を越え、サン・ディエゴにむかい、ロス・アンジェルス行きの電車のシートに腰をおろしたときには、深い安心感に胸をなでおろしたものだった。

安心感。アメリカに「帰ってきた」という気持ち。まさにこの北アメリカとの関係によって「影」としての役割を強いられ、国際経済という得体の知れない舞台では「貧困」を演じる南アメリカ諸国は、政治や社会の不安定さと危険は数々あるものの、生活するには概して楽しくおもしろく、食事はうまく風景は光にみち人々は親切だったと、そのときのぼくは旅をふりかえっていうことができた。しかしその旅行のあいだずっと、ぼくは丸めて輪ゴムでとめた緑色のアメリカ・ドル紙幣をもち歩き、それをゆく先々で現地の通貨に（きわめて有利なレー

ト で）交換してそれで暮らしていたわけであり、いわばつねにアメリカ合衆国にリンクされ、自分はここで一種の「疑似アメリカ人」として生きているのだという気持ちが拭えなかった。疑似アメリカ人というのは、国籍の問題ではない。それははっきり階級の問題、特権の問題だ。当時、ブラジルの大学教師の月収が350アメリカ・ドルくらいだと聞いたことがあったが（この評価額は時々の為替相場で変わる）、ぼくは朝食付き一泊5ドルのホテルに住み、じっくりと新聞や本を読み、冷房のきいた映画館で毎日のように映画を見、カウンター形式のバールや安レストランで食事をし、気がむけば長距離バスに乗って別の土地にゆき、気ままに歩きまわった。両大戦間のヨーロッパで、六〇年代の世界各地で、アメリカ合衆国の青年たちの多くが体験したような、国際為替相場に巣くった安逸なボヘミアン的ライフ・スタイルを、ぼくもぼくなりに経験してみたというわけだ。

一九五〇年代のビートニクスにはじまった、アメリカの高度消費社会を逃れて別の生き方を探るためにその鍵をインドなり中南米といった「よそ」の社会に求める若者たちは、六〇年代のベトナム反戦運動と平行して社会の主流から意識的に離れてゆこうとするヒッピーたちを、数多く生みだした。長髪にロック・ミュージック、対抗価値としての東洋思想と向精神薬物に武装した世界放浪者であるヒッピーは、しかしたちまちのうちに風俗化し、その精神は風化し、単に個人的な快楽を追求する群れなき群れに堕してゆく。七〇年代以降の、そうした風俗を見聞きしながら旅にあこがれ、やがて実際に旅立つことになったぼくらの世代の者（ぼくは一九五八年生まれ）は、はじめから偽物のヒッピー、模造の世界放浪者であることを、運命づけられていたような気もする。

アメリカの風俗ヒッピーの多くはミドルクラスの子供たちで、どこへゆこうと世界通貨ドルの強さに守られて、ごく安上がりな生活を保証されつつ、望むならお金でドラッグやセックスといった快楽を手にいれることもできた。日本円には、当初はその強さはなかった。1ドル＝360円の固定レートの枠がはずされたのは一九七一年、ぼくがはじめてアメリカ合衆国に行った七二年夏の時点で、1ドルは320円程度だったと思う。ところがその後、国際経済の風景は変わる。ぼくがアメリカに定着して暮らすようになった八〇年代後半以後、円がもっとも強かった時期には、1ドルは80円を切った。端的にいって、ぼくにとってのアメリカ体験は、1ドル320円から80円への旅だったと要約することすらできる。

この円の地位の変化にともない、アメリカの風俗ヒッピーに二十年ほど遅れて、日本人旅行者も世界中に散らばった。八四、五年ごろの南米でも、そうした旅行者たちに数多く出会った。なぜかかれらは特別な響きをこめて「旅行者」と自称する。ごく短期間の観光旅行者ではなく、多くの人々は半年、一年、二年と旅をつづけている。南米主要都市の日本料理店や宿屋には、そうした旅行者が集まるポイントになっているところがあって、ガイドブックなどでは得られない最新情報を口頭で交換する（南米だけではなくアジア各地にもアフリカにもそうした場所があるだろう）。もちろん旅行者には、良い人も悪い人も、つきあいたい人もごめんこうむりたい人もいる。それはどんな社会集団をとっても、おなじことだろう。ぼくは自分の趣味として、麻薬や売春とは無縁ですごしたが（それら商品化された快楽のあまりの安易さが興ざめだったので)、かといってそうした情報を喜々として語りあう旅行者たちを正面から批判することも、できなかった。所詮はドル紙幣(とそのむこうの円)によって、何らかの発見や出会いや「よろこび」を求めてこの大地をさまよっているという点では、ぼくとかれらはおなじ穴に住む、偽グリンゴ(アメリカ白人)の偽ヒッピーというむじなだったのだから。

話をロス・アンジェルスにむかう列車の中に戻そう。中南米諸国のよさをあれこれ思い浮かべながらも、ぼくはアメリカ合衆国に「帰ってきた」という気分を、のんびりと味わっていた。かつて小田実は、『何でも見てやろう』(一九六一年)で、アメリカからメキシコに入ると日本に帰ってきたような気がする、と書いていた。八〇年代のぼくは、メキシコからアメリカに入って、帰ってきたと感じる。これはごく単純な事態だ。日本の経済的地位が、メキシコよりはるかにアメリカに近づいたというだけのことだ。この経済条件にたって、日常生活の気分を決める大きな要素である物質のアレンジメント(どんなモノがどんな外見をもってどれだけの量ありどんな風に機能しているか)についてもまた、日本はメキシコよりはるかにアメリカに近づいていた。ありふれた電車のシートに腰かけて、ほっと一息ついている自分のばかばかしさを笑いつつ、ぼくはそんなことを考えていた。

海岸線を北にむかって電車が走りだし、ほどなくして連結部の扉が開くと、日焼けした小柄な若者がそっと車両に入ってきた。まばらな乗客たちを上目づかいに眺めると、男は視線の合ったぼくのほうにおずおずと接近し、軽く会釈するようにうなずいてから隣にすわった。長袖シャツにジーンズ、汚れているわけではないが、かなりくたびれている。肌の色といい、物腰といい、明らかに「アメリカ人」ではない（こうした勘は旅行でいやでも身につくものだ）。他にいくらでも席が空いているのに、わざわざ隣にすわる。けれども、こちらに危害を加える気配もない。話をしたいのだろうか、と思ってぼくは彼をちらりと見やったが、若い男は落ちつかないようすで顔を下にむけたままでいる。するとふたたび扉が開けられ、ベージュ色の制服の警察官らしい白人女性が入ってきた。サングラスをかけ、がっしりした体格の彼女は、ほんの一瞥で車内のようすを把握したらしく、まっすぐにぼくらの席にむかって歩いてくる。ぼくには目もくれず、若者にむかって「オーケイ、バモース」（さあ、行くわよ）と英語とスペイン語の混合で声をかけ、若者の上腕に手を添えて彼を立たせた。するとまた車両の扉から、やはり制服姿の二人か三人に伴われて、十人あまりの男たちが、プラスチックのテープのようなもので手を数珠つなぎにされて、入ってきた。この一群を先導するかたちで、ぼくの隣にいた若者と制服女性も列車後方へと歩み去り、ぼくは事態を理解した。それは国境警察による密入国者狩りだったのだ。

あの若者は、ただの旅人のふりをして逃げおおせられるかもしれないというかすかな希望をもって、仮面の連れを求めて、ぼくの隣にすわったのだろう。希望は五分ともたなかった。どれだけの苦労を払ってか、やっとアメリカに密入国したかれらは、これからただちに国境の南へと強制送還されるだろう。年齢も風体も、あの若者とさほどちがわないぼくのほうは、気ままな長い旅行のあとで、こうして「赤いパスポート」と「緑の紙幣」に守られて、自由に北への旅をつづけることができる。二時間もすればロス・アンジェルス駅に着き、そこからは一年間オープンの航空券の帰路分を使うために、国際空港にむかうだけ。これはさっきの若者にしてみれば、考えられない自由だ。思わず青ざめるほどの、移動の自由だ。

日常生活の中で人が出会う相手の社会・経済階層は、だいたい決まっている。公立小学校の先生や開業医といった職業がすばらしいのは、一社会のじつにさまざまな階層の子供たち大人たちに、日々出会うという点だ。ところが旅行では、人は自分がふだん暮らしているニッチ（生態学的場所）では接触しない人々と、いたるところでふれあい、言葉をかわすことにもなる。外国旅行の場合なおさらだが、ここに、もうひとつ考えなくてはならない要素がある。歴史的にいって八〇年代半ばごろまでには、アメリカのミドルクラスの若者と日本のミドルクラスの若者の生活スタイルは驚くほど似かよったものとなっていた。それは何より日常生活の情景におなじようなモノが転がっているということであり、おなじような時間の使い方をするということだ。かれらは互いに容易に横すべりして、他方の社会に入ってゆくことができる。生活の「物質的翻訳」が確立されていれば言語の苦労など大した問題にはならない。Translationという単語は、もっとも普通には「翻訳」のことだが、数学用語としては「平行移動」を意味する。すなわち、個人をとりかこむ「物」が、そのまま輸入あるいは移入されている。ここで念頭においているのは、たとえば休憩時間にはウォークマンで音楽を聴き、ナイキのジョギングシューズを履いてジョギングに出かけ、夜寝る前にはコンタクトレンズをはずして洗うなどといったように、おなじモノを使い（おなじ商品を買い）それとセットになったおなじパターンの行動をとるという事態のことだ。これに対して、どこの一国内であれ、経済的な階層を越えて上下の動きを作りだすことには、それとは比べものにならないほど大きな抵抗が生じる。

アメリカ合衆国ほど、人々が広大な地理的範囲を動きまわって生きてゆく社会は、他にない。大陸の端から端まで、人は好きな土地で暮らすことができる。メイン州からテキサス州へ、ついでフロリダ州、さらにオレゴン州へといったふうに、対角線をむすぶような長距離の引っ越しを生涯に何度もくりかえす人は、いくらでもいる。エネルギー消費の面からいえばあきれるほどの浪費だが、引っ越しそのものに高揚を感じる人の気持ちは、よくわかる。ぼくもそれを経験してきた。全国ネットで展開する商店と商品、レストランやファーストフード店は、どこにいってもおなじ品物を消費して暮らすことを保証してくれる。ところが一方で、どの土地に行っても、人々はふたたび価格により分類されてゆくのだ。旅行中に泊まるモーテルの値段、落ちつき先で新しく借りるアパートの家賃。激しい自由競争で驚くほど正確に内容を反映しつつ設定されたそれらの価格により、都市はきれいなモザイクに色分けされてゆく。ここは余裕のあるクラスの区画。ここはややつつましい暮らし向きの人たちの区画。ここははっきりと貧しい人たちの町、というように。一目瞭然だ。そしてお金という尺度で見た場合に、アメリカ社会の最底辺におかれるのが、あの電車の中の青年のような、法定最低賃金すら払ってもらえない、非合法入国の労働者なのだった。

あの青年がぼくの前に姿を現して、また消えるまでの時間は、五分にもみたなかっただろう。視線を一度かわしただけで、声も知らず、名前も知らない。顔ももう覚えていない。その後どうなったかも知らない。けれども「国境を越える」という自由がいかに「特権」であるかを考えるたび、その特権を永久に拒絶されたあの青年の気配を感じる気がするようになった。そして自分が「帰ってきた」と思ったアメリカ社会で、多くは移民第一ないしは第二世代であるスペイン語を話す中南米系の人々のことが、いつも気にかかるようになってきた。中南米の気配を絶えず感じることにより、ぼくにとってアメリカは、英語だけが響く国家であることをやめたのだ。

その後、アメリカ各地を訪れることは、年とともにふえていった。ぼくはニュー・メキシコ州アルバカーキとアリゾナ州トゥーソンという二つのバイリングァル都市で暮らしたが、それ以外にも思いもよらないところで、濃密なスペイン語空間にぶつかることがあった。一例が太平洋岸北西部ワシントン州の内陸にある、ヤキマという町だ。メキシコとの国境からははるかに遠く、数時間走ればカナダというこの北の町は、乾燥した内陸高原が灌漑によって農業地帯に作り替えられた土地にある。ガソリンスタンドで給油をすませてショッピングモールに立ち寄ったぼくは、氾濫するスペイン語に驚いた。靴屋にも洋服屋にも「大安売り《レバハード》 rebajado」「在庫一掃《リキダシオン》 liquidación」といった貼り紙があり、スペイン語の歌（ノルテーニョと呼ばれる歌謡曲）が流れている。見ると疑いなくメキシコ人の、家族連れや若い独身男性のグループが、あちこちを歩き、モールの客の大半をしめている。この地方の農場や特産物であるりんごの果樹園で働く、農業労働者たちなのだ。

北のワシントン州の片隅で見るかれらの姿は、あまりに場違いで、強く印象に残った。お隣のアイダホ州の農家出身の友人に聞くと、それでもメキシコ人労働者は五〇年代はじめからこの地方に入っていたとのことだ。ただその数は、以前ははるかに少なかった。また、このモール自体がさほど古くはなく、人が漫然と集まるモールという場によりかれらの姿が可視化したとはいえそうだ。一般にわれわれがどこかの土地で目にするものは、地形にしても建築その他の人工物にしても人々の顔にしても、必ず歴史の中で流動し姿を変えている。いいかえればどこにゆこうと、どれほど平凡に見える光景であろうと、それは必ず「いま・そこ」にしかない歴史的場面なのであり、それを見る自分はたしかに歴史の目撃者なのだ。本当は毎日の平凡な暮らしにもあてはまるその原則を、「よその土地」への旅は、はっきりと教えてくれる。自分がいま通過するこの土地自体が、いまこのとき、ある歴史の一局面を通過しつつあるのだということは、つねに意識しておく価値がある。旅行という空間的な移動は、結局はこうして歴史を、時間の重なりを、目覚めさせてくれるものだと、ぼくは思うようになった。

スペイン語を話す人々には、他にもあちこちですれちがった。マイアミやシカゴのモーテルで部屋を掃除しベッドを直すおばさん(マイアミの人はキューバ系、シカゴの人はプエルト・リコ系だった)。コロラドの田舎町の、コーヒーショップのウェイトレス(この人はエル・サルバドル出身)。カリフォルニアで故障した車を修理してくれたガレージのおじさん(メキシコ人)。あるいは国立公園のレンジャー。航空会社の地上職員。バスで乗り合わせた乗客。街頭ミュージシャン。床屋。物売り。旅ですれちがい、ほんの一瞬の接触以上の関係をもたなかったのに、なぜか何年もたってもその存在の輪郭、稀には顔の印象まで覚えている、そうした人々はたくさんいる。なぜかれらの存在が、記憶に刻まれているのか。ふしぎなことに、人はあることは覚えていて、あることは忘れる。そして何を覚え忘れるかは、どうも自分自身で決められることではない。ある人の存在（の漠然とした印象）を覚えているということは、その人との出会いが自分にとって何らかの強い意味を帯びていたからだろう。問題は、その意味の中身だ。

中南米とスペイン語への興味があったので、ぼくはこうした人々に興味をもった。その人たちの背後にひろがるものに関心があり、声をかけ、言葉をかわした。簡単なやりとりで、ごくわずかな情報のかけらを知り、そのやりとりに小さなよろこびを感じた。しかしそのようにして「知った」と思う何かとは、ぼく自身の意識のスクリーンに映ったかれらの映像を、さらに気ままに切り抜いたものでしかない。ぼくは自分が同化できる何ごとかを、勝手に盗みとったにすぎない。かれらの存在の全体を「理解せよ」という要請をどこかから受けたわけではなく、交渉は結局、何らかの経済的取引（たとえば自分がかれらの客であること）を前提としたものでしかなかった。にもかかわらず、こうした短時間の印象の集積こそ、ぼくにとっての「アメリカ合衆国のスペイン語系住民」という集合の内実そのものであり、ぼくが「ヒスパニック」や「ラティーノ」といった呼び名を使うたび、まるで幽霊の群衆のように、かれらの印象がたたずんでいるのだ。かれらの「像」は、これ以上に実証的・具体的なものはないといえる一方で、水面にたゆたうように頼りないものでもある。かれらの印象は、ぼくの抱く世界像の鍵をにぎりぼくの情動をいたるところで左右すると同時に、かなりの程度まで、ぼく自身が見ようとするものの投影にすぎず、ぼく自身の想像が作りだした幻のようでもある。

もちろんぼくにも、もう少し親しく知り合い持続的につきあうようになった、スペイン語系の友人・知人がいる。にもかかわらず、何らかの場でヒスパニックやラティーノという「集団」の全体が話題になり、それらの名に肉体を与えたいとぼくが望めば、その肉体をかたちづくることになるのは、よく知っている誰彼と同程度の重みをもって、ただいちどその姿をちらりと見たにすぎない、あの日あの時あの場所での、あの「ひとり」なのだ。深い痕跡となって残された記憶は、一種の傷だ。だったらあの「ひとり」は、ぼくに対して、どんな傷をもたらしたというのか。

文化とは集団が保持するものであり、文化の理解とはある集団の理解だ。けれども文化は同時に、個々の人間が担うものであり、ひとりの人間としての「私」は、個々の人間を回避していきなりある文化の全体に直接ふれることはできない。文化をめぐる議論は時としてとんでもない抽象論におちいるが、その抽象論の中に「これはたしかにそうだ」というはっきりした手ざわりのある真実らしきものが潜んでもいる。文化の核心を学ぼうとするとき、生身の人間たちを相手にした自分の経験によって確実に検証できる部分は非常に小さく、われわれはつねに「文」（つまり文化の記述）の積み重ねの上に、自分の個人的経験を接ぎ木しなくてはならない。ところが、この「経験」という土俵の上では、「よく知った相手」と「ゆきずりの相手」が、しばしば対等の重みをもって向かい合っているのだ。いや、どれほど「よく知った」と思われる相手でも、われわれはじつはごく限定されたかれらの断片を、ただたくさん集めたというにすぎないのかもしれない。文化とは結局は、小さなかけらを壁面にちりばめて描くモザイク画、たくさんの点と点を鉛筆でむすんでいって漠然と浮かび上がる図柄、言語と映像によりぼくらのひとりひとりが構成するコラージュでしかないのだろうか。

文化人類学者の中には、おそらくこうした問題をめぐる議論を、はるかに洗練されたかたちでおこなっている人がいるはずだ。専門知識を欠くぼくとしては、「文化」という一般化されたカテゴリーを追求することはひとまずおいて、「文学」という個別に探られる道をしばらくはたどってみようと思うようになった。言葉を使って書かれる文学とは、その言葉を共有するある集団に否応なく根ざしつつ、あくまでも（基本的には）個人が書き、個人が読むものだ。すなわち、共有されつつ私有され、集団の慣用的語法に絶えず引き戻されつつ個人による革新（新しい言い回しや使い方）が探られるという、言語そのものの性格が、もっともよく表れる活動領域だ。

同時に文学とは、現実の世界からは必ず一歩引いた地平を歩むものだ。「文」は、それを書くにも読むにも、相当な時間がかかる。時間がかかるし、精神の持続的な集中を必要とする。毎日生起する世界の事件にただちに反応し、意見を述べ、行動に移すこととは、別の時間の層に属する活動だ。印刷され製本され大量に流通する本を読み考える、近代の読書行為としての文学が、「夜」の時空に特別な関係をもってきたように思われるのは、理由のあることなのだろう。昼間の社会の動きをいったん中断して、人生と社会を成立させるメカニズムそのものを考える。あるいは情動の嵐にひたり、自分の過去との関係を点検し、むすびなおし、未来に別のデザインを、希望を、もちこもうとする。そのためには文学を急がせてはならない。文学は性急さと相いれない、文学にすみやかな返答を求めるべきではない、と思う。答えにならない口ごもり、行動にむかうまえの足のためらい、出発の夜明けがくるまえの待機の夜の期待を、「文」とのつきあいは、日々ひきうけるのだから。

アリゾナ州トゥーソンでは、隣人には何家族ものメキシコ人がいた。どこかの子供の誕生日があれば、ピニャータというはりぼての動物を木の枝からつるし、西瓜割りのようにそれを棒切れで割って遊ぶ。中には駄菓子がつめてあり、人形が割れると子供たちは我先にそれに群らがってお菓子を拾う。日が暮れるとマリアッチのバンドを雇い、夜更けまでどこかものさびしい歌を聴きながら談笑する。裸電球を吊るしたピクニック用テーブルを囲み、カルネ・デ・カベーサという牛の頭肉をトルティーヤに巻いたタコスを食べ、リモン（ライム）をしぼったセルベーサ（ビール）を飲んで。それは楽しい思い出だ。

でもそのおなじ土地で、夜、皓々と輝く強力なサーチライトで地面を照らしながら、国境警察のヘリコプターが超低空飛行で、すぐ近くの山裾や荒野や涸れ川の上空を旋回していることもよくあった。国境まで60キロのこの付近では、生命の危険をかけて岩とサボテンの沙漠をはるばる歩いてわたりアメリカに密入国してきた人々が、しばしば捕まるのだ。国境の「わたり」を手引きする者は「コヨーテ」と呼ばれ、莫大なお金をとって、国境のフェンスを越えられる場所を教え、その近くまで車で人を運んだりする。「わたり」は危険だ。それでも何とか「北」の大国アメリカに入って、非合法労働についてよい生活を手に入れたいと願う人々は、後を絶たない。太平洋岸からメキシコ湾側まで、国境地帯の全域でそうした密入国の試みは見られるが、夏には地表気温が50℃を楽に越える灼熱の沙漠は警備も手薄だと思われるのか、「わたり」の大きなポイントとなっている。

ここでどうにもやりきれないのは、コヨーテたちの言葉を素直に信じ、大金を奪われたのち沙漠に迷って死んでしまう人々の多くが、風土の知識のあるメキシコ人ではなく沙漠をまるで知らない、中米からの二重密入国者だということだ。かれらはまず自国の渡し屋の手引きでメキシコに入る。ついで陸路でメキシコをはるばる縦断し、メキシコ人コヨーテたちにみちびかれて、ここソノラ沙漠でアメリカをめざす。そして数日間、沙漠をさまよったのち、力つきて倒れる。見わたすかぎりつづく美しいサボテンの平原に、いったいいくつ、そんな未発見の死体が横たわっていることだろうか。かれらが土地を知る鳥であり獣であるなら、けっしてそのような死を迎えることはなかったはずなのに。こうして、「移民」という生き方をはじめようとして出発点にすらたどりつけなかった、その顔を知らない、姿を見せない死体たちとも、ぼくはまったく隣合わせに暮らしていたわけだ。チカーノ（メキシコ系アメリカ人）の作家やカリブ海の作家の小説を、翻訳しながら。翻訳が強いるように考えさせるあれこれを、頭に浮かべ、また忘れては。ときには国境の町ノガーレスまで車を走らせることも、沙漠の小径を歩いてみることもあった。国境警察に車を停められたこともあったし、危険な灼熱の荒野のまんなかで車を拾おうとしている、どうにも密入国者としか思えない若い男のヒッチハイカーを無視して走り去ったこともあった。こうしたすべてのこの土地の紋様が、ぼくの意識を規定していた。日常生活と思考が互いに独立したものだという考え方には、ぼくはなじめない。われわれの意識は、日々の暮らしに、口にする食物や目にする風景に、言葉をかわす人々に、かれらの顔に、徹底してつなぎとめられている。そうした日々の条件が変われば、考えはすぐ変わる。この限界の自覚なく、他の人々の生活を、社会関係を、判断ぶりを、論ずることはできない。

かといって、それではわれわれは、自分とは無縁な生活を営む隣人たちを「理解」することを、まったくあきらめなくてはならないのだろうか。別の言語が使われる別の国にゆきそこで別の暮らしをはじめようとする人々——政治亡命者であれ、経済移民であれ、二十世紀の世界には驚くほど多くのこうした移住者たちがいたし、いまもいる。言語・文化・社会を「わたる」かれらにぼくが興味をもってきたことは最初に述べたとおりだが、あまりにも自分との具体的な接点の少ないかれらは、結局のところぼくにとっては想像の存在にとどまるのだろうか。

そうだ、ともいえるし、ちがう、ともいえそうな気がする。想像とは文字どおり「像」を自分の心に作りだすことであり、それは現実に自分の目のまえにいる対象を見ることとは対立する行為だ。不在のものをさししめす、という言語の特性からいって、「文」を手がかりとする想像は、「私」を直接的現実から、確実に遠くへと連れ去ってゆくことだろう。しかし「世界」という全体には、想像による以外のアプローチの仕方はない。ぼくらに必要なのは、その想像力をよく鍛え、不在のものを積極的に呼び起こし、自分がいまいるごく限定された小さな場所と、あらゆる遠い場所とを、無規則に斜線でむすびつづけるという運動ではないかと思う。いつかすれちがったあの「ひとり」は、その後のぼくの人生においては不在のまま、なおたしかに「どこか」にいる。彼女の、彼の、顔の印象は、その「どこか」と自分がいまいる「ここ」との接続可能性の標識として、ぼくの記憶に刻まれている。ぼくはけっしてかれらを本当には知ることがなかった。それでも、ただかれらだけがさししめしてくれることのできた世界の地理的ひろがりと、人間の生き方の途方もない多様性は、それからもずっと、ぼくと連れだって歩いているのだ。

2000

鳥でもなく獣でもなく

翻訳という傷

口ごもる、口ごもる。ある種の問いは答えるにはむずかしく、どう答えてもすぐに、それで十分な回答だとは思えなくなる。

「なぜ、翻訳をするの？」

「……仕事だから」

「仕事って、お金がもらえるということ？　だったら、お金にならなければしないの？」

「……そうでもないな。たぶん、何かは、すると思う」

「それはなぜ？」

「……言葉に興味があるから、かな」

「だけどさ、お金はともかく、誰も読まなかったら、しないよね？」

「……いや、するんじゃないかな。うーん。でも、長いものはしないだろうね、たしかに」

「つまり、人に読ませるためにするわけよね」

「……うん」

「安心した。でなければ、なんかすごく、閉ざされた感じだもんね。自己完結っていうか」

「……うん。……でも、そうでもないとも思うけど」

「どうして？」

「言葉の公共性というものはさ、すぐに直接に読む人がいるとかいないとかを超えて、あると思うんだ」

「原則としてはね。でもまさか、言葉を使っていれば、それですでにコミュニケーションが果たされているとまではいえないでしょう？」

「……うん。……そうだね。……でも、ここでいう翻訳とは、つまり〈書く〉ということだよね。書かれたものとしてあれば、それはすぐにではなくてもいつか、読む人を見いだすかもしれないよね。それが十年後でも。それがただひとりであっても」

「それはそうだけど、それって何か心細いなあ。かなりロマンチックだなあ。海にむかって瓶に入れた手紙を投げてるみたいだなあ」

「……まあね。でも書かれたものの運命がたしかにあるとして、その運命をそもそも作り出すのはひとりの意志なわけでしょ。問題なのはその意志がかたちをとるかどうかであって、受け手が見つかるかどうかまで見越して動くわけにはいかないよ」

「それはそうだけど、生産的じゃないような気がするな。パブリシティというと広告になっちゃうけどね、広告というより公共性みたいなことをいうとして、翻訳に値すると考えるものを翻訳するのであれば、それが最低限ある程度の人に読まれるようにお膳立てするところまでやっておく必要があるとは思わない？」

「いや、思うよ、もちろん思ってるよ、いつも……。でもさ、その人数がひとりでは少なすぎて十人ならいい、あるいは百人では少なすぎて千人ならいい、という問題でもないよね」

「それはそうだけど、だったらどこに基準を置くの？」

「……ひとつの判断基準は、それが現実に出版されるということかな」

「つまり、商品価値！　市場の承認！」

「いや……ああ……うん、そういうことでもあるね。現実に企画として採算のあう実績を上げたかどうかを別にして、ともかく企画として成立し二千部なり三千部なりの本がモノとして作られるということは、すごく大きいと思うけど」

「もちろん、そう思うよ、私も。翻訳が中継であり連結なら、その連結部分を流れるエネルギーの総量が少なすぎてはさびしいもんね。では話をちょっと変えるけど、出版される可能性のないものは、翻訳したことがある？」

「……うん。というか、いまもしてる」

「それはなぜ？」

「……ある種の強迫観念かな。あるいはデッサンの練習みたいなものかな。メンタルなジョギングという言い方をしたこともあるけど。ちょっとずつ、自分の言葉を作り替えようとしている。詩なんかは、特に」

「ごめんね、水をさすみたいで。でも、それって、さっきの話に戻ると、かなりはかないいわよね」

「そうだけど、やらないわけにはいかない。それに、たしかに自分の言葉が変われば、それはどれほど細い水流としてでもやがては大きな流れに合流していくんじゃないだろうか。自分の言葉を変えることが、日本語を変えることに直接つながるんじゃないか。ひいては、日本語が当然としている世界や、社会関係や、考え方の癖までも」

「そうねえ。もちろん、理解はできるけど。だったら、どんなに小さな流れに甘んじるとしても、続けるわけ?」

「続けるさ。それがあるべきではなくてもあっていい連結を生むと信じられるかぎりは」

「そうかあ。それって、アートに似てない?」

「アートだよ、思いっきり! ただしカジュアルなアート。ごく一般的で広い意味での、創造。火花や響きを生むこと。文学。ぼくにとっては文学とは翻訳。すべての外国語との関係、自国語を含めて」

「いきなり話が大きくなったんじゃない?」

「だって出発点が大きすぎたよ。なぜ翻訳をするのか、だなんて。だったら、きみはなぜ人と話をする? なぜ新しい言葉を覚える? なぜ旅行に出たいと思う? そもそもなぜ生きる? そうだよ、とりわけ、生きるってどういう活動なんだ? ……翻訳は、たぶん、こうしたすべての大きな問いに関わってる、関わらざるをえない、えなかった。……まだよくわからないけどね」

あるとき翻訳の目的とは何ですかと訊ねられて、言葉につまった。つまった果てに、それは世界に擦過傷を作りだすことだと思う、と答えたことがあった。

起点は無限にある、終点もどこでもありうる。しかもその終点とはつねに仮そめのものでしかなく、ふたたび延長されてゆく可能性はいつもある。

「擦過傷」という答えが口をついたときに頭にあったのはチカーノ／チカーナの作家たちのことで、ぼくはかれらのいくつかの作品を日本語に訳したことがあったし、ニュー・メキシコからアリゾナという北アメリカ大陸南西部の土地に自分自身、住んでもいたのだった。それはいま思うと、不思議な気がする。日蝕も、大山猫も、ハチドリも、赤く充実した甘いサボテンの花も、そこで見ていた。

あの遠い地平に囲まれた広大な空間を背景に書かれた――そういっていいだろう、かれらの作品にははっきりと空が、沙漠が、沙漠の雨が、稲妻と赤い岩が、現実のそれらの情景が書きこまれているのだから――作品を起点として、そこにすでに響いている英語とスペイン語のいくつかの層を、まるで現代日本語のある音域へと「均して／慣らして／鳴らして」ゆくように、ぼくはある意味では絶望的なまでに平坦な終着点を演出していた。ある意味では、翻訳とは平面への投影にすぎない。こんな例を想像してみるといい。シェイクスピアやミルトンやホプキンズやブレイクやキーツの言葉をそっくり飲みこんで書かれた、途方もない現代英語の作品があるとする。そこには数世紀にわたる英語作家・詩人の努力と集中のあとが、すべて表面に現れ、渦巻いているだろう。ごつごつした、雄大な地形だ。これを、日本語に訳す。どうすればいいのか？　やはり数世紀の奥行きをもった（透明な水のような奥行きをもった）日本語をつむいでゆく力があればいいが、たとえあったとしてもたとえばシェイクスピアを近松の台詞で置き換えてゆくことには、それ自体、根拠があるわけではないだろう。訳されてゆく先の日本語とは実践的にいってあくまでも現代日本語であり、現代（そして今後）の読者を想定して、そこに抵抗と速度（いずれが欠けてもならない）の配分を作りだすことが肝要となるだろう。また、ここでいう「現代日本語」に、すでにゆたかさも歴史的奥行きも十分にそなわっているはずだと認めた上で、なお、翻訳が実際に作りだす「平坦さ」はオリジナルの荒々しい地形とはひどく異なったものとならざるをえないことも、わかってもらえるのではないだろうか。平面に、あの地形を投影してゆくしかないのだ。映った影の輪郭を、執拗になぞってゆくしかない。

誰かが翻訳を、あまりに強い酒を希釈するために水を注ぐ行為にたとえたことがあった（誰だったろう？）。水で割られることで、その味わいも香気もひときわ高められ、人を惹きつけるものとなるのだ、と。いずれにせよ「注」とは翻訳の必要不可欠かつ不可避の一部であり、注の果てに生まれる「平坦さ」は、「この道が正しいのだ」という確信を最後までもてぬままに一群の人々の（読者の）手をとって導いてゆかねばならない、みずから買って出た案内人の、職業的判断力の吟味のみを経た安全な道の属性なのだろう。

チカーノ／チカーナ作家の場合、問題は一言語（英語あるいはスペイン語）内部での歴史的奥行きというよりもはるかに、二言語（英語とスペイン語）の間でおこなわれる切り替えや社会的な重層性（どのような階級の言語か、どのような地方の言語か）になる。それを表現することは、ほとんどお手上げだ（そもそも自分にどれだけ微妙な差異が把握できているのかすら怪しい）。問題をきわめて単純にして、英語で書かれた部分とスペイン語で書かれた部分の訳し分けすら、日本語訳では表現しがたいのだ。そもそも、すべてを理解できる日本語にしてしまっていいのかという問いが残る。オリジナルにおいて英語しか知らない読者だったら読めない部分、標準スペイン語しか知らない読者だったら読めない台詞、そうしたものもすべて理解可能な現代日本語で平坦に訳していいものか？　せめて言語の差異（単純化していって、英語かスペイン語かという違い）をぼくはたとえばスペイン語部分をゴチック体で表記するという方法で処理したことがあった。それが最善の解決策だというつもりはない。しかしそのようなアド・ホックな解決は、翻訳ではつねに必要になる（こうした透明性＝理解可能性の問題は、フランス語とクレオル語の溶融する地帯で書いている作家たち――たとえばカリブ海マルティニックのエドゥアール・グリッサンやパトリック・シャモワゾー――の場合にも問題になるし、現代日本語と琉球語のあいだで書いている作家――たとえば崎山多美や目取真俊――あるいは現代日本語に突然、訳文なしにハングルの台詞が割りこむ作品――たとえば鷺沢萠『私の話』の終末部――などにも深く関わってくる）。

とりあえずの、解決。とりあえずの、決定稿。とりあえずの、活字。とりあえずの、流通。

けれどもそれが、解決。それが、現代における異言語文学の流通であり、中継であり、言語を超えた心と心の接続だった。テキサスの国境地帯で極貧の農業労働者の家庭に生まれ育ったチカーナ（グロリア・アンサルドゥーア）のエッセーや、ハワイのプランテーション町で生まれロス・アンジェルスのブルーカラーの地区で育った日系詩人（ギャレット・ホンゴー）の回想を、ぼくはともかく現代日本語に訳し、それは数は知らないがたしかに誰かの心に届き、読んでくれた誰かがくれた感想に励まされたときには、自分が何らかの中継をたしかに果たしえたのだという思いに、何かにむかって感謝したい気持ちになった。

そのときはじめて、つまり読まれてはじめて、世界には元来なかった（なくてもよかったし、あるという必然性もなかった）傷が生じているのだ。傷とはなめらかな表面を破り痕跡を残すもの、そこに注意を集めるもの、治癒のための力を集結させるものだ。といっても必ずしも癒える必要はない、傷痕が残るのは自然だ。そして傷は、別の傷に呼びかける。おなじパターンをもつ傷に呼びかけ、それらが互いに集い、世界の表面には無数の擦り傷ができてゆく。この擦り傷によって、安定という名の隠蔽をつねにめざしている世界は、目を覚ます。感覚を覚ます。すると人は自分の生き方を変えようと、行動を起こす。また別の人が呼応する。そのプロセスに、翻訳は、たぶんつねに関わっていた。

もう一度、自分自身に問いかけてみる。翻訳の目的とは、何なのか。

答えはいくつもありうるし、時とともに答えが変わってくるのも当然だろう。いまは、こんな風に答えておく。翻訳（特に文芸翻訳）とは鳥の国からも獣の国からも追放された、コウモリの地帯の仕事だ。なぜならそれは二つの言語のあいだの仕事であり、転写と創作の中間の作業であり、忠実と不実を一身に演じ、夜の夢想が生んだ文字を昼の覚醒にさらす行為だから。昼と夜のあいだ、夕闇の中を飛ぶコウモリは、その飛行により空中のいくつもの点と点をむすんで、無数の斜線を引きつづける運命にある。その斜線とは、離れた二つの点に類似を見いだし、呼応を探り、連結を試みることによって生まれるものだ。この斜線の数を極度に増大させることで「自分がいるどんな場所にも世界の他の多くの場所が響きわたっている」「自分が語るどのような言語にも世界の他のすべての言語がそのかたわらに佇んでいる」という二点を、はっきりと認識できるようにすること。それが翻訳という仕事のめざすものなのではないかと思う。

これはとても、ひとりの人間に達成できることではない。何千匹、何万匹という世界中のコウモリたちが、共同でおこなっている作業だ。またそれは、受動的・機械的な仕事ではない。みずから叫び声を上げ、その反響により自分の位置を計測しながらでなければ、どれほどせわしなく飛びまわってもコウモリは何の虫も捕まえられないばかりか、樹木や岩石やビルの壁面に衝突して墜落してしまうのだから。

そして最後につけくわえるなら、この仕事（声をかけ、反響を聞き、新たな空間を開拓しつつ、狩りをし、獲物よりもむしろその飛行の軌跡そのものを、月に見えるものとする）は特別なことでもない。人がどこかに出かけてゆき何かを理解するとき、必ずそこでは翻訳が起こり、遠い地点をむすびつける斜線がすでに生じているのだから。

われわれはすでに、誰もが翻訳者だった。けれどもこの一般化された翻訳の前線は、可視化への戦い（文を読めるかたちにし、モノとして流通させてゆく）を、つねに必要としている。飛び交うコウモリたちのおびただしい群れの中には、その群れの動きのパターンそのものを読みとり、鉛筆でそれをなぞるようにして何らかの像を浮かび上がらせている者がいるだろう。ぼくもたぶん、そのひとりなのだ。そうありたいと思う。翻訳というあくまでも集合的な作業の中で、そして翻訳が果たそうとしている世界の変容と個別言語の書き換えの中で、「翻訳者」と呼ばれるコウモリは、そんな小さな記録係のような役目をはたしているのだと思う。

2003

翻訳人、新しいヨナたち

結論からいおう。翻訳文学に興味を失った文化とその言語は、はてしない同語反復におちいり、頽廃し、衰弱する。停滞し、腐敗する。唾棄すべき外国嫌いと偏狭きわまりない自国自文化崇拝がはびこり、閉ざされた黄昏のよどんだ空気の中で、陰湿な相互攻撃ばかりがつづく。あるいは、わずかにでも異質であると感じられる人々への、容赦ない冷酷な排除が牙をむく。これだけ明確に戦うべき相手がいくらでもいる以上、はっきりいわなくてはならない。ぼくらは翻訳文学を読むべきだ。つねに読むべきだ、いくらでも読むべきだ。

もちろん、だれにとっても時間はかぎられている以上、だれもが世界のあらゆる地域の最新の文学のすべてを追いつづけるわけにはゆかない。あたりまえのことだ、地球の人口は六十億に達し、だれに頼まれなくても作品を書きつづける作家はいたるところにいるのだから！でもせめてひとつの異なった文化を背景とした、ひとつの外国語から翻訳されたひとつか二つの作品を、それがどれほど自分とはかけ離れた世界のものであっても一年に一度は手にしてほしいと思う。それは別にきみの役には立たない。でも、心を打つかもしれない。きみを動揺させるかもしれない。そんな風に偶然手にとって読める作品、みずみずしい新鮮さにみちた強烈な作品、派手な広告とは縁遠い聞いたこともない作家の作品は、いまも、これからも、すでにきみに読めるかたちで、思いがけない片隅にころがっている。

十九世紀に一応の完成を見たヨーロッパによる世界制覇が、アジア・アフリカの旧植民地のあいつぐ独立というかたちばかりの終結に達したのが、二十世紀中葉以降の世界史の最大の流れだった。それで植民地主義が終わったわけではない。経済的支配のあり方が、ただ別の段階に移行したというだけのことだ。その一方で世界の人口はとめどなく成長をつづけ、国際貨幣経済を背景とする全地球的な物質交換は飛躍的に増大し、それに平行して多数の人の国境を越えた移動が日常化した。貨幣の首都とでもいうべき先進諸国の大都市では、自分とは異なった背景・言語・文化の人々と接触することはだれにとっても生活の一部となったし、そうした未知の隣人たちとのつきあいに、ある種の洗練と「正しさ」を模索することはだれにとっても義務となった。

そう、あえて「正しさ」と呼び、義務と呼ぼう。一九九六年末、ペルーの日本大使公邸占拠事件が起こってから、日本に住む日系ペルー人たちに投石や突然の解雇といった信じがたい嫌がらせがあいついでいるという報道に接したことは、記憶に新しい。それが「文学」といったいどんな関係があるのか、ときみは思うかもしれない。だがぼくは、まさにそれは「文学」の問題だと思う。それは一方で、反政府ゲリラもフジモリ政権の当事者もひとりひとりの国民も区別なく「ペルー人」という存在をすべて同一視して嫌がらせに走る愚昧で卑劣な人間が、まさに「ペルー人」という無差別的カテゴリーを言語によって設定しそれにしたがって行動しているからであり、他方でそうした外国嫌い（異物嫌い）の無意識的噴出である嫌がらせがいかに恥ずべきことかという判断を醸成する「場」もまた、言語を使って歴史的につみかさねられてきた層にほかならないからだ。

「部分」をもってただちに「全体」に代えるのはあらゆる全体主義の常套的修辞であり、そうした全体主義の欲望を暴きだすことは（一見どんなに無力に見えようとも）まず言語という平面で試みられなくてはならない。無意識が下す命令に抵抗することができるのは、忍耐強い意識化の努力だけなのだから。語られる言葉の内容、言葉の使用法がもっとも鋭く問われるのは、「文学」という、定義上われわれが生きる「現実」からは一歩引いた地平にひろがる言語的吟味の領域でのことだ。そこでは絶えず新たな問いが問われ、新たな答えが探られる。それは「現実」の直接性（ただちに反応しなくてはならないという必要）を欠く分だけ多くの時間を費やして、ある行為や言葉の意味と射程をよく考えてみることができる。

ある唯一の宗教や社会道徳や政治的イデオロギーの専制的支配から抜けだした後の混沌とした異種並存社会に生きるとき、ぼくらの下す判断はすべて必然的に「文学的＝批評的」なものとならざるをえないし、それはぼくらにいまだかつてなかったほどの大きな自由への可能性を与える。すべては、まだはじまったばかりだ。すべては、これから試みられなくてはならない。ぼくらはつねに新たに、そう決意する権利がある。でもその自由とは、また何の保証もないことの裏返しでもある。何の保証もない真空じみた空間で、自分がどのような自分を、あるいは社会を、生きてゆきたいのかというデザインは、結局は言葉を使った終わりのない（自分との、他の人々との）対話による以外にはない。文学作品を読むこととはまったく無縁な生活をしている人だって、必ずそうしているのだ。自分の経験を言葉で描写し、反芻し、未来の計画を言葉で練り、想像し、自分という物語の束を編み上げ、それを社会に投影している。

　いいかえれば文学は、実際に、人を作る。あるいは文学の核心をなす翻訳は、人の感受性と思考を造形する。「翻訳的人物だね。翻訳人です」と、みずからをさして、ある老いた小説家がいったことがある。目が覚めるような、驚くべき言葉だ。これに対して、そのころはまだ四十代半ばだった批評家は「僕も翻訳文学者たることを心掛けている」と受けた。一九四八年のこと。もう半世紀以上むかしの話だ。モーパッサンに心酔した自然主義作家、正宗白鳥は、自分が子供のころから「西洋崇拝」だったということを自嘲しつつそういった。けれどももちろん、それが正しかったということを、彼は知っている。これに対して、ランボーを翻訳し、ベルクソン、アラン、ヴァレリーを読んで批評家になった小林秀雄は、それを信条の問題として捉えなおした。[1] ぼくはこの態度に与する。

　じつはぼくらは、だれもが多かれ少なかれ「翻訳人」なのだと思う。西欧諸語からの翻訳によって猛烈な変形をこうむり、その混乱の中から数十年をかけてさまざまなことがいえるように鍛え上げられてきた近代日本語を使って生きるかぎり、人は「翻訳的人物」であることをまぬかれない。それをいえば、起源も系統も不明の日本語という言語は、そのはじまりから北から南から列島に移民し流入したさまざまな人々の言葉が入り交じり攪拌されて編み上げられてきたものだ、というところまで話を戻さなくてはならないだろうか。

いずれにせよ近世に鎖国という比較的交通の遮断された時代があって、その後でビーバーのダムが崩れたように異邦の文物と人々がおしよせる時期が訪れたということはまちがいないし、その流入はさらに急激に加速しつつある。グローバライゼーション（全地球化）という言葉は、一昔まえまではただの言葉でしかなかった。しかしマーシャル・マクルーハンが予言した通信流通網の発達による「グローバル・ヴィレッジ」（地球村）の成立という事態は、現在ではすでに実現したと見たほうがいい。われわれは、いまここに暮らすだけで、同時に何千キロも離れたいくつもの土地を物質的・情報的に旅している。旅は、強いられている。

日本語に住んだ人々は明治の激動期、「私」を作りなおし、「社会」を新たに定義し、「生」の輪郭を描きなおし、ひどくようすのちがう「世界」に直面した。思いがけない大きな波に足をさらわれ、水中でもみくちゃにされてからようやく立ち上がって満足とともに新鮮な笑い声をたてた近代日本の若者たちが「西洋崇拝」の「翻訳人」となったからといって、その崇拝ぶりをふりかえって嘲笑するのはよそう。人にはただ、未知の世界に対して魅惑を感じる者と嫌悪を感じる者がいる、というだけのことだ。あるいは予想もしなかった何かの出現に、不意打ちをくらったよろこびを生きる者と、眉をひそめるか逆上し激昂する異物嫌いがいるだけ。あるいはよく知らない新しい言葉に夢中になる者と、母から学んだ言葉に飽くことなくしがみつく者。白鳥のような人物にとって、「西洋」はたしかに魅力にみちていた。それは別の社会性、別の私、別の生き方、別の語り方をしめしてくれる、異様な力をもった空間だった。それはたしかにエグゾティシズムであり、幻想の西洋主義だった。しかしこの幻想は、白鳥の肉体で現実化する。

自足し安定したふりをする「この邦《くに》」の中だけで暮らすかぎり、自分がどのように人と関わり、どんな言葉を話し、どのような行為の連鎖のうちに生きてゆくかは、だいたい予想がつく。その完結した自閉的世界に耐えがたい息苦しさを感じたとき、あくまでも個人的な、脱出と放浪がはじまる。文学に人が求めるのは、つねに何らかのかたちのパラレル・ワールドだ。自分の生きる現実世界を裏書きしてくれるものであれ、激しく否定するものであれ、創られた語りの宇宙がなまなましい実在感をもって、この私が生きる現実をゆらす。そして文学における翻訳とは、そんな平行世界を手品のようにすばやく、直接的に提示する手法だった。

若き白鳥たちにとっての「西洋」は、まずは実体を欠くイメージにすぎなかったが、そのイメージの衝撃は実際に「翻訳的人物」としての私を造形し、そのような私として「この邦で」生かすことになった。翻訳が生みだす現実の亀裂、予定された世界の進行にまぎれこむ偏差が、私の生涯においてかたちをとり、実現される。私とはフィクションにすぎないが、この作られた私をおいては、私に代わって私を生きてくれる存在はない。一方、それにつづく世代にあたる小林は、文学者という職業的自己規定の上で「翻訳文学者」であることを心がけてきたのだという。翻訳というプロセスを意識し、その操作が作りだす私を意識しながら、新たに文の生産にとりくむ。自分を「日本」という社会的舞台で暮らす「翻訳的人物」だと呼ぶ白鳥よりも、小林はさらに屈曲した地点に立っている。

ここで「翻訳」という言葉に、少なくとも二つの層を区別したほうがいいかもしれない。積極的に翻訳をおこなうことを活動の中心にすえると決意する批評家がここで念頭におく翻訳が、そのもっとも根源的な層においては、単に外国語で語られた思弁の反復や理論の適用などではないことは、明らかだろう。あらゆる思考の発生の瞬間にある翻訳——見慣れないもの、徹底して異質なものを稲妻の閃光のうちに見てとり、本当には語りえないその残像を言葉で包囲しながら、暴力的に切りつめ、精密さを断念しつつ文の網にすくいとってゆく行為——に、彼はここでふれている。

そうした翻訳にとっては、じつはオリジナルが外国語か自国語かというちがいは、結局はどちらでもいい。けれども同時に、通常の意味での「翻訳」という行為がもつ圧倒的な厚みと力を無視することはできない。外国語と格闘し、あるいはその翻訳文(それはすでに一種の外国語だ)を苦労しつつ読むという抵抗にみちた迂回を経てはじめて、人は自国語内の翻訳というぎこちなく苛立たしい経験さえも発見できるのだ。いかに多くの言葉が、われわれにとっては見慣れないものであることか。あるいは、その見慣れなさが突如として流れる水晶の輝きをおび、われわれの生に(たとえそれ自体は無意味であっても)輝かしい読点を打つことか。そうした経験がたしかにあると信じられるからには、小林のいう「翻訳文学者」を単に「文学者」と呼んでもさしつかえないだろう。それは異質な思考、異質な言葉のアレンジメントを、ある言語に移入しようと試みる者のことだ。「国語」の安定に奉仕し、飼い馴らされた文章の整然としたふるまいのみを期待する者は、「文学」という経験の動揺には、そもそも何の関係もない。あるいは「翻訳」という迂回がないところに、「文学」はない。

ごく普通にいって、翻訳とは一言語から別の言語への意味の転送だと考えられてきた。それは外国語のかたち（外的な形式、言葉のありのままの姿）を破壊することにより、その「魂」（意味）を救出し、護送する。別のかたち（自国語）に移されて、そのかたちの中で「魂」がじたばた動きまわることにより、自国語のかたちにもどこか変化が生じ、収まりの悪いところがでできる。もちろんそういっていいのだが、ここでもうひとつ、注意しておかなくてはならないことがある。言語と言語とのあいだの距離は、相対的なものにすぎないという点だ。言語が「ひとつの言語」として数えられるものになるのは、書字記録が残され、行政が介入し、文法が確立されて以後のことにすぎない。二言語使用や多言語使用といった言い方自体、近代国家成立後のごく短い一期間にのみ、問題にされてきたことでしかないのだ。

あらゆる人は、自分自身が身につけてきたたったひとつの言葉を話すにすぎず、自分のたったひとつの言葉において世界を了解し、語る以外にない。「いくつ」とはっきり数えることのできない複数の言語を使って暮らす、移住・混住・衝突・交渉にみちたわれわれの状況は、同名のきわめて野心的な作品で堀田善衞の語る「路上の人」のそれと、まったく変わらない。

彼の村で使われていた言葉は、どこへ行っても、北イタリアの平原でも、南ドイツでもプロヴァンス地方でも通じたことがなかった。従って彼の知っている言葉は、彼が路上の人として、数年間を一定の地方にいたときの、その地の言葉と、また別のときに別の地方で数年間を過したときの言葉の混ぜこぜであり、それは結局、北フランス、北ドイツなどの冬期酷寒の地を除いて、エスパーニアからオーストリアに到るまでの、あらゆる地方語の合成であった。庶民にとって国、国家、国語というものは存在しなかった。あるものは地方地方の言葉であり、その法と慣習だけであった。あるイギリス人貴族一行の従者をしていたときには、日常用の英語までも覚えた。従ってわれわれのヨナは、会話の相手次第によって、その相手の言葉で話す。複数の地方人と話すときには、いくつかの僧院で下働きとして雇われていたときに覚えた、ラテン語の祈禱用の言葉でつなぎ、各地方人と自在に会話を交わした。それが彼の特技と言えば言えたが、その程度のことは、多数の路上の人々にとっては何でもないことであり、すべての言葉を話すということは、どの言葉も全的に修得しているのではないことをも意味した。さればヨナは自分の言葉を持たない者であると同時に、すべての言葉を持つ者でさえもあると言えるであろう(2)。

現代において、この事態は一般化した。流浪が言葉を育て、経験がその使用法を教える。言葉とはあくまでも個人の一回かぎりの生に属し、一世代で完全にとりかえがきくものだ。ヨナの状況は、惑星規模に拡大した。「路上の人」として生きることは、ぼくらの多くの運命となった。たとえば白鳥にはまだ、「日本」がありそれとは物理的に遠く隔たった場所として「西洋」があった。われわれにとっては、どこへ行こうと行くまいと、千の世界が混在し、つねに同時に露呈している。「翻訳人」となることは趣味や選択の問題ではなく、日常的な現実、生き方の必要な技法となった。

もっともヨナの「すべての言葉」は話し言葉であり、それは書き言葉とはちがう位相にある。日常の実用的な言葉と文学とは、それではどのような関係にあるのか。ひとことでいえば、その場で現れては消える話し言葉に「歴史」の翳を与えるのが、文学なのだと思う。あたりまえの、しかし真に驚くべきことは、「文学」がつねに不在を語るものだということだ。日本語では通常「通訳」と「翻訳」という言葉が峻別され、「通訳」は口頭でのコミュニケーション、「翻訳」は書字記録の領域での仕事ということになっている。口頭での伝え合いが深みに欠けるわけではないが、ここでまさにその「深み」を生むのはその場では現前しない来歴であり、そこに浮上しない長い時間の澱だ。そして人が過去をとりもどすのは言語によってのことなのだから、語り合いの「深み」はすでに「文学」に属している。路上でのそのつどの交渉に歴史の翳を与え、その場にふさわしい「正しさ」を生みだすのは、「文学」なのだ。

「文学」とは言葉のアレンジメントの定式化と、そこにいたる美学的・倫理的判断のつみかさねのことだ。したがって口承文学というジャンルは人類とともに古く歴然と存在した。だがそれが幾重にも折りかえされ畳みこまれた壁をもち、とても文字の助けを借りなくては覚えきれないほどの長さを手に入れ、その複雑さと長さによって人間にとっては完全に外在する「物」の重みと存在の自律性をおびるようになったのは、印刷術普及以後の世界でのことで、その複雑さ・長さ・洗練は、小説というジャンルでも詩というジャンルでも、十九世紀に頂点に達したといっていいだろう。いいかえれば「翻訳的人物」としての現在のわれわれの原型は、十九世紀に確立された。ぼくらが生きる「人間」としての自己、信じる「価値」、描き思う「世界」は、好むと好まずを問わず、十九世紀のそれの延長にある。

この過去の形式を、ただ廃棄することはできない。経済的にも、文学的にも、日常生活の様式でも、内省的な思考においても、われわれはあいかわらず「ヨーロッパ」の「帝国」が「世界」を制覇したその時代の形式を踏襲して生きている。しかし、「首都」が「海外」の「植民地」を経営するという地理的・物理的限定の時期は過ぎ去って、いまでは砕け散った植民地が世界にばらまかれ、目に見えない首都が電子のボディに乗って世界を流浪しつつ支配している。いたるところで都市はモザイク化し、境界は多孔化し、まったく異なった来歴をもつ人々がまったく異なった言葉を話しまったく異なった匂いを発散させながら、隣合わせに暮らしている。

われわれのすべてがヨナとなったこの時代、ぼくらは地球規模で、隣のヨナの背後にあるものを見つめなくてはならない。ヨナの足元をなす観念の地層が、自分のそれとはまったく異なったものだということを知らなくてはならない。いいかえれば、きみが偶然に出会った、あるいはこれから出会うかもしれないヨナが背負う「文学」を、ぼくらは知らなくてはならない。同時に、それを翻訳しなくてはならない。世界化した物質流通と惑星化した情報流通を背景に、歴史上かつてない地平に直面したコスモポリタニズムが、新たな市民性（シヴィリティ、丁寧さ、「正しさ」）を手に入れるための唯一の方法は、これまで回路に乗ることのなかった種類の文学＝翻訳の経験をつむこと以外にはないと、ぼくは思う。新しい市民性をめざすその基礎作業を怠れば、絶えざる移動のうちに拡散しあるいは突然の集中をくりかえすわれわれの浮遊する居住地は、ひどくさびしく殺伐とした、住んで気が晴れることのない、危険な場所となるばかりだろう。

たとえばイギリス植民地だったカリブ海の小さな島に生まれ、住みこみの子守として働くためにアメリカに移住したひとりのアフリカ系女性。アメリカ南西部の大平原で生まれ、小学校に入るまでスペイン語しか話したことがなかったチカーノの男性。カリフォルニアで生まれ、成人後の十年間をブラジルですごした日系女性。白人とアメリカ先住民の混血児として生まれ、数年間日本に住んだこともあるオジブウェ族の男性。こうしたかれらのすべてが、新しいヨナたちの言葉と物語を書き記す、でも自分自身以外のだれも代表しない、でもたしかに新たな市民性をこの惑星に刻む、作家たちとなった。

どのひとりを特権化するつもりもない。ひとつの注目はしばしばひとつの忘却を隠すからだ。出会いはあいかわらず偶然に支配されるだろう。けれども生きること、旅すること、翻訳すること、語ることが、すべておなじひとつの事態を意味するようなかれらとともに、そしてかれらの作品の背後をなす多くの路上の人々とともに、世界の広大さと深みを再発見する仕事は、手つかずでぼくらに残されている。

（1）「正宗白鳥——大作家論」『小林秀雄対話集』、講談社、一九六六年。

（2）堀田善衞『路上の人』、新潮文庫、一九九五年、24－25ページ。

1997

翻訳のドゥエンデ

翻訳者はできるかぎり透明にならなくてはならない、存在を主張するべきではない、個性を表に出すべきではない、ただ原作に全面的に奉仕すべきだ、といった意見が翻訳者によって述べられるのを聞いたことがある。それは、もっともだと思う。けれども現実には、誰が訳すかによって、作品の相貌も体温も色合いも、がらりと変わる。

ガルシア・ロルカは、フラメンコの踊りや音楽に宿るドゥエンデ（スペイン語で「霊」のこと）について語っていた。人がおこなう活動には、それがどんな分野であっても、強くドゥエンデが感じられる場合とそうでない場合があるものだ。「透明な翻訳者」説を唱える人には、ぼくはこう答えようと思う。翻訳者はどれほど透明をめざしても、けっして自分の姿を消すことはできない。存在の影は必ずそこに残り、個性というわずらわしい幽霊を追い払うことはできない。原作への奉仕はもちろんだが、そのとき自分がつねに原作を殺しつつあることを意識せずにいられるだろうか。原作が生きて潑剌と動いているものだとすれば、翻訳はそれを供犠にかけ、燃やし、その灰の彼方に別の生命を探ろうとするものにすぎない。この限定された活動に対して、自分の透明性を、したがって無垢を主張するのは、あまりに大それた話ではないだろうか?

サミュエル・ベケットが語った、ある種の存在観を思いだす。「私は一方の側にも反対側にもいない、私はあいだにいる、私は仕切り壁、私は二つの顔をもち厚みがない……」(『名づけえぬもの』)。この奇怪なイメージには、しっくりくるものがある。翻訳者とは壁に浮かんだ顔だ。一方の顔が読みとり聴きとったものを、反対側の、必然的にひどく歪んだ顔で、語りなおし、刻みなおす。フラットランドの住民のように厚みも、深みももたないこの「私」は、はじめから、そして永遠に幽霊じみていて、どれほど存在を主張しようがそれはいわゆる「存在」にはなりえない。そんなぺらぺらな「私」が、原作を殺し、その死後の生に送りこむのだ。ちょうど死者を彼岸へとわたす渡し守のように。

だから翻訳という作業につきまとうある陰気さ、灰暗さは、たぶん当然のことなのだろう。この緑色の翳り、暗い水面を意識したことのない翻訳者の意見には、ぼくは耳をかたむける気になれない。自分の汚れた手は、透明にはなりえない。それを思うから、火を作りだそうとする。生命を掻きたてようとする。多様な踊りを試し、つねにどこかへと逸れてゆく動きを、綱渡り師の小刻みな震えで一本の線上にひきとどめようとする。その痕跡の炎のようなゆらぎの中に、言葉と言葉の間に生まれた小さなドゥエンデが宿る。

2003

破片と図柄

デニーズ・レヴァートフ

「なんという広大でさびしい迷宮、いくつもの大洋、貝殻やそのかけら、数々の部屋の片隅や人々の移ろいゆく頬笑み、あちこちの都市あれこれの意図が雑多に入り交じった迷宮が、私たち一人一人の内には隠されていることだろう！」『テッセラエ』に収められた「海辺で」という文章にそう彼女は書いていて[1]、人がそのような気持ちにさせられる海岸とはたとえひとりの人間があるひとときにいられる海岸が「そこ」でしかなくてもその海岸はすでにひとつではなくあらゆる海岸は開かれた迷宮として世界の別のすべての海岸にそのまま連なっているのだとぼくはよく思うことがある。そしてそれをいえば人間の存在そのものがそんな風に明瞭に区域を分割することのできないまま海岸に海岸が重ねられ溶けあうようにひろがりつづけそこでは貝殻が岩とともに砕け波に洗われ削られやがて砂となり砂には砕けた珊瑚もクジラや魚やぼくらの骨も混じりおなじプロセスを経て同化される。

　その歴史のはてに生まれた砂浜はまばゆく輝く死の連続性の光景だが、それは明るく、平等で、自由で、永遠だ。ぼくらはそんな砂浜で、波の奇蹟的な反復の音響に乗って、生きるという単純な事実のはじけるような躍動ぶりを確かめるため、日没にむかう時間を、ひたすら舞踊の練習に励むのだ。クラクトンの海岸で、毎日バレエの練習をした、少女時代のデニーズのように。跳べるから跳び、舞えるから舞い、歌えるときには歌い、祈りの代わりに踊り、ついでそうしてたしかに経験した動きを、記憶により反芻する。言語により、とり戻そうとする。とり戻し、刻もうとする。その刻みをうけた岩板が、やがて砂に埋もれ、砕け、必ず磨滅し分散してゆくことを知りながら。「テッセラ」というラテン語の単語は、モザイクを構成する嵌石の一かけらを意味する。その複数形が「テッセラエ」だ。ロシア系ユダヤ人の父親とウェールズ出身の母親のあいだに一九二三年にイギリスで生まれアメリカ（そのころぼくが住んでいたシアトル）で一九九六年に死んだ詩人デニーズ・レヴァートフが、さまざまな回想や過去の事件についての推測を記した短文集（一九九五年）には、「モザイクのかけらの群れ」というその複数形が、タイトルとして与えられた。このところずっとこの本が机の上にあって、それを何度も手にとりながらひとつひとつのテッセラを読んできた。あるいは、それに朝や夕方のさまざまな光を当てて、かけらを見つめてきた。すばらしい文章だ。この文を学びたい、と思った。

ある本は、そこに書かれた内容を超えて、その息づかい、筆致、全般の色あい、局部的な構成、図形の把握、上塗りの仕方といった、つまりは「文章」そのものの、絵画の制作過程とどこかつながってくる技芸の秘密のために、長い年月に何度も手にし、読み、学び、また遠ざけ、ふたたび接近し、それとともに生きてゆくことになる。「私」の書くすべての文——書く文だけではなく本当は「私」の語るすべての言葉は——そのようにして学んできた技法により、学ぶとともに掠めとってきた素材のかけらを、ひとつの壁面にちりばめてゆくものにすぎない。

実際、人の生とは、いかに多くのかけらから成るモザイクであることか。そしてひとつの生の図柄のために使われる破片は、いかに多くの起源をもち、いかに多くの他の生から借りられたものであることか。

「文」を構成する種々雑多なかけらが、あらかじめその「文」がかたちをなす舞台を超えて遠い野原や海岸や都市の広場や森にそのまま連なっているのとおなじく、人の生はあらゆる接点をおのずから見つけて、他のさまざまな人々の——または「人」の観点から把握されることによりある程度「人」とならざるをえないさまざまな他の動植物や風景やすべての存在の——中に、少しでも水が感知されれば根を新たに延ばしてゆく樹木のように、みずからを延長し、編みこんでゆく。そして人の生は、人が言語を使う動物であるかぎり、「自」と「他」の区別をつねに超越し、実際に生きられた生と文に学んだ（あるいは話に聞いた）生とをつねに混同し、このレベルの混同から独特のパターンを生みだす。

人間の存在とは、あまり「分明」なものではない。われわれはあらゆる方向において所属のはっきりしない境界領域にさらされ、そこをさまよい、さらにその先へと踏みだしてゆく可能性と権利を、いつももっているのだ。そうした「生」と「文」の、平行し同時に入り交じる基本的なあり方を、記憶の産物である『テッセラエ』は、よくうかがわせてくれる。

短くて、事実を語る文。ショート・ノンフィクションに、いまぼくはいちばん興味がある。事実の魅力は言い知れぬもので、それがたとえどれほどありきたりな、型どおりの、どこかですでに聞かされたような話でも、それが事実であるということよってそのつど帯びる輝きには、たとえがたい切迫感がある。事実は小説より奇なりとよくいうが、そんなことはない、やはりフィクションのほうがおもしろくて奇異な話は無限に多い。だが事実は、大きく奇ではないにせよ小さく奇であることにより、大部分はすでに聞き知った話の反復でありながらそこにかすかな変数をもちこむことにより、そしてそれを現実の土地や時代やひとりひとりで見れば何ということもない卑小なわれわれのあいだに錨を投げるように固定してゆくことにより、どれほどよくできていてもフィクションでは太刀打ちのできないおもしろみ、光、酷さ、強さをもつ。他人の経験とその伝聞を、われわれは結局は一種のフィクションとして消費しているが、そこには必ずある「現実契約」とでもいったものがあって、実話を実話としてうけとること、提示された事実を事実としてうけとることにより受け手の側に生じるある強い情動的効果は、どうにも否定しがたい。

そこで設定される「現実」とは、われわれ全員が日々いたるところでぶつかっているいろいろな障壁と直接に連続し、同時に人が自分の人生をどのように生きたいのかという願望とも切り離すことができない。マテリアルであると同時に観念的であるしかない「現実」の、「世界」の、「歴史」の図柄を、この「現実契約」により事実の側へと分類された諸事件が、作り上げてゆく。事実と虚構とは連続したものだが、その連続性にある切断をもちこむことで、われわれは自分が生きる水準を選びとっているのだ。フィクションを読むときにも、人はそれを文字どおりにうけとり現実として読むにはちがいないが(そうでなければ少しもおもしろくない)そこからは必ずいわゆる日々の現実へと、夢から覚めるように帰ってくる。ノンフィクションを読むとき、この帰還はない。彼女あるいは彼の生きた「現実」と、私が生きなくてはならない「現実」の連続性が、そこでは前提されている。この連続性が、ノンフィクションの力だ。

『テッセラエ』に収められた二十七の文のうち、もっとも短い「遺産」を、例として上げてみる。原文でわずか二十三行の散文だ。

遺産(Inheritance)

一八九〇年、五歳だった私の母は、北ウェールズのカーナーヴォンに住む彼女の祖母のところに滞在していたのだが、ある日、カーナーヴォンシャーの海岸線のどこかでひとりで暮らす年老いた大伯父のところに連れてゆかれた。小さな白塗りの家は一部屋しかなかったが、その部屋は清潔でよく整頓されており、ホブ[壁炉の両側に鍋や薬罐を載せるよう作った鉄の棚]では薬罐が湯気をたてていた。床は叩きで、そこに毎朝、何かの葉を絞った汁で紋様が描かれた。彼は長くて白い髭を生やし、昔風の半ズボンをはいていた。脛が出て、素足だった。浜で網を直していたのだ。母の祖母は母にこの大伯父のいうことをよく覚えておくようにといい、母はそれを覚えた。そのおもしろみを理解したのは、それからずっと後のことだったけれども。彼が語ったのは自分がワーテルローの戦いに参加したときのこと、そしてそびえ立つような馬で走り去るナポレオン――ボニー［ボナパルト］その人――をこの目で見たということだった。したがって、ジェット機と核兵器の時代に生きる私は、戦さに破れた皇帝の姿を見た親戚の目を見つめることから、ただひとりの人間、私の母の、人生の長さのみによって、隔てられているわけだ。さらにはノルマン征服のはるか以前に生きた彼の（そして私の）祖先たちと、ほとんど変わったところのない日々の暮らしから。

家系の伝説。伝言、直接の接触、臨場の記憶、臨場の写し＝移し。目と目の衝突、網膜の感光、感光の痕跡のコピー、反復、継承。声の、口ぶりの、語彙の、訛りの、伝達。生身の人間が生きた記憶にふれ、その話を聞き、その記憶をうけついでゆくという、いわば「口承的現在」の連鎖が、この短文が属するようなジャンルの基盤をなしている。文字に移された口承はけっして口承そのものではありえないが、そこに移すことが可能なかぎりにおいての口承的記憶が、われわれが作り上げている「世界」のテクスチュアルな基礎にあることも、また疑えない。人が「歴史」や「世界」を発見するのはそうした口承的記憶との関係においてであり、「家系」というファミリー・ロマンスを介してでなければ、どうしても与えられた歴史的事実の衝撃は、いちだん弱いものとならざるをえないだろう。それを思うと、現在の世界の多くの移民たちの書く文を――フィクションでもノンフィクションでも――読むとき、そのいかに多くが「家系の発見」を描き、そこに露呈する「世界史」の力を書きとめているかは、注目に値する。強い現実感、肉体性、臨場感をもった「世界」は、家族の、あるいは身近なだれかの、語る声を媒介として、自分に訪れるのだ。私はその現実感をよりどころとして、私が「世界」を生きるための局地的戦略を構想してゆく。

『テッセラエ』の場合も、特に精彩を放つのは彼女の父親と母親それぞれをめぐってつむがれた、巻頭に集中したいくつかの文章だ。コンスタンティノープルで出会ったユダヤ男とケルト女。ただし、ドイツ語で福音書を読んでキリスト教への改宗を決意したロシアのユダヤ人（一四九二年にコルドバを追放された家系の子）と、後にはユダヤ人の長老から「ユダヤの魂をもっている」と評され、あるいはもうひとつの謎の流浪の民族であるジプシーたちを友人にもつ、放浪するケルト人。第二次大戦後にアメリカ男と結婚してアメリカに移住した元看護婦のイギリス女（このイギリス人「戦争花嫁」たちは――あまり注目されないことだが――アメリカへの雑多な移民の歴史の中でもその同質性においてきわだった特異で巨大な移民集団だ）であるレヴァートフはその独特なひねりのある両親の家系と性癖をそのままにうけつぎ、それがこの本にも「移民の記憶の書」（エグジログラフィ）としての深みと色彩を与えている。

もっとも短編小説的なおもしろさがあるのは「ジプシーたち」と題された一文で、そこに書かれているのはちょっとおとぎ話めいたところがある信じられないような楽しい話なのだが、おそらくたしかに実話なのだろう。そのようなジプシー（ロマニー）たちのネットワークが千年紀の変わったいまも昔ながらにあるのかどうかは知らないが、ナチスによりユダヤ人とともにどれだけの数のロマニーが殺されたかわからない以上、ヨーロッパ各地をわたり歩いて暮らしてきたロマニーたちの社会も、さんざん傷つき、古来の慣習や伝承の多くを失ってしまったのかもしれない。ともあれ『テッセラエ』の貴重なかけらについては、すでに全文を引用してしまった「遺産」を除いて、これ以上は語らないことにしよう。語ることによってその原著を読むときの驚きを奪っては、何もならない。ただ、この核心的な秘密だけに、ここではふれておきたい。

古い友人と話をする機会があったとき、話題が昔ばなしになり、そこでお互いについて覚えているあれやこれやのつまらない小さなできごとを冗談の種にしたことは、だれでもあると思う。するとそこで覚えているできごとが、それぞれどんなにちがったものであるかに、驚いたことはないだろうか。同一のできごとについての記憶が食いちがっているというのは、まあ、わかる。でもそれが本当に「同一の」できごとであったかぎりでは、だいたいの粗筋は少なくとも一致するわけだ。ところが、私はAについてAが私にこういったことを覚えているのに、A自身にはまったくその記憶がない。あるいは、私がAにむかって何かをいいそれでAがその反応としてある重要なアクション——どのようなものであれ——をとってAはそれをはっきりと覚えているのに、私にはまったくその記憶がない。そんなやりとりがいくつかつづけば、はたして目の前にいる相手が本当にあのときのあいつだったのかと、互いに疑わずにはいられなくなる。

だが、それが人の宿命だった。人は他人が自分について覚えていることをコントロールできない。他人とつきあい、長短の記憶の中の存在となること、ならざるをえないことによって、人が自分について抱く自己像は、すべてあらかじめ挫折と崩壊を約束されている。レヴァートフは子供時代の友人たちについても驚異的に鮮明な記憶をもってその姿を描いているが、鮮明な記憶をもって文を書く、という行為の裏面にある恐るべき忘却を、つねに強く意識していなかったはずはない。記憶を疑い、自明を謎へと差し戻すことこそ、詩人の仕事の基礎作業だからだ。

『テッセラエ』のサブタイトル「記憶と仮定」の「仮定」(suppositions)とは、はたしてどういうことだったかよくわからないあれは結局こういうことだったのではないか、という理知的な推測と、自分の人生のあの分岐点で別の方向にむかっていたらどうだったか、というおなじみの悔恨の混じった動揺を、二重にさししめしているといっていいだろう。その上で、自分の記憶の中に住むあの人この人が、それぞれにお互いをまったく知らないままただ「私」という舞台においてのみ共存していることの信じられないような不思議を、彼女は痛感し、われわれもそれを思う。それが「人間」であることの意味であり、それが「私」の生の理由なのだ。

人々は断片化し、無数のかけらとなって、「私」というモザイクを構成する。同時に「私」は砕け、廃墟のような地面にばらまかれて、その一片を必ずだれかが拾う。人間とは徹底してこのような複合的な合成物だ。そしてその運命が人間に限らず、人間と生活をともにする他の存在にまでおよばずにはいないことは、「ミルドレッド」と題されたこれもわずか2ページの一文が、あざやかにしめしている。

1998

（1） Denise Levertov. *Tesserae : Memories and Suppositions.* New Directions, 1995.

スペインのように見えた、でもそこは
ヘミングウェイと「異郷」

どんな風が外国でどんな名前で呼ばれているかについてはあまりに多くの悪い文学が書かれてきたし彼はそんな名前をあまりにたくさん知っていた。
（「本土からの素敵な報せ」）

何を見ても何かを思いだすヘミングウェイは、どこの土地に行ってもどこか別の土地を思いだしていて、感情にはそんな生活があることを、ぼくはほとんどどこにもゆかないうちから彼に教えられた。それがいいことだったのか悪いことだったのかは、わからない。しかし彼にとって土地には必ず名前や言葉がむすびつき、たとえカタコトであっても記憶の情景には土地の言葉が楔のように打ちこまれ、木洩れ陽にきらめく斑入りの緑の葉のようにそのときどきの紋様は互いに似かよいながらも、かたちを変えていた。

作家のはじまりを語るお話は、多くの場合まったく退屈だ。本人でなければ、せいぜいプレイリー・ドッグのごとく純真な顔をした作家志望の若者たちにしか読めないようなものが多い。この本はちがった。ぼくは作家志望ではなかったが語学者志望で、あるときその本を読みはじめるとすぐにこんな一節にぶつかり、そこに現実には永遠に会う可能性のない友人を発見したのかと思った。作家というよりも、ただ単にある段階に達した言語的存在としての私のはじまりをめぐり、いたるところでくりかえされてきた変奏の中ではこの物語は秀抜で、それからある期間をその本とともに生きた。本の題名は『移動祝祭日』、作家はヘミングウェイで、登場人物はまだ作家になる以前の、異邦に迷う二十代半ばの彼自身だった。

そこは気持ちのいいカフェで、暖かく清潔で愛想がよく、古いレインコートを乾かそうと外套掛けにかけ風雨にさらされくたびれはてたフェルトの帽子をベンチの上の棚に置いてからカフェ・オ・レを注文した。ウェイターがそれをもってきてぼくはコートのポケットから帳面を出し鉛筆を出して書きはじめた。書いていたのは北のミシガン州でのことでその日は荒れた、寒い、風のふきすさぶ日だったため物語の中もそのような日になった。ぼくはすでに秋の終わりがやってくるのを子供時代、青春時代、青年時代と見てきていて、ある場所では他の場所でよりもそれについてうまく書くことができるのだった。これが自分を移植するということだ、と思い、それは成長する植物や何かに劣らず人間にとっても必要なことかもしれなかった。しかし物語の中では少年たちが酒を飲んでいてこれで喉が乾きセント・ジェイムズというラム酒を一杯たのんだ。これは寒い日にはすばらしい味がしてぼくは書きつづけ、とてもいい気分でマルティニックの良いラム酒がからだと心の全体を温めてくれるのを感じていた。(1)

晩秋のパリにいて、ミシガンの荒涼とした湖畔を思い、それをたどたどしく文章に綴る。カリブ海の島マルティニックの砂糖黍畑の杏色の精液が、その物質としての全存在をかけて熱帯の太陽そのままに、冷えたからだに火をつけてくれる。人生の目的が思いだすことと書くことというぎりぎりの行為ないしは非＝行為にまで単純化され、目と手はただそれに集中している。耳はカフェの外国語のざわめきに投げだされ、からだは異邦の都会の見知らぬ群衆にさらされ。この一節にありのままに現れるパリ＝ミシガン＝マルティニックの巨大な三角形がぼくを陶然とさせ、息をつまらせ、想像するだけのパリ訛りのフランス語やアメリカ人のフランス語やオジブウェその他の先住民部族言語との接触を生きる中西部訛りのアメリカ英語やカリブ海のフランス語系クレオル語の響きが同時にたちのぼれば、単純で効果的な文体をいましもつかもうとしている半世紀前の自分と同年代の若者の姿が透明な泡にすっぽりとつつまれた幻像としてすぐかたわらに見えるような気がして、ぼくは絶句し、いてもたってもいられなくなるのだった。そして「自分を移植する＝移住する」（transplanting yourself / se transplanter）という恐るべきフレーズが、空が落ちてくるような重みをもってわんわんと耳に響き、どうすればそれを実行に移せるかがわからぬまま、ぼくは暗澹たる気分になった。

語学者としてのヘミングウェイはイタリア語、フランス語、スペイン語にこの順に挑み、大部分、敗退した。敗退というのはジョイスやパウンドといった半ば狂気を思わせるロマンス諸語のアフィシオナード（熱中者）らに比べてのことで、専門の語学者でなかった割にはへミングウェイは結構よくやっていたほうかもしれない。ダンテやラブレーやセルバンテスをすらすらと読めるようにはならなかったが、ややこみいった料理やカクテルを注文したり漁師と情報をかわし初歩的な冗談をいいあったりすることはできた、のだと思う。二十年にわたって住んだキューバでは、地元の友人たちが夜毎に彼を訪れ、談話に花を咲かせ、酒に酔い、ドン・エルネストはいつまでも抜けない重いアメリカ英語訛りではあっても正確なスペイン語でかれらに応対した。単なるツーリストであるためにはそれ以上に長く、彼はこれらの言語の空間に滞在し、耳をさらし、好奇心をもった。若いころの作品にはじまって、イタリア語やスペイン語の単語はそれが使われれば彼の文章に独特な色合いを与え、直訳の表現は異様さにも滑稽味にもむすびつき、短編「ワイオミングのワイン」の場合のように「移植された」フランス人が登場するアメリカは、セッティングがアメリカであっても、もはやアメリカらしくなかった。

私たちは町を抜けそのむこうのなめらかな道路に出ていて、両側には刈り株となった小麦畑があり右手には遠く山々があった。スペインのように見えた、でもそこはワイオミングなのだった。(2)

そんな風にヘミングウェイは、たぶん、アメリカとしてみずからを名乗るアメリカを逃れようとしていた。そのためには場所を想像力によってその現実の場所からずらしてゆく必要があったが、その力づくの転移を助けてくれるのはくぐもったざわめきのように響く不分明なイタリア語、フランス語、スペイン語の影なのだった。

『移動祝祭日』には、ぼくの人生の主題も書かれていた。ヘミングウェイはジョイス一家の姿を、ごく短く印象的に書きとめている。若い無名のアメリカ人夫婦にはとても値段が、したがって敷居が高すぎる「ミショー」という名のレストランで、ある日、ジョイス一家が食事をしているのを、二人は見かける。風変わりなアイルランド人夫婦は、かれら自身さほどお金があるはずもないのにこの上なく優雅に食事しながら、ジョルジオとルチアというイタリア名前をつけた子供たちと、イタリア語で話をしている。パリにいようが、たぶん世界のどこにゆこうが、かれらの家庭内言語はイタリア語なのだ。ジョイスはもちろんブッキッシュなイタリアの文学言語に習熟していたし、文学などに興味のない妻のノーラは長いトリエステ暮らしで市井のおかみさんの言葉を完全に身につけていたのだろう。ジョイスを深く尊敬していたヘミングウェイは、目眩を覚えたにちがいない。この小さな挿話を初めて読んだとき、それはぼくには天啓だった。人はどこにゆこうが、誰を相手にしようが、自分のしゃべりたい言葉でしゃべればいい。国籍や家系や良識がどんな言葉を指定しようが、ぜんぜん気にすることはない。外国語を学び、話すことは、基本的人権のひとつなのだ。そのことをヘミングウェイも、知っていたのだと思う。でも彼は本当に外国語への逃亡を企てることはなく、代わりに英語の音楽を、ジョイスに劣らず、まったく別のかたちで、革新した。

ぼくにとっては英語もロマンス諸語の一種だった。というか、こうしたすべての言葉は渾然一体となって、「よくわかる／何となくわかる／あまりわからない／ぜんぜんわからない」という斑の地帯を形成し、ぼくはその地形の片隅をさまよっているにすぎなかった。その彷徨は過去二十年つづいたし、これからも二十年はつづくだろう。二十歳になったころからぼくはロマンス諸語の世界に近づこうとして、なかなか果たせず、果たせないままにひとりで文法書を読んだり、簡単な読み物を読んだりした。ジョイスやパウンドやベケットへの畏怖と憧憬の一方で、ヘミングウェイに他にはない親しみを感じるようになったのは、彼自身が感じていたにちがいないロマンス諸語世界への親和性に、ぼく自身、ひそかに同一化しようとしたからかもしれない。英語はそのころのぼくにとって唯一の、異郷への回路として現れていて、その先にまたいくつもの別の土地をこだまさせてくれる英語で書かれた文を、ある時期、しがみつくように求めていたことがあった。それにはヘミングウェイがぴったりで、その衝撃的な文体は、センテンスごとに砕氷船のように高らかな振動と勝利の感覚をともなって進むように思えた。

（いま考えると奇妙な気まぐれだが、『移動祝祭日』をぼくは最初、習いたてのフランス語で読んだ。『パリはひとつの祝祭』と訳されたその本のたぶんほとんどを、客の出入りの絶えない、ガラス張りのドーナツ屋に長い時間いすわって読んだ。ばかばかしいことだが『移動祝祭日』には、そうしたささやかな具体性を無視することはできないと、人に思わせるところがある。それこそ作者の晩年——一九二七年に忘れていった鞄を二十数年ぶりにホテル・リッツの荷物係から返されその中に見つかったノートに基づいてこの作品をキューバ、アイダホ、スペインと移動しながら執筆した時期——の刻印なのだろうか。そこには、われわれがいかに小さなものごとの、けれどもたしかにその場所にしかないものごとの、集積であり反響にすぎないことかという感覚が、みなぎっている。パリ風のカフェ文化をもたないぼくらの一九七〇年代末の東京の、深夜でも蛍光灯に白昼のように照明された清潔な合成樹脂製のテーブルの一角が、ぼくにとっては読書室であり、不眠の治療室であり、逃亡先であり、夢想と計画の机であり、未踏の荒野だった。後になって『武器よさらば』をはじめて読んだのは、一九八四年の八月の冬のサン・パウロで、読んだ本はスペイン語訳だった。こうしてヘミングウェイは、ロマンス諸語というフィルターのむこうに立ち現れる、翻訳された幽霊的なボディをもって、ぼくの日々の旅にずいぶん長いあいだつきあってくれたわけだ。そして彼の文体には、まぎれようもなく翻訳を生き延びるものがあった。)

けれども彼自身の旅は、はるかな昔に終わっていた。イタリアで負傷し、フランスで修行したのち、スペインに熱狂し、キューバに長らく住んで、ヘミングウェイは結局はスペイン語にもっとも親しんだ。たしかにそうだ。国名をかぶせるのは便宜的な解決策にすぎないが、それらの土地がもった幻想と現実の密度は、彼にとって、たとえば惨憺たる芝居の書き割りめいたサバンナの東アフリカの姿とは、比べられるものではなかった。ヘミングウェイにとってアフリカとは別に何でもなく、それはいわば別種のミシガンだったのだと思う。キューバは、というよりも彼の地所ラ・フィンカ・ビヒア（見晴らしのいい農園、とでもいった意味）のあったサン・フランシスコ・デ・パウラ村は、それとはちがってはるかに血の通った土地だった。そのキューバを、ヘミングウェイは一九六〇年の七月に最終的に去り、それからは彼の心の状態はどんどん悪くなるばかりだった。有名なスキー・リゾート、サン・ヴァレーのあるアイダホ州ケッチャムに彼は生活の拠点を移し（そこには五八年に家を買ってあった）、以後六一年七月の自殺まで、一直線に斜面を滑り降りていった。

アイダホ州は現在でも北アメリカ大陸でもっとも美しい土地のひとつだ。幹線道路から何マイルだったか、たぶん10マイルかそこら以上離れた土地の区域をウィルダネス（野生）の区域と定義した場合、その面積がもっとも広くなるのがこの州で、山林には野生動物がゆたかに暮らし、渓流には鱒やその他の魚がおびただしく生息する。カナダとの国境に近い雪国。キューバから引き上げる決意をさせたのは彼が心情的には共感していたキューバ革命だったかもしれないが、アイダホへの移住を着想させたのが、少年時代のイリノイやミシガンの森や湖への深いノスタルジアだったことは疑えないだろう。そこにはもう、熱いスペイン語は響かなかった（アイダホ州に少数のバスク系住民がいることはかすかな彩りになるにせよ）。それどころか、そのころの彼には、もう人間の言葉は問題にならないほどわずかにしか必要ではなかった。

十八歳ではじめてイタリアに行ってからのヘミングウェイの生涯をつらぬいてきた、ロマンス諸語への壮大な遠征は、結局は迂回のはてにこの無言の孤独の土地への帰還へとゆきつき、そこでは土地とは人が生命の純粋なきらめきにただひとりでむかいあう、手つかずの、清澄な自然の拡がりのことだった。そのように彼の生涯を逆さに見通せば——というよりも

「生涯」とはすべてすでに終結点から顧みられたものにほかならないが――ぼくは気が遠くなるほど森閑とした心にならざるをえない。なぜならヘミングウェイは、その生涯の核心とさえ思われる作品を、まだ二十四、五歳くらいのころ、この上なく完成されたかたちで書いているからだ。ニック・アダムズ物の短編のひとつ、「ザ・フィンカ・ビヒア・エディション」と呼ばれる全短編集でもわずか15ページにしかならない「二つの心臓をもつ大いなる川」がそれで、そこに語られる生と死のヴィジョンこそ、若いころからはじまって彼が最後までたずさえていた何かだった。

すべてが焼け跡になった(山火事のせい?)、かつてよく知っていた小さな町で、ニックは列車を降りる。スペリオル湖の近く、森と湖の地帯だ。それから川底の色そのままを映して茶色く見える透明な清流に何匹も泳ぐ鱒を見ながら、焼け跡に保護色として適応したのか真っ黒な色をしたイナゴを捕まえながら、彼は日没まで歩き、そこにテントを張る。地面にふれることのよろこび、爽快な空腹を缶詰の食事でみたすよろこびにひたり、ついでコーヒーを沸かしながら、ずっと昔に死んだ友人のことを思いだす。死ぬ前の友人から22口径のオートマティック・ピストルをもらい、代わりにカメラをあげたこと。いずれもshootするための二つの道具の交換は、それ自体としては意味がないにもかかわらず、死者から死のための道具をもらい死者に姿をとどめるための道具を贈ったことの不吉さを、読者であるわれわれは意識するともなく感じずにはいられない。

暗転し、眠り。つづく第二部は夜明けからはじまる。ニックはテントを出て、美しい早朝と川にこの上なく高揚する。朝露で濡れたまま、太陽がからだを温めるまでは跳んで逃げることもできないイナゴを彼は釣りの餌にするためにたくさん集め、それから蕎麦粉でパンケーキを焼いて朝食にする。朝食をすませると、彼はおもむろに竿の支度をして、終始無言で、完全な孤独のうちに、川へと降りてゆく。優に膝までを冷たい流れにつけると、釣り針につけたイナゴに幸運のために唾を吐きかけて、ニックは鮭のように巨大な鱒を狙いはじめるのだ。そして

> ニックは一尾の見事な鱒を釣った。たくさんの鱒を釣ることなどは彼にはどうでもよかった。流れはここでは浅く幅広くなっていた。川辺に沿って木々が並んでいた。左岸の木々が午前の陽光の中で流れの上に短い影を投じていた。その影のひとつひとつに鱒がいることをニックは知っていた。午後、太陽が丘にむかって横切っていった後では、鱒は流れの反対側のすずしい影にいるだろう。[3]

叙述はこのように徹底して即物的につづくが、けっして作者がそうとは呼ばないままに、水面は二つの世界を分割し、水中は他界となり、そこでは絶えず更新されつつ同一性をたもつ水の流れと鱒たちが、永遠という名の死の界域を、冷厳な美しさで演じている。ニックはそこに竿を投げる。この世界に死んだイナゴを餌として。鱒は捕らえられ、この世界に殺されても、はらわたを抜いた後でニックがそれをふたたび水中にひたすと、それは生きている

ように見える。昼食のサンドウィッチを食べるときにニックはそれを流れの水につけるという不可解な動作をするが、それはただパンを他界への供物とし、同時に他界の食事を口にして自分を時の流動的循環のうちへと投げこもうとする身振りだったのかもしれなかった。

もちろん物語は、どこにもそんな解釈を入れようとはしない。それはただニックのひとりきりの釣りを描写し、そこではニックの発する(聞き手をもたない)声は完全にうつろに響き、水音に隠れて聞こえないニックと鱒の二つの心臓の鼓動だけが、瞬間と永遠との密着した舞踊を思わせる(鱒という魚の名が単複同形であることを改めて意識させられる)。これがヘミングウェイにとっての究極の現実感なのだとしたら、ふりかえってみるとき、彼のあらゆる異邦と外国語の経験は、ただ彼にさまざまな浮ついた意匠をもたらしたにすぎないようでもあり、言葉の拒絶を言葉で語るひとつの文学の重いしずけさに、ぼくらもただ言葉を失い、その水辺にたたずむしかないようでもある。

しかしその失語は、この作品を書いた時点での若い作者ヘミングウェイにとっては、まだはじまりの条件にすぎなかった。水の中の世界は、それとして完璧に、永遠に生きている。水の外にいるわれわれの世界も、有限の感覚に苛まれながらも、それとしてたしかに生きている。けれども水の中の存在を外に持ち出せばそれは死に、水の外の存在を水に沈めればそれも死ぬ。像は完全に目にすることができるのに、それとの直接的な交渉は迫りくる死の約束に立たなければありえない。この川面という一枚の境界は、あらゆる「ここ」と「よそ」を分かつ分割面のモデルとなり、たとえばある一言語と別の一言語との関係も、そうする傾向のある精神にとってはこれと同型の、相互に絶対的に異質なものとして現れるのだろう。

おそらくヘミングウェイにはそうだった。別の言語が話される別の土地は彼には他界で、「みずからを移植すること」はそのつどの死の試みだった。だがその本性においてモノリングァル（単一言語主義的）な精神である彼には、たとえば英語とスペイン語のあいだを、みずからが両生類の新種の動物として生きる（ベケットが英語とフランス語においてそうしたように）ことは思いもよらなかった。彼はあくまでも脚を水にひたすだけの釣り人であり、スペイン語の宇宙からどれほど豪奢な死の形象を釣り上げようとも、彼の存在は安定し、ゆるがず、彼が帰ってゆくのは北アメリカの大地以外ではなく、みずから望んでパトリア（父祖の土地）を離れたはずのヘミングウェイはパトリアへの帰還をあらかじめ誓って生きた、故郷なきコウモリの世界市民主義とも混沌の濁流を内面化する多言語主義とも結局は無縁の人だったのだと思う。

（1）Ernest Hemingway. *A Moveable Feast*. Collier Books, P.5.
（2）Ernest Hemingway. *The Complete Short Stories*. The Finca Vigía Edition, p.353.
（3）Hemingway. *ibid*. p.178.

1999

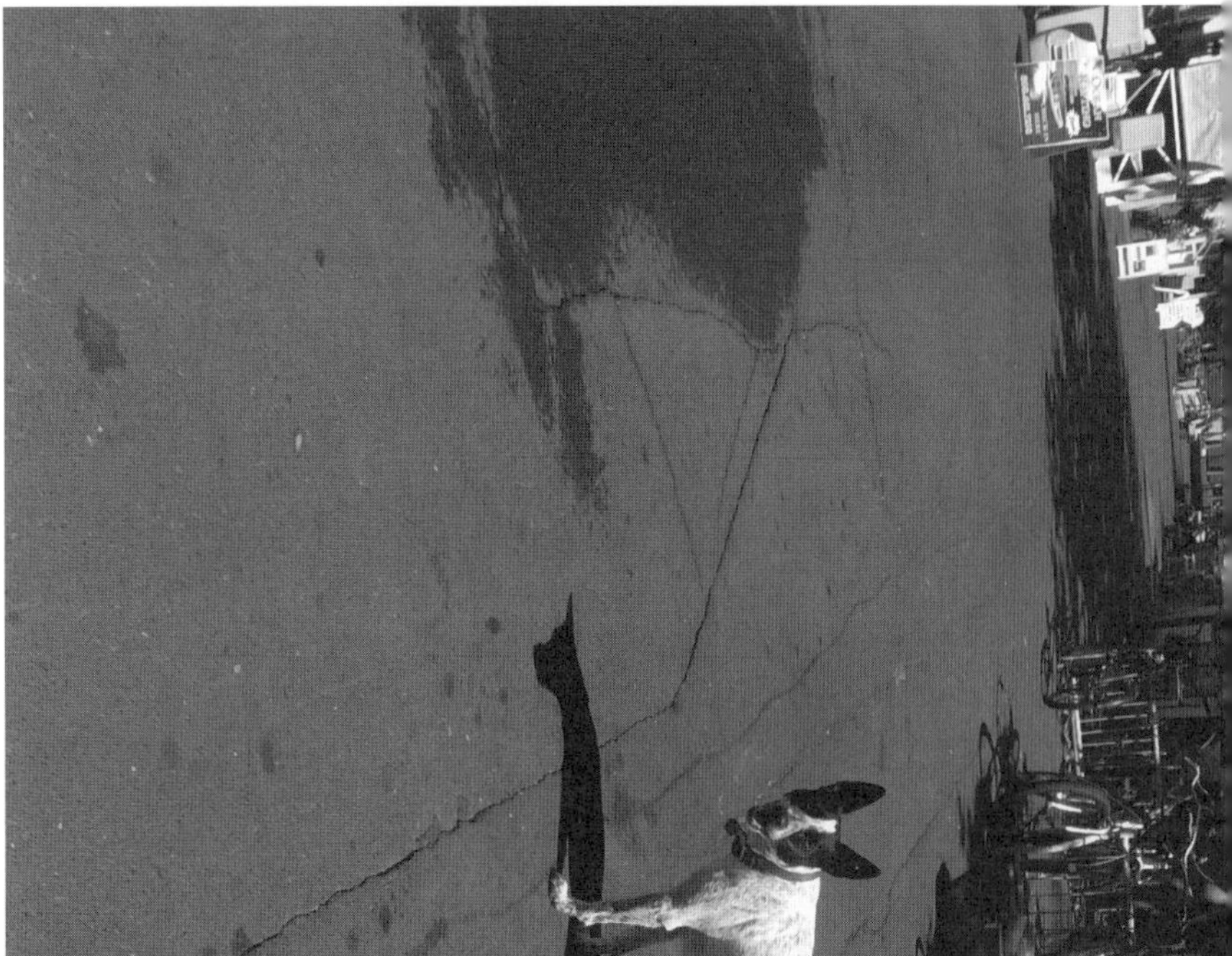

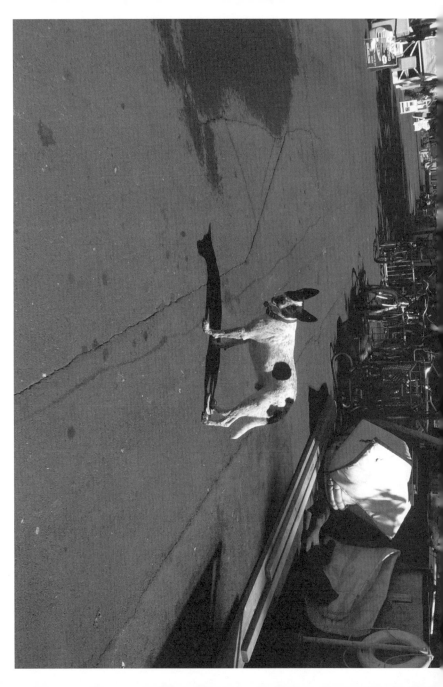

フェルナンド・ペソアと連れだって

誰でもない人々

二十世紀モダニズム芸術には、一八八〇年代生まれの一群の天才たちがいる。ロマン・ヤコブソンはかって「ストラヴィンスキー、ピカソ、ジョイス、ブラック、フレーブニコフ、ル・コルビュジエら」の名をあげ、フェルナンド・ペソアにおいてこれらの芸術家たちの特徴がすべて凝縮されて見出されると述べていた(その共有された特徴が何だったのかは、それ自体、優に何冊もの書物を生むだけの問いにちがいない)。文学の世界では、以上の名前にさらにギョーム・アポリネール、サン=ジョン・ペルス、エズラ・パウンド、T・S・エリオット、ヴァージニア・ウルフ、マヌエル・バンデイラ、ジョヴァンニ・パピーニ、ゴットフリート・ベン、萩原朔太郎、魯迅らを付け加えてもいいだろう。いかにもきらびやかであるとともに、かれらを群れとして見るとき、どこか切迫した感じ、脅かされた感じ、崩壊にむかう感じがつきまとっていることも否定できない。第一次大戦もロシア革命もいやというほど意識しつつ若い日々を暮らした、シュペングラー(一八八〇年生まれ)とハイデガー(一八八九年生まれ)のあいだに位置する世代なのだ。

ポルトガル文学史上では、十六世紀海洋帝国の叙事詩人、『ルシタニアの人々』の作者であるカモンイスと並ぶ最大の詩人と称されてきたペソアは、一八八八年にリスボンで生まれた。幼時に父親を亡くし、母親の再婚にともなって南アフリカのダーバンに移住、英語で教育をうける。以後、晩年にいたるまで、覚え書きは英語で書きつつ、ポルトガル語、英語、フランス語で創作した。大学入学のために帰国してからは、何度かイギリスへの移住を考えつつ、終生独身でリスボンに住んだ（ペソアの弟はイギリスに移住している）。一九三五年に死んだ。イギリス人墓地のそばにある、彼が暮らした家は、現在では「フェルナンド・ペソアの家」という記念館として公開されており、多くはない彼の蔵書が並べられている。英語の本が目立つ。シェイクスピアがあり、ジョイスがあり、トマス・ハーディーがあった。鉛筆で歪んだ線を引かれた、マラルメの詩集もあった。この家から、黒い帽子をかぶった孤独な彼がでこぼこした石畳の坂道を上り下りして職場に通い、あるいは繁華街シアード地区のお決まりのカフェ、ア・ブラジレイラに出かけていったのかと思うと、テージュ河の水面のような物悲しさがつのる。だが生身の彼には、詩人としての彼の全貌は自分自身つかみきれるものではなかった。

ペソアの創作を特徴づけるのは「異名」（エテロニモ）の使用だ。単なる「変名」や「筆名」とはちがって、まったく異なった性格・履歴・指向・語法をもついくつもの人格をペソアは創造し、それぞれの名において、それぞれの魂（という作業仮説）を物質化しつつ、書いた。マラルメが、いかにも人格の存在感のうすい非人称的な詩の宇宙をめざしたとすれば、ペソアはそうではなく、それぞれに完全に別の独立し充満した人格の詩人を演じ分けたということになる。

その方向性からいうと、こうしたすべての詩人たちの創作者としてのペソアその人にとって、問題となったのはシェイクスピア以外にないだろう。ペソアの存在はポルトガル語圏ではもちろんよく知られていたものの、その企図の大きさと重要性が世界文学に確固とした地位をしめるようになったのは、レイラ・ペローネ・モイゼスをはじめとするブラジル人の批評家が、「テル・ケル」周辺のフランスの作家・批評家と接点をもつようになってからのことだと思われる。ようやく一九八〇年代以降、その名声は世界化し、文学者のみならずたとえば精神分析の批判者である哲学者のミケル・ボルシュ＝ジャコブセンなども、「多重人格」というフィクションの観点からペソアに強い関心を寄せるようになった。ボルシュ＝ジャコブセンの定式 je switch, donc je suis（私はスイッチする、故に、私は存在する）は、まさに人格交代を詩人としての存在の基礎においたペソアに、もっともよくあてはまるものだろう。

ここでは彼の代表的な異名＝異人格から、野生の自然詩人アルベルト・カエイロ、該博な古典的教養をもつ医師のリカルド・レイス、未来派詩人で造船技師のアルヴァロ・デ・カンポス、そして「異名としてのフェルナンド・ペソア」の作品をあげる。いずれもポルトガル語で執筆された。ポルトガル語の「ペソア」（人）に対応する単語には、ラテン語（名詞）の「ペルソナ」（仮面）、フランス語（代名詞）の「ペルソンヌ」（誰も〜ない）などがある。

Pessoa, personne. 誰でもない人、ペソア。ペソアは少年時代から、この翻訳による自分の姓の意味論的転位を、よく意識していた。「私という劇場」をこれほどまでに体現した詩人は、唯一シェイクスピアを除けば、他に比肩する者がなかった。

「私」とは空無の場所にすぎないということをしめすためには、私を限りなく複数化し、代入をくりかえさなくてはならない。心にありうるいくつもの論理のそれぞれを、十分に発育させ、かたちを与えなくてはならない。気が遠くなるような戦略だが、いまあるここ、いまいる自分を離れて、世界に遍在し、世界のすべての心を体験しようとする者には、それは小さな、どこまでも不完全な、予備作業にすぎなかった。だが、なんという見事な複数化だろう。その心の広大さは、彼にとってはまるで見知らぬわれわれにまで、そこにそっとまぎれこむことを許してくれた。

わたしのまなざしはヒマワリのように鮮明だ。
O meu olhar é nítido como um girassol

——アルベルト・カエイロ　Alberto Caeiro

わたしのまなざしはヒマワリのように鮮明だ
わたしはこんなふうに道行くことを習慣にしている

右を眺め　左を眺め、
ときどき後ろをふりかえりもする……
そして一瞬ごとにわたしが見るのは
それまでには見たこともなかったものばかり、
わたしはそれをどう味わえばよいのかよく知っている……
どんなふうに本質的な驚きを味わえばいいのか
いま本当に生まれてしまうのだと気づいた
出生時の子供のような驚きを……
わたしは一瞬ごとに自分が生まれるのを感じる
「世界」の　永遠の新しさにむかって……

わたしはキンセンカを信ずるように世界を信じている、
なぜなら　それは目に見えるから。でもそれを考えることはしない
なぜなら考えるとは理解しないことだから……
「世界」はわれわれに考えられるためのものではない
（考えるとは目を病むこと）
ただわれわれがそれを見つめ　ありのままに同意すればそれでいい……

わたしに哲学はない。あるのは感覚……
わたしが「自然」について語ろうとも　それは自然とは何かを知っているからではない、
それを愛しているからだ、ただ愛するためだけに愛しているからだ、
愛する者は愛する相手をけっして知ることがない
あるいはなぜ愛するのかも、あるいは愛するとはどういうことかも……

愛するとは永遠の無垢にして無知、
そして唯一の無垢とは考えぬこと……

「やあ、羊飼い君」　Olá, guardador de rebanhos

「やあ、羊飼い君、
道端にいるきみ、
吹きゆく風はきみになんていう？」

「風です、吹いていいます、
以前にも吹きました、

これからも吹きます、とね。
あんたにはなんていう?」

「それよりはずっといろんなことだよ、
他にもいろんなことを話してくれる。
さまざまな記憶やさびしい懐かしさ
かつて起こったことのないあれやこれやも」

「あんたは風が吹くのを聞いたことがないね。
風はただ、風のことだけを話すんだ。
あんたが聞いたのは嘘ばかり、
そしてその嘘はあんたの中にある」

すさまじく鮮明なる一日に　Num dia excessivamente nítido

すさまじく鮮明なる一日に、
もうたっぷり働いたから今日はこれ以上

何もしなくてもいいさ　といいたい気分になった一日に、
わたしはかいま見た、木立のあいまを抜ける道のように、
たぶん「大いなる秘密」とでもいうのかもしれぬあれ、
偽物の詩人どもが語りたがる「大いなる神秘」を。

わたしは見たのだ「自然」などないことを、
「自然」など存在せず、
あるのは山々、谷間、平原、
あるいは樹木、花々、草、
あるいは川と小石、
しかしこうした物たちが属する一なるすべてなどなく、
実在する真なる総体と称するのは
ただわれわれの観念の病にすぎないと。

「自然」とは一なる全体をもたぬ　部分部分なのだ。
たぶんそれこそが　やつらのいう神秘なのだ。
考えることも立ち止まることもせず、たしかに
真実にちがいないとわたしが悟ったのはこれだった

だれもが見出そうとしては見出すことができず、
ただわたしだけが、見出そうともしなかったがゆえに、見出した真実だ。

——リカルド・レイス　Ricardo Reis

薔薇をおれは愛する、アドニスの庭園の　As rosas amo dos jardins do Adónis

薔薇をおれは愛する、アドニスの庭園の、
これらはかなく移りゆく薔薇を、ねえリディア、
　生まれたその日
　おなじ一日に死んでゆく薔薇を。
光は彼女らにとって永遠、なぜなら
すでに太陽が生まれたあとで生まれる彼女らは
　アポロがその目に見える軌道を
　去るまでには死ぬのだから。
そのようにおれたちの人生を一日としよう、

忘れよう、リディア、わざと忘れよう
　おれたちがこうしているこの一瞬の
　前にも後にもやはり夜があることなど。

自分が何者だったかを思いだすとき、おれが見るのは他人
Se recordo quem fui, outrem vejo

自分が何者だったかを思いだすとき、おれが見るのは他人、
そして記憶の中では、過去は現在。
　おれは夢の中でのごとく自分を感じる
けれどもそれは夢の中だけでのこと。
おれの心を苦しめる懐かしき哀れさは
自分自身のせいでも、よみがえった過去のせいでもない
　ここに住んでいる男のせいなのだ
　おれの盲目の両目の、この裏側に。
何もない、おれを知るものは、ただこの一瞬を除けば。
おれ自身の記憶すら何でもなく、ただ感じるのみ

ただいまのおれ自身とかつてのおれたちとは
単に異なった夢であるにすぎないと。

おれたちの、リディア、秋が訪れるとき　Quando, Lídia, vier o nosso outono

おれたちの、リディア、秋が訪れるとき
すでに冬をたずさえて訪れるとき、ただひとつの考えを
抱きつづけることにしよう、やがて来る春のことではない
　それは他人たちのものだから、
それに夏のことでもない、夏にとっておれたちはもう死んだ、
ただすぎゆくものが残す何ごとかのことを——
それは木の葉たちがいま生きつつあるこの黄色のことだよ
　木の葉たちの姿を変える。

リディア、おれたちは何も知らない。おれたちは他所者だ　Lídia, ignoramos

リディア、おれたちは何も知らない。おれたちは他所者だ
　どこへゆこうとも。
リディア、おれたちは何も知らない。おれたちは他所者だ
　どこに住もうとも。すべては見知らぬもの
だれもおれたちの言葉を話さない。
おれたちはおれたち自身を隠れ家にしよう
そこに身を潜めよう、世界の喧噪の
　荒々しさに脅えつつ。
他人たちのものにならぬという以上に、愛が望むことがあるだろうか？
秘儀でのみ語られるひとつの秘密のごとく、
　この隠れ家をおれたちの愛で神聖にしよう。

——アルヴァロ・デ・カンポス　Álvaro de Campos

覚書　Apontamento

僕の魂は空っぽの瓶《かめ》のように砕け散った。

階段を過剰なまでに下方へと落ちたのである。
うっかり者の女中の手から落ちた。
落っこちて、瓶をなす磁器よりも多量のかけらとなった。

愚にもつかぬことかい？　ありえるもんかって？　さあね！
自分が自分だったと感じていた時分よりも　いまは多くの感覚をもっている。
いましも振り払われようとして戸口の靴拭いに散らばるかけら　僕はそいつさ。
落っこちて　まるで砕け散る瓶のような音を立てちまった。
ありったけの神々が階段の手すりから身を乗りだしている。
かれらの雇う女中により粉砕された　僕のかけらを凝視しているんだ。

かれら、女中のことは怒ってもいない。
彼女には甘いのさ。
それで　僕など単なる　空っぽの瓶だったたって？

ばかげたほどの意識をもって　かれらはかけらを眺めている、
もっともみずからを意識しているだけだ、かけらを意識しているのではない。

眺め　そして、微笑する。
わざとやった訳ではない女中には甘く　ただ微笑している。

星々を敷きつめて　巨大な階段が展開する。

星々のあいまで、つややかな表を上に見せて、かけらのひとつが輝く。

僕の作品？　僕の大事な魂？　我が生命だって？

一個のかけらだよ。

そして神々は特にそいつを見つめている、なぜそいつがそこでそうしているか、知らないせいなんだよ。

炭酸ソーダ　Bicarbonato de soda

突然に、一個の苦悩……

ああ、何という苦悩、胃袋から魂にいたるまで何という嘔吐感！

僕の持ってきた友人たちは何という奴らだったことか！

僕が遍歴してきたすべての都市は何と空っぽだったことか！

僕のあらゆる決意や目的にしても何という形而上学的肥溜だ！

一個の苦悩、
我が魂の表皮の悲嘆、
努力の日没における両腕のなす術もない落下……

拒絶する。
すべてを拒絶する。
すべて以上を拒絶する。
あらゆる神々も奴らの否定も終《つい》に断固として拒絶する。
だが僕に欠けているのは何か、この胃袋と血液循環に欠けていると感じられるのは？
いかなる空虚な目眩がこの脳をくたくたにさせるんだ？
何物かを飲まねばならぬか　自殺でもしようか？
いや。僕は存在を続ける。へっ！　存在を続ける。
E-xis-tir…　（そん―ざ―いする…）
E-xis-tir…　（そん―ざ―いする…）

何てこった！　何たる仏教が僕の血を冷やすんだ？
あらゆる扉を開け放ったまま否認する、

このひとつの風景の前にすべての風景たちが対置される、
希望もなく、自由に、
脈絡なく
事物の表面における首尾不一貫の事故、
単調で　しかるに眠たげで、
ところがあらゆる扉と窓を開けば何という風が吹きこむことか！
他人どもの　何という快適きわまりない夏！

飲み物をくれよ、喉なんか乾いてもいないんだが！

僕、僕自身　Eu, eu mesmo...

僕、僕自身……
僕、あらゆる疲労に充満している
世界が与えうるすべての疲労に。——
僕……
結局はすべてなのだ、なぜならすべては僕なのだから、

星だって、どうもそのように思えるのだが
僕のポケットから飛びだしては子供らを幻惑するのだ……
どんな子供らかは知らんが……
僕……
不完全？　無名？　天才？
さてね……
僕……
僕に過去はあったか？　もちろんあったさ……
僕に現在はあるか？　もちろんある……
僕に未来はあるか？　もちろんあるだろう……
今後いくらも経たぬうちに　この人生などは終わっていい……
だがね、僕、僕は……
僕は僕だ、
僕は僕であり続ける、
僕……

――フェルナンド・ペソア　Fernando Pessoa

街路で遊ぶ猫よ　Gato que brincas na rua

街路で遊ぶ猫よ
ベッドで戯れてでもいるようだね、
おまえの幸運をうらやむよ
それは幸運とすら呼ばなくていい。

石も人も同様に支配する
運命の法則の従順な従僕、
おまえは何につけ本能にしたがい
自分の感ずることだけを感ずる。

そんな風だからおまえはしあわせなんだね、
おまえというすべての無がたしかにおまえのもの。
私は自分を見るが　自分を持たない、
自分を知ってはいるが　私は自分ではない。

自己の心理の記述　Autopsicografia

詩人とは偽り装う者。
あまりに完璧に装うので
やがてそれは痛みなのだと装うにいたる
本当に感じている　その痛みさえ。

彼が書くものを読む人々は、
読んだ痛みのうちに　よく感じることになる、
詩人が持つ二つの痛みではなく、
ただ自分たちの持たぬ痛みだけを。

こうして決まった線路を走るのだ
ぐるぐる回って、理性を慰撫するために、
このぜんまい仕掛けのはてしない列車
その名は心。

これ　Isto

人はいう　私の書くすべてにおいて
私は装い、嘘をつくと。ちがう。
私はただ想像力をもって
感得するだけだ。
心は使わない。
私が夢見るすべて、
失敗するすべて　経過するすべて、
ちょうどひとつのテラスのように
さらなる何事かを見晴らしている。
美しいのはそれだ。

だから私は　傍らにあるわけでもない
何事かに身を浸しながら書くわけだ、
錯綜に惑うことなく、
ありもせぬことに真剣になって。

感じること？　それは読者の仕事！

私は逃亡者　Sou um evadido

私は逃亡者。
生まれるとすぐ
私は自分の中に閉じこめられた、
ああ、でも私は逃げだしました。

おなじ場所にいることに
人が飽きるのであれば、
おなじ存在でいることにだって
飽きるのではありませんか？

我が魂は私を探している
だが私はあちこちを逃げ回る、
魂が私を

どうか見つけませんように。

自分であることとは牢獄、
私であるとは　存在せぬこと。
逃げ回りつつ　私は生きてゆこう
それが本当に生きることです。

1997

オムニフォン

カリブ海から世界を想像する

「近代」を生んだ海で

それにしても不思議な地域だと思う。地球儀や地図を見れば、その特異性はまぎれもない。「アメリカスの地中海」という呼び方をする人もいるが、東西にかなりずれたかたちで接合された南北二つの大陸に抱かれるようにしてひろがる、美しい海。その海に、みごとな弧を描いて、大小の島々が無数につらなっている。フロリダ半島の尖端あたりを出発点にとるなら、キューバ、ジャマイカ、イスパニオラ島（島の西側はハイチ、東側はドミニカ共和国）、そしてプエルト・リコ。このあたりまでが比較的大きな島々の並ぶ大アンティルだ。そこから、バーブーダ・アンティーガやフランス海外県のグアドループならびにマルチニックといった、いくつもの国籍と言語にまたがる小さな島々の点在する小アンティルがはじまり、もっとも南アメリカ大陸に近いトリニダードにいたって、カラフルな熱帯の島宇宙に終止符が打たれる。

すべての土地面積を合計しても、たかが知れているだろう。けれどもこの列島がひきつれる海までも含めて、大きな投げ網を打ってみるならば、それがおおうひろがりは西欧全土に匹敵するほどだ。その範囲を英語・フランス語・スペイン語・オランダ語が行政的に支配し、その陰でさまざまなヴァリエーションをなすクレオル言語が話されている。住民の顔は雑多だ。アフリカ系、ヨーロッパ系、アジア系、先住アメリカ系の顔だちと肌の色が、もはや起源を語ることに意味がないほど入り混じり、生活をともにしている。いったいここでは何が起きたのか、そして、いまも起きつつあるのか？

近代の起点をどこに置くかは歴史家たちによっていろいろな立場があるだろうが、一四九二年がそのひとつだったということには、異論の余地がない。この年、イベリア半島の大国スペインに関わる大きな事件が、三つあった。まず、イスラム王国最後の拠点であったグラナダが陥落し、イベリア半島からのイスラム教徒ならびにユダヤ教徒の追放令が出された。それはカトリック教会のみずから宣言した「普遍性」を根本原理とするスペイン王権が、きちんと画定された範囲の領土から他者を徹底して排除することを意味した。こうしてアラビア語が「アル・アンダルース」と呼んだ土地イベリアでの、イスラム教徒、ユダヤ教徒、キリスト教徒がそれなりの寛容と多言語使用を原則として共存し独特な洗練された文化を育ててきた時代は、終わりを告げた。ついでこの年、サラマンカ大学の文法学者アントニオ・デ・ネブリーハが、はじめてのスペイン語（カスティーリャ語）文法を印刷したのも、事後的に見るといかにも象徴的だ。もともと地方ごとに大きく波打ち「いくつ」と数えることのできなかった言語も、文法書や辞書の登場とともに可算的な単位となってゆく。宗教において、言語において、この年スペインが「1」への志向性をはっきりとさだめ、それが海のむこうに茫洋とひろがる「新世界」進出の原動力となったことは、こうしてみるとあまりにも明らかだろう。

そして十月。スペイン王室が雇ったジェノヴァ出身の冒険家コロンブスが、カリブ海域に到達した。これによってヨーロッパによるアメリカス（南北アメリカおよびカリブ海域を統一的に呼ぶために複数形を用いる）侵略が——世界史上もっとも大規模な人間による人間の生活の破壊が——本格的にはじまったのだった。

こうしてスペインが口火を切った一四九二年にはじまる五世紀あまり、カリブ海は拡大し侵略する力としての「ヨーロッパ」にとって、「新世界」への玄関口、前線基地、奪い奪い返す列強の争いの対象となった。その過程で、先住島民の多くは虐殺され、島々のもともとの植生《フローラ》は破壊され、空白化された土地が砂糖黍単一耕作のためのプランテーションとされ、短期間に集中した労働力を必要とする砂糖黍畑での労働力をまかなうためにアフリカ西海岸から大量の奴隷が輸入された。やがて奴隷制が廃止されると、インド系や中国系の年季契約労働者たちがそれに代わる。また、中南米の他の地域でも多く見られる、シリアやレバノンといった中東諸国からの商人たちも入った。数の上では少ないヨーロッパ系植民者たちと並んで、すべてが雑多な移民によってできあがった島社会は、ざっと見てそんな成り立ちをもっている。

驚くべき地域だ。人を見ても、風景を見ても、そこには「本来的なもの」はない。あるとすればただ、海、島影、緑の濃い山々の輪郭、そして海水と淡水のあいだの汽水域に繁茂するマングローヴの風景。現在の、否定しがたくグローバル化した経済圏をもつに至った「単数の近代《シンギュラー・モダニティ》」（つまり資本主義システムが「世界」を造型しその範囲が地球という惑星の全体についに重なってしまうまでのプロセス）において、ヨーロッパにこれほどまでの支配力をもたらしたのは、まずはアメリカスの金銀の略奪、ついで大西洋を舞台とする三角貿易、そして地球全体を対象とした植民地主義だったが、カリブ海域はそんな世界史の過去五百年を、もっとも苛烈に生きてきた地域だということがわかる。戦いの海、衝突の海。支配された島々、押しつぶされそうな人々。それにもかかわらず、あるいはそれだからこそ、カリブ海域はその「小さな場所」に似合わない、惑星大の意識を語る陰影に富む言葉を、いくつも生み出してきた。島の人々が、島から、島の言葉を語る。それが、そのままで、世界を反響させている。現代カリブ海文学がいかにそのままで「世界文学」として成立しているか、そしてそれはカリブ海からは遠い土地のわれわれに何を与えてくれるのか。そんないくつかの契機を、ここでは見てゆくことにしよう。

小さな場所、大きな衝突

カリブ海文学の魅力はどこから生まれるのだろう、と聞かれるたびに、それは「小さな場所で書かれた大きな文化衝突の文学だから」とぼくは答えてきた。その判断は変わらない。けれどもそこでいう「文化衝突」とは、じつは口にするのもためらわれるほどの惨劇だ。おびただしい血が流され、深く癒えることのない傷痕がいまも残っている。たとえばアンティーガ出身でニューヨークで作家となったジャメイカ・キンケイドは、島々や海の表向きの美しさについて、こんな風に印象的な一節を書いていた。

アンティーガは美しい。アンティーガは美しすぎる。時にはその美しさは本物でないように見える。時にはその美しさはまるで芝居の舞台装置のように見える。本物の日没があんなふうに見えるはずがないからだ。本物の海水が一度にあんなにたくさんの種類の青色をたたえるはずがないからだ。(……)本物の百合が夜にだけ花を開くはずはなく、あれほど濃厚な、かすかに気持ちが悪くなるほどの甘さで空気を満たすはずがない。本物の土はあんな茶色をしていない。本物の草は荒廃して老いぼれたようなあんな特殊な色合いの緑色をしていないはずだ(雨が足りないのだ)。本物だったらあんなに貧相に見えるはずのない牛が、本物でないように見える牧草地で本物でないように見える草を食んでいる。(……)そこの人たちが話す英語(彼らは英語を壊してしまう)、彼らがお互いに対して腹を立てるさま、彼らが笑う時に出す音、そのすべてはあまりにも美しくて、この世にある他の本物のものとは違っていて、どれも本物ではないみたいだ。(1)

あまりにも鮮やかな美しさ、でもそれがどうにも正統性を欠いた、本来性を奪われた、作り物めいて見えることの、やりきれない息苦しさ。自分にとってたしかにその島は愛する故郷なのに、同時にそこがどうにも所属のしようがない、人為の歴史のための嘘くさい小さな舞台だという自覚。そしてその感覚をいまも人に抱かせるのは、島民たちの過去数百年の生活を規定してきた「主人」と「奴隷」の弁証法なのだった。

「主人」とは、「帝国」という企図が根本的にまちがっていたとはひとときたりとも思わないイギリス人のことだ。世界のどこに行ってもそこを「イギリス」に、出会った人々を「イギリス人」に変え、その成果を臆面もなく自画自賛してきたイギリス人たち。これに対する「奴隷」の「アンティーガ人（つまり黒人）」たちは、母国も祖国もなく、神々も聖地ももたない。記憶をもたない。そして何より、自分自身の言葉をもたない。そのため、植民地主義という犯罪について語るのにも、使える唯一の言語はその犯罪の犯人たちの言語——英語——だということになる。ここアンティーガでは、「人は奴隷制のことを、それがまるで大がかりな見世物芝居だったかのように」語る。現在では観光を大きな産業とするこの島では、「ホテル訓練学校」がすぐれた機関としてしばしば誉めたたえられるのだが、それはキンケイドによれば「よき召使になる方法、人であって人でない人」になる方法を教える場所でしかない。要するに「人々は奴隷制と奴隷解放に関する自分たちのこだわりと、自分たちが腐敗した人たちによって統治されていること、そしてその腐敗した人たちが自分らの国を腐敗した外国人たちに明け渡してしまっているという事実の間の関係を見ることができない」のだ。さらに、どんなユーモアよりも黒い、次のグロテスクな事実。この島国の大臣たちは、全員がアメリカ合衆国のグリーン・カードをもっている！　この島を統治する、この国の市民たちの中でもっとも大きな権力をもつ人々は、頻繁に訪れる場所であるアメリカ合衆国に居住権を確保し、自分の個人的な暮らしにそれが有利であればいつだって島を捨ててむこうに移るつもりでいる。そして島の日々の暮らしは、「堕落と屈辱」を「観光アトラクション」として、絵葉書よりも完璧ないつわりの美しさの中で展開してゆく。

こうして見ると、独立国であるとは、いったいどういうことなのだろう。たしかにかたちばかりの政治的独立ははたした、でも実質的な植民地状況はつづいている。イギリスとの関係により構造化された社会の、すべての退廃がここには残っている。アメリカとの関係による新たな経済構造の退廃が、そこに上書きされる。両者をつらぬくのは「英語」という言語の支配であり、支配者と被支配者の「肌の色」の関係だった。生まれ育った島の、そんなポストコロニアル状況を、あくまでも個人的な記憶に即して批判する評論『小さな場所』の、結末部はこうだ。

もう一度言うが、アンティーガは小さな場所だ。小さな島だ。幅9マイルで長さ12マイルだ。それはクリストファー・コロンブスによって一四九三年に発見された。その後じきに、それはヨーロッパの人間の屑たちによって入植され、彼らはアフリカから、奴隷化されてはいても高貴で気高い人間たち(どんな種類のものであれ、主人というのはすべて屑であり、どんな種類であっても奴隷というのはすべて高貴で気高い。これに関して疑問の余地はない)を連れてきて使うことによって、富と権力の欲望を満たそうとし、自分らの惨めな存在を少しでもましなものとしてとらえようとし、自分らの孤独と空虚を紛らそうとした――まさにヨーロッパの病だ。結局、主人たちは、ある意味では、去っていった。結局、奴隷たちは、ある意味では、解放された[2]。

その解放後もつづく停滞と退廃が、「ヨーロッパの病」の癒えることのない後遺症であることも明らかだろう。主人と奴隷であることをやめて「ただの人間」になっても、心の体制は社会に構造的に残る何かを模倣するかのように、土地と海の圧倒的な美しさをつまらない偽物に見せるほどに、解放なく、自閉し、よどんでいる。

それを意識することが、キンケイドにとっての作家の仕事のはじまりなのだった。作家とは誰でもある種の共同性を背景として自分の独自の声を探してゆくものだが、カリブ海の作家にとっては「移植された人々」としての家系の歴史を探ることが、必須の作業となるだろう。われわれは、元来、この島の人間ではなかった。けれどもこの島をわれわれの故郷とさだめ、そこから未来を想像し、創造するしかない。さまざまな人々、さまざまな文化の混成によってできているとはいえ、カリブ海文化の核心的担い手は住民の大多数を占めるアフリカ系の人々であり、カリブ海の言語や生活文化の特色をひとつの形容詞で言い表わすなら、それは「アフロ＝クレオル」（アフリカ系クレオル）だということになる。かれらアフロ＝クレオル人の全員が、故郷であるアフリカの夜明けの大地からむりやり根こぎにされてこの熱帯の島々に移植された奴隷の子孫であることは、そこから飛び火して現在の世界文化に（音楽に、美術に、文学に、都市風俗に）深く響きわたるベース・ラインのひとつだ。

事実、「カリブ海的なもの」すなわち「アフロ＝クレオル的なもの」は、そうと気づかないうちに、ぼくらの生活に入りこんで（響きわたって）きた。レゲエやサルサだけでなく、アメリカ合衆国南部のミシシッピ川デルタ地帯を起源とするブルーズだって、視点をちょっとずらせばカリブ海域アフロ＝クレオル連続体の一部となる。アメリカ合衆国黒人都市文化で「ヒップホップ」という言葉が使われるようになった一九八〇年代はじめは、ブレイク・ダンスをはじめとする街頭パフォーマンスやグラフィティ・アートの全盛期だったが、それらが強いカリブ海コネクションをもっていることを、日本に住むぼくらはそのころ十分に意識していなかった。いい例がジャン＝ミシェル・バスキアだ。ハイチ系の父親とプエルト・リコ系の母親から生まれ、家ではスペイン語を話していた、かたちと色彩に対する比類なく強烈な感覚をもったこの夭折した天才画家が、自分自身のことを「ぼくはクレオルさ」と呼んでいたことは、当時のニューヨークのアーティスト仲間だったジュリアン・シュナーベルが監督した映画『バスキア』（一九九六年）が再現しているとおりだ。どんな正統性にも属さない、混淆の子。異質の要素のぶつかりあいをそのままに受け入れ、創造へと転じる子。衝突を契機として、それまでに見られたことのなかった色彩や聞かれたことのなかった音響を生みだそうという姿勢こそ、「小さな場所」から育つ未知の種子の、アフロ＝クレオル的な反撃なのだった。

「関係」への目覚め

クレオルとはもともと「新世界、つまりアメリカス生まれ」の人や動物をさしていった呼び名だが、それが近代世界の商品作物の単一耕作のために作られたプランテーションという場と深くむすびついていることはいうまでもない。一般に「混血」というイメージで語られることが多いけれども、文化的なクレオル化という現象を、ぼくはむしろ言語学的モデルによって考えてきた。二つ以上の異なった言語を話す集団の接触により生じる、簡略化された実用的言語をピジン言語と呼ぶ。それを母語として話す子供たちが育ったとき、言語はクレオル段階に移行する。それと平行して、生活文化にも根源的な変容が見られることだろう。（もっとも、こうした発展段階説を否定する言語学者も多い。『言語進化の生態学』で知られるコンゴ出身のサリココ・ムフウェネは、ピジンとクレオルがそれぞれ商業コロニーと居住コロニーという性格の異なる場所で発展してきたことを強調している。）「混血」という現象においては、そのもととなったそれぞれの「純血」の正統性は疑われることとすらなく残るが、「クレオル化」はもともとの正統性をかえりみることなく、まったく新しい何かの出現を見つめるものだ。世界中のどこでも言語や文化はつねにすでにクレオル化されたものだったという言い方をする人もいるが、ぼくは個人的にはこの呼び名の使用を、拡大する力としての「ヨーロッパ」の拡張の前線地帯で、非ヨーロッパ的諸要素が征服され、しかし逆転的にみずからの痕跡をとどめる新しい何かを生み出した場合に限りたいと思っている。ヨーロッパ諸語をレクシファイアー（主要語彙母胎）とするクレオル言語が、別の伝統を語りはじめるとき。それはヨーロッパの拡大が世界に強いたさまざまな衝突の記憶を根底におく、みずからの生存を賭けての価値の逆転とダイナミックな創造をさしている。

衝突の最大のもの。それは奴隷として大西洋をわたるという集団的な経験だった。アメリカスの先住民の虐殺と並んで起こった、世界史上もっとも残虐な、強いられた流亡の経験。マルチニックの詩人・思想家エドゥアール・グリッサンは、父祖の地を奪われたアフリカ系ディアスポラ（離散し流浪する集団）の人々の始源の母胎を、大西洋をわたる奴隷船の船倉にあると見ている。

まずかれらは、故郷の大地と生活からむりやりに引き剝がされた。ついで見たこともない巨大な船の暗い腹に、ところ狭しとつめこまれる。血反吐にまみれた、酸鼻をきわめる航海。航海中に「奴隷船か海賊船に追われたとき、いちばん手っとり早いのは、積み荷に鉄球をつけて船べりから投げ捨て、船を軽くすることだった。黄金海岸からリーワード諸島にいたるまで、海底にはその跡が続いている[3]」。こうしてつづく航海はかれらにとって「ここは地球という惑星だということを知らぬままに陸＝海をわたってゆくという苦行」であり、かれらの神々も、生活の記憶も、食物の味や「黄色い大地と草原の匂い」とともに薄れてゆく。「絶対の未知」として前方にたちはだかっていた、その名すらかれらは知らなかったアメリカスに、こうしてかれらはすべてを奪われた絶対の裸の姿で到着し、そこでまったく新たな生活をはじめることを強いられた。その大地を、現実に相手にすることを強いられた。

かつてたしかに起こったその凄惨な経験は、もう取り消すことができない。しかし文字記録に残らないその経験は、想像的に捉えかえすしかない。グリッサンは、アフリカ系ディアアスポラのこの「渡り」の経験を、絶対の未知を現実にとりこむことで人々が「関係」に目覚めた、絶望を希望に反転させる契機として見直そうとする。

ただ特定の知識にすぎないのではなく、またはある特定の民族の食欲、苦悩、よろこびにすぎないのではなく、〈すべて〉の認識――深淵を経てきたことで成長し〈すべて〉の中に〈関係〉の知を解き放つ、そんな認識。(……)深淵を生きてきた人々は、みずからを選ばれたものだと自慢したりはしない。自分たちが近現代の世界を作る原動力を産んだのだと思うことは、ない。かれらはただ〈関係〉を生きているだけだ。深淵の忘却がかれらを訪れ、かれらの記憶が強固になるにしたがって、かれらが見出してゆく、その〈関係〉を。(……)〈関係〉とは、あれやこれやの奇異な事物からではなく、共有された認識から生まれるものだ。いまではわれわれは、この深淵の経験こそ、もっともよく共有されたものだということができる。(……)深淵とはまた未知の投影であり、未知へと開けた展望だ。その底知れない深みを超えて、われわれは未知に賭ける。この世界というゲームを支持し、更新されたインドを支持し、それに呼びかける。そして嵐と深い静寂からなるこの〈関係〉を支持し、それがわれわれの船の栄誉となるのだ。(4)

みごとな宣言だが、いくらかの注釈が必要かもしれない。アフリカからの強制移住により、かれらは惑星という全体に目覚めざるをえなくなった。やがては今日のグローバル化した経済にいたる、「全体」すなわち「すべて」を相手にせざるをえない位置に、むりやり置かれた。ところで、この「全体」を見わたすことは誰にもできず、人はそれを想像的に相手どるしかない。全体を想像すること、それは全体をたしかに編みなしている種々の力が、いまここで局地的に露出している、そのようすを見抜くことだ。ここにはどのような「関係」群が作用しているのかを認識し、その認識を「共有場《リュー・コマン》」（つまり「決まり文句《リュー・コマン》」でもある）へと育ててゆくこと。かつて、大西洋をわたる航海をつうじてわれわれが直面してきた「深淵」とは、未知の、未来の、投影でもあった。その未知に希望を賭けることによって、「世界」という強制されたゲームを支配者とは別の側から戦い、もともとは幻想の「インド」としてはじまったアメリカス（現在も残る「西インド諸島」という呼び名はカリブ海域をインドと勘違いしたことに由来する）を希望のための未踏の空間と読み換え、関係主義的世界観をうちたてることで、かつての奴隷船の記憶を、「栄誉」をもたらす希望の記憶に転換するのだ。

　アフリカ系ディアスポラの立場からのこの歴史の見直しは、過去五世紀にわたるヨーロッパの覇権によって「世界化された世界」の他の地域の人々にとっても、無縁ではいられない精神の姿勢をしめしている。

クレオル化と「世界の響き」

　いまひとことで「関係主義的世界観」と呼んだグリッサンのヴィジョンを端的に表すのは

échos-monde という造語だ。ハイフンを生かして「反響＝世界」と訳してもいいが、ぼく自身はいくらか開いたかたちで「世界の響き」と呼んできた。それは世界にばらまかれた種々雑多な要素があるところでひとつの表現を得て、そのいわば結晶の核のような表現を分析するならばそこに集ったさまざまな歴史や力を解きほぐしてゆくことができるような何かのことだ。細かく見てゆくなら、事実上、われわれの身のまわりのあらゆるものに「世界の響き」を聴きとることができるだろう。グリッサンが「詩学」と呼ぶのは単なる言語作品の作法ではなく、分野を問わず何らかの創造（ポイエーシス）がおこなわれるときの論理のことだが、いろいろなジャンルの創造を列挙しながら、グリッサンは「世界の響き」とは何なのかをわれわれに示唆しようとしていた。

ウィリアム・フォークナーの小説、ボブ・マーリーの歌、ベンワ・マンデルブロの理論は、いずれも〈世界の響き〉だ。ウィフレド・ラムの絵画（合流による）やロベルト・マッタの絵画（引き裂きによる）、シカゴの建築、リオデジャネイロやカラカスのバリオの混乱、エズラ・パウンドの『カントス』、それにソウェトの小学生たちの行進も、すべて〈世界の響き〉だ。『フィネガンズ・ウェイク』は予言的な、したがって絶対的な（現実への登場なしの）〈世界の響き〉だった。

アントナン・アルトーの言葉は、世界の外の〈世界の響き〉だ。ある伝統からやってきて、〈関係〉へ入るもの。ある伝統を擁護しつつ、〈関係〉を認可するもの。あらゆる伝統を離れ、あるいは反抗して、〈関係〉のもう一つの意味＝感覚＝方向を作りだすもの。〈関係〉に生まれながら、それに矛盾し、抑制するもの。（……）各個人や各共同体は、想像によって、力や高慢の、苦しみや忍耐の、〈世界の響き〉を作り上げる。合流を生き、あるいは表現するために、一人一人の個人がこの音楽を作り、一つ一つの共同体もこの音楽を作る。そして個人や共同体が集まって実現された全体も。〈世界の響き〉は、こうしてわれわれが、諸民族の波瀾にみちた数々の出会いを感じとり、指摘することを許す。それら数々の出会いの全地球的性格が、われわれの〈世界というカオス〉を作り上げる。〈世界の響き〉は、〈世界というカオス〉の構成要素（決定的なものではない）と表現を、同時に描きだす。(5)

ある表現の背後にある、全地球的ひろがりを暗示するもの。それでいて、「普遍性」といった抽象概念にゆきつくことなく、あくまでも局地的な、個としての、比較不可能な強度をたたえたもの。そう考えるなら、さきほどあげたバスキアの絵画もまぎれもなく「世界の響き」（創造的な）であり、またアンティーガの国際空港の清潔な外見だって「世界の響き」（商業的・観光的な）であることは疑えないだろう。「世界の響き」は、それ自体としては、良いものでも悪いものでもありうる。美しいものでも醜いものでもありうる。善悪や美醜の価値判断を超えて、世界をおりなす関係性に人の目や耳を開いてくれるすべてが、「世界の響き」なのだ。

カリブ海フランス語圏の文学思想史的展開は、しばしばこんな発展的図式で語られる。ネグリチュード（黒人性）からアンティヤニテ（カリブ海性）からクレオリテ（クレオル性）へと。ごく簡単にふりかえるなら、ネグリチュードとは自分自身のアフリカ系のアイデンティティを強く主張する立場（マルチニックのエメ・セゼール、ただしセネガルのレオポル・セダール・サンゴールとはちがってセゼールにはすでに「自分にとってアフリカへの帰還は禁じられている」という意識があったと思う）。アンティヤニテとは、アフリカへの本質主義的帰還ではなくカリブ海域という交通の場の五世紀の歴史を自覚し、その固有の文化的力学を重視しようとする立場（セゼールの教え子だったグリッサンが七〇年代までに唱えていたヴィジョン）。クレオリテとは、すでに述べたクレオル的性格にみずからの根拠を置き、アフリカにも帰還せず、土地にも属さない、流浪と混淆と混血の存在を称揚する立場だといえるだろうか（ベルナベ、コンフィアン、シャモワゾーのマニフェスト(6)で有名になった）。ただし、「クレオル性」という言葉を使ったそのときから、何か実体化された（まるで「混血の子」というような）性格がイメージされてしまうのも避けられない。これに対してグリッサンは、クレオルという形容詞が言い表すのは固定的性格ではなくつねにいまここで起こりつつあるプロセスなのだという事実を強調するために、クレオリザシオン（クレオル化）という用語をもっぱら使うようになっている。このプロセスとしてのクレオル化の、ひとつひとつの段階が獲得した表現のことを、「世界の響き」と呼んでいるわけだ。そしてこの位置からふりかえるなら、ネグリチュード、アンティヤニテ、クレオリテといった区分（というか主題化）は別に発展段階のようなものではなく、それぞれに独自の紋様を描き出した「世界の響き」だったということになるだろう。

あまりに話がひろがりすぎただろうか。けれどもさまざまな個別の表現に、その背後にひそむ惑星大の反響を聴きとるという精神的態度の重要性は、どれほど強調してもしすぎることはないと、ぼくは思っている。こんな笑い話を聞いたことがある。以前、グリッサンが来日したとき、ある日本のフランス文学者が「クレオル化とは結局どういうことなのですか」と訊ねた。グリッサンはただ、「あなたと私がこうして向き合っている、そのことです」と答えたそうだ。質問をしたフランス文学者は、その答えには大いに不満だったようだ。そんなことは単に国際航空網の発達の結果にすぎないではないか、と。だが、ぼくは別のうけとめ方をしている。そのときその場での「対面」という、ほんのささやかな事件の、背後にひそむすべての歴史と力学と機縁をただちに想像してしまうのが、グリッサン的精神の特性なのだ。それに対して、世界のステイタス・クオ（現状維持）を望む者たちは、沈黙したまままたたずむ広大な背景を、まるで見ないですませようとする。もちろん、人の想像力は限界だらけだ。どのような「世界の響き」を前にしても、われわれは多くを見過ごす。そこであえて立ち止まって、その響きを成立させる条件を、懸命に想像すること。それこそ、すべての根拠を奪われた小さな島の人間が、島と島をつなぎそこに無音で響きわたる関係のパターンを見抜きつつ「世界」という全体に対してくりひろげる、批判的な思考のスタイルなのではないだろうか。

オムニフォンの列島へ

グリッサンの思考のスタイルには、くりかえしが多い。初期の評論集『意識の太陽』（一九五六年）や『詩的意図』（一九六九年）以来、基本的にはおなじ着想が、さまざまに言い換えられ、ひろがりと奥行きを与えられ、時代の事象とともに旋回し、螺旋状に上昇してゆく。クレオル化、共有場、「世界の響き」、炸裂媒体《アジャンデクラ》、列島的思考。どれも世界をめぐるひとつの着想が別のひとつの世界観と衝突し、予測不可能な変容を強いられるメカニズムとそこから生まれてきた新しい何かに、そのつど別の表現をもって接近しようとしているものだといっていいだろう。

たしかにある面では不可逆的にひとつのものとなった地球、それはたとえば科学者バックミンスター・フラーの「宇宙船地球号」という卓抜な表現や、冷戦後の世界経済を語るときの「グローバル化」といった単語がさししめそうとするものだが、この全体化された現代世界での「諸文化間の出会い、干渉、衝突、調和と不調和」をクレオリザシオンと呼びながら、グリッサンはその特徴として、以下のような点をあげていた。

――惹起される相互作用の速度が電光石火であること。
――我々がそれについて持つ〈意識の意識〉。
――そこから相互的価値化運動が起こる、それぞれが自分のために混交要素の評価を新たにする必要があること（クレオリザシオンは価値の階層化を前提としない）。
――合力の不可測性（クレオリザシオンは混交にとどまるものではない、混交なら総合力の予測は可能であろう）[7]。

簡単に言い直してみよう。ものすごい速度で、異質な要素がぶつかりあっている。そこから日々の変容が生じていることを、誰もが意識している。新しく生まれたものを、伝統的価値軸にしたがって評価し位置づけることはできない。何が生まれてくるのかは、もとにあった正統性からは予測不可能だ、ということだろうか。現代世界のわれわれは、誰もがそんなプロセスが日々進行していることに気づいている。表現はさまざまだが、それを広く捉えなおすなら、過去五世紀のアメリカスでのできごとが世界全体にひろがったのだということもできそうだ。

アメリカスの意匠を特徴づけてきたのは、バロックだ。グリッサンの言い方を追ってみるなら

バロックはすすんで口誦性の序階（あるいは無序階）に属するものだ。それは諸アメリカにおいては混血とクレオール化の絶えず反復される美に遭遇する。そこでは天使はインディアンであり、処女マリアは黒人、カテドラルはさながら石の植生である。そしてそれは語り部の言葉に谺し、その言葉はまた熱帯の夜に広がって、蓄積し、反復する。

語り部はクレオールかケチュアかナヴァホかケイジャンだ。諸アメリカにおいてはバロックが根づいている。(8)

ここで「口誦性」と呼ばれているのは、文字に書き表された定本の「固さ」に対して、ずっとゆるやかなまとまりをなしつつ、そのつどの即興的表現を許す、可塑的な伝統(つねに生まれつつある伝統)とでもいえるものだろう。世界の他の場所にすみながら、われわれのすべてが、おなじような口誦性の繁茂、諸要素のバロック化を、いろんなジャンルや水準で経験している。アメリカスの全般化、アフロ=クレオルの飛び火、全世界的クレオル化、どう呼んでもいいが、グリッサンにいわせるなら、それは全世界の「列島化」なのだった。

領土の画定を至上命令とする王国や国民国家の伝統では、面の支配と境界内の均一化がめざされる。しかしそうした領土面のあちこちで、異質な要素の「島」が生じれば、「島」たちはついで互いに呼びかわし、制御不可能な列島のネットワークをかたちづくってしまう。これは抽象的レベルの話ではない。事実として、そうなのだ。「世界の響き」を一度でも聴きとった者には、それはもはや自明のことだ。かつて哲学者ドゥルーズと精神科医ガタリが二人でしめした「リゾーム」という世界把握のモデルに共鳴するようなこの列島のヴィジョンは、しかしグリッサンにとっては何よりもカリブ海的現実をそのままに描写するものなのだった。

異質な言葉たちが隣あい、海という媒体によってやわらかくむすばれているこの地域の子として、グリッサンは何度も変奏しながら、こんな風に語ってきた。

世界の多様性は、世界のすべての言語を必要とする。

われわれは世界のすべての言語がかたわらでたたずんでいるのを意識しながら、語り、書く。これが単に可算的な「一言語」という単位を前提としながら多くの言語を習得し理解可能性をひろげてゆくといういわゆる「多言語主義、多言語使用」とはいくらかずれていることは、すぐにわかると思う。こうした別のかたちの多言語主義のことを、グリッサンの精神的後継者である『テキサコ』の小説家パトリック・シャモワゾーは「オムニフォン」という造語で表した[9]。「フランコフォン」（フランス語使用）や「アングロフォン」（英語使用）といった住み分けを超えて、「オムニ」（すべての）という接頭辞がしめすとおり、あらゆる言葉が同時に響きわたる言語空間で生きる決意をいうものだと、ぼくはうけとめている。理解できない言葉の不透明性をうけいれ、それに耐えつつ、それを尊重し、その来歴を想像し、新たな「列島」を構成しうる可能性を探ろうとするのだ。

企図、侵略、拡張、略奪、搾取、蓄積、そうした原理に立って世界を「ひとつ」の世界に構成してきた巨大な力に対し、言葉を奪われ沈黙を強いられてきた者たちの末裔が、いま征服者の言葉を逆転的に使用し、透明な支配に対抗しようとする。「世界」という全体、「地球」という全体は、たしかにもはや回避することのできない枠組としてある。しかしそれをあからさまに全体主義的な、統合資本主義世界システムの支配にゆだねなくてはならないという必要は、ない。小さな場所を抹消し、小さな言葉を沈黙させてゆこうとするシステムの、世界を単純明解で効率のよいものにしてゆこうとする動きには、「島」を育て島々を「列島」へとむすび、忘れられた歴史を口伝えに語り、また書き記す意志をもって、対抗しなくてはならない。ここでふれたキンケイドやグリッサン、あるいは他にも多くのカリブ海の作家たちは、彼女あるいは彼自身をみずからひとつひとつの「世界の響き」に育て上げることによって、この列島化の破線で描かれた前線をかたちづくっている。

（1）ジャメイカ・キンケイド『小さな場所』（旦敬介訳、平凡社、一九九七年）pp.109-110.
（2）同書pp.113-114.
（3）エドゥアール・グリッサン『〈関係〉の詩学』（管啓次郎訳、インスクリプト、二〇〇〇年）p.13.
（4）同書pp.15-17.
（5）同書pp.119-120.
（6）ジャン・ベルナベ＋パトリック・シャモワゾー＋ラファエル・コンフィアン『クレオール礼賛』（恒川邦夫訳、平凡社、一九九八年）。
（7）エドゥアール・グリッサン『全-世界論』（恒川邦夫訳、みすず書房、二〇〇〇年）p.185.
（8）同書p.106.
（9）Patrick Chamoiseau. *Écrire en pays dominé*. 1996, p.266.

2003

花、野、世 *Flower Wilderness World*

アイズリー、スナイダー、ヤキ族にとっての花

花がこの世界にとってもつ意味を考えてみたいと思う。花とはいったい何なのか。なぜ人は花を美しいと思うのか。他の動物たちは、花というものを、あるいは「こと」を、どう考えているのか。これらの一組の問いは、子供のころのぼくに生まれ、それからずっと答えをもたないまま、ときおり思いだしては漠然と考えてきたものだ。もちろん長い年月のあいだには、そのつどその場かぎりの答えも、いくつか思いつくのがあたりまえだろう。たとえばこんな風に。

花が美しいのは、それが性の分化に、生殖に関係しているから。（といっても花の性は人間のセクシュアリティとは無関係なのだから、この効果はただ言語的に生じるものなのかもしれない。）

花が美しいのは、それが色彩をきわめて鮮烈に体験させてくれるから。

花はいい匂いがする。

花が美しいのは、それが鳥や昆虫を集めるから。集まるかれらを見て、人はそれらの小動物に自分を同一化して考える。

花が美しいのは、それが花粉や蜂蜜といった特別な物質をもたらしてくれると、われわれは知っているから。（花粉の錠剤という合法的ドラッグを愛用するようになって、いよいよそう思う。）

花が美しいのは、花のある場所には強い生命力が働いていることが感じられるから。ある土地が審美的にいってすばらしい土地であるとき、そこはまず確実に物質的にもいい土地なのだ。

そして最後に、花が美しいのは、それがやがて枯れてゆくから。われわれは花のはじまりとその終りを見ることができ、さらにその彼方に約束された再生があることを知っている。こうして花は、どのような意味においても、生命そのものの形象となる。

六万年前、ネアンデルタール人は死者の体を少なくとも八種類の花でおおった。世界を移っていった者に手向けられた、こちらの岸辺の花束。それ以来、死は人にとって究極の教師、花は究極のささげものだった。どうやらこの地球におけるすべての人間文化で、例外なく、花は特別な、強い意味を与えられている。それには何かはっきりした、物質的理由があるはずだ。でも、それが何なのかはわからなかった。その手がかりをはじめて教えてくれたのが、ローレン・アイズリーだった。

ローレン・アイズリー（一九〇七―一九七七年）は、大恐慌につづくどん底の不況時代にネブラスカの平原で育った形質人類学者だ。ホーボーと呼ばれた鉄道浮浪者の生活を十代で経験したあと、化石狩りで生計を立てながらネブラスカ大学で学んだ。のちにはペンシルヴァニア大学で人類学科の主任を長らくつとめるかたわら、一般読者むけの科学史の著作を旺盛に執筆。こうした一般むけのエセーで、西欧的世界観の基本的な前提を問い直しつづけたのが、結局、彼のもっとも重要な仕事となったようだ。

アイズリーは、ひとことでいって、幻視者《ヴィジョナリー》だった。ヴィジョナリーとは——ぼくの考えでは——未来を見る者ではなく、絶えず過去を見直してゆく誰かのことをいう。つまり、ヴィジョンとは、つねにリ＝ヴィジョンなのだ。いいかえればヴィジョナリーとは、世界の歴史について、他の人が信じてきた物語とは異なったヴァージョンを語る者。幻視者アイズリーの批判の標的となったのは、近代ヨーロッパ科学に内在するある種の論理であり、ヨーロッパの技術科学と手をたずさえて発展してきたヨーロッパのとめどない自己拡張だった。これを相対化するために、彼は西欧的クロノロジー（時間論理）の背後に隠されてしまった、まったく異なったさまざまな時間性に、人々の注意をむけようとする。イギリス経験論の親、シェイクスピアの正確な同時代人である幻視者フランシス・ベーコンについてアイズリー自身が使った呼び名にしたがえば、アイズリーもまた「時を見通す人」だった。

たとえば「原初からの人々（The Aboriginals）」と題された詩を、彼は書いている（翻訳は管啓次郎『狼が連れだって走る月』、筑摩書房、一九九四年、76-78ページ）。その詩で彼が想起するのは、オーストラリアのアボリジナルたちにとっての「時」だった。人間が経験してきた数々の「時」のあり方のうち、近代ヨーロッパの物質的生産・変形行動や経済行動を支配する単線的時間は、ごく限定されたひとつでしかない。しかしアイズリーが見る時間は、こうした人間的尺度での相対化を、さらに超えてゆく。われわれに先行するあらゆる形態の生命がそのまま宿っている。ある風景を見たなら、そこにはもはや回想不可能な太古からその土地が経験してきたあらゆる遷移の記憶がたなびいている。アイズリーの想像力は人類学的である以上に考古学的であり、さらに生物学的・生命誌的であり、地質学的なものだった。これらの多層的な時間を、彼は自由に往還した。

「花はいかに世界を変えたか（How Flowers Changed the World）」と呼ばれる強烈な印象を残すエセーで、アイズリーは一億年前に起こった「白亜紀の爆発」について語っている。この時期は被子植物の出現期、つまり花を咲かせる植物の誕生期だった。「チャールズ・ダーウィンはそれを〈言語道断な謎〉と呼んだ。なぜなら被子植物はあまりに突然に出現し、きわめて急速にひろまったからだ」。被子植物出現以前の地球は、現在のわれわれが知る惑星とはひどく異なったものだった。まず、草がなかった。動物界は、爬虫類に支配されていた。内陸部は松、トウヒ、巨大なセコイアの森林におおわれていた。「すべては硬く、きちんとして、直立し、緑色だった、あまりに単調な緑色だった」。そこに花咲く植物が現れ、急速にひろまった。これらの植物はふしぎな色に輝き、さまざまな奇妙な外観の果実をつけ、果実は「暖かい血をした高速代謝機械のための、濃縮食料となった」。裸の大地の表面は、草におおわれた。地球は、いまわれわれが知る意味での「緑」となった。植物生命におけるこの改革が、それにつづ

く動物の進化を準備する。アイズリー自身のカラフルな表現では

　この爆発は、動物生命にも影響をおよぼしていた。新しい食物源に対して専門化した昆虫のグループが出現しつつあり、それらは偶然に、そうとは知らずに、植物を受精させるようになった。花は咲き、いっそう大きく、はなばなしい多様な外見のもとに咲き乱れた。あるものは夜のかすかな光の中で蛾を誘うよう薄い色をした非現世的な夜の花で、あるものはたとえばある種の蘭のように雌の蜘蛛のかたちをしてさまよう雄をひきつけ、あるものは白昼の光に赤く燃え上がり、あるいは草原でつつましくまたたいた。複雑なメカニズムが、花粉をハチドリの胸にはねちらし、あるいは花から花へと勤勉にうなり飛ぶ黒い蜂の腹に押しつけた。蜜は流れ、昆虫は激増し、あの歯がはえた太古のトカゲ＝鳥の子孫たちさえ奇妙に姿を変えた。嚙みつくための歯ではなくつつくための嘴を手に入れたかれらは、種子をついばみ、昆虫を飲みこんだが、昆虫とはじつは変換された花蜜《ネクター》にほかならなかった。

　すべての進化は、いうまでもなく、共＝進化だ。すべての種の分化は、その環境とのあいだの相互作用の結果にほかならない。植物でも動物でも、生物はすべて環境とひとつにむすばれた、物質的結節点としてのみ存在できる。けれどもわれわれの惑星の自然史では、植物の決定的な先行性があることは疑えないだろう。植物が地球を、動物にとって住める星にし

てくれた。

花とは、したがって、ひとつの贈り物、徹底的に物質的な贈り物、どのような神によってでもなく、植物自身によって動物に与えられた贈り物だったわけだ。それは、花の仕事だった。花は生命を凝縮する。凝縮し、加速し、未知の変型の空間へと投げだす。今日の鳥も、哺乳動物も、「白亜期の爆発」の直接の産物だった。鳥や蝶の目の覚めるような色彩にしても、すべては花の結果。われわれ地球の恒温動物は、かつて別のかたちをして別の血液をもち、花の時代がやってきてわれわれを以前の形態から連れだしてくれるのを、じっと待っていたのだ。


ゲイリー・スナイダー(一九三〇年―)は、今日のエコソフィア(エコロジカルな英知)にとってもっとも重要な人物のひとりだ。彼のエセーはつねに刺激的で、優美で、われわれ人間があらゆる生命の議会の一員として与えられた場所でどのように生きてゆくべきかという問いをめぐる、率直な提言にみちている。スナイダーにおいて、仏教、エコロジー、プライマリーな人々(ファースト・ピープル、ネィティヴ・ピープル)の伝統知が、本物の詩人の声をもって統合される。

エコソフィアを語る彼の著作には、二つの焦点がある。ひとつはわれわれの生活空間について別の見方を提出する「バイオリージョナリズム」(生命地域主義)という考え方。もうひとつは、実践の要綱としての「リインハビテーション」(ふたたび土地に住みこむこと)だ。このいずれの概念にとっても、植物の先行性の認識が、決定的な役割をはたしている。「バイオリージョン」とは、その植物相《フローラ》および動物相《ファウナ》によって他とは区別される、きわめて広い地域をさす。あるバイオリージョンの特性は、たとえば分水界（水系をおなじくする地域）、地勢、標高、降水量といった、現実の自然力によって決まる。（ここで、たぶんマクロなバイオリージョンとミクロなバイオリージョンといった区分をさらにもちこむこともできるだろう。共通の特性におおわれた広範な地域だけでなく、ときにはごく近くにあってもまるでようすのちがう土地、局地的なゆらぎか存在するからだ。）バイオリージョンを知ることは、自分が住む土地の本質を知るということだ。あるバイオリージョンのもっとも明らかに見える特性は、その植物相だろう。（ある写真を見せられるとき、われわれはまず植物のようすから、その土地の位置を推測するものだ。）いわば植物とは、土地が語る言葉なのだ。

スナイダーは、太平洋沿岸部のダグラス・ファーの例をあげている。これは太平洋岸北西部の、典型的樹木だ。その北限はだいたいブリティッシュ・コロンビア州のスキーナ川流域。南限は、ほぼ鮭の南限と一致し、カリフォルニア州のビッグ・サー川がそれにあたる。四つの州（カリフォルニア、オレゴン、ワシントン、ブリティッシュ・コロンビア）、二つの国にまたがり、この樹の存在範囲はほぼ同程度の降雨量と気温水準によって決まっている。これはいいかえれば、その地域にどのような自然力が働いているか、ということだ。

「場所の精霊」（ゲニウス・ロキ）と呼ばれてきたのは、じつはその土地に働いているさまざまな自然力の総和のことにほかならない。これは土地の精霊に対する、神秘主義とはまるで無縁な、確固とした、唯物論的見方だ。バイオリージョナリズムとは、このような見方を基本として、自分の日常生活を組織し、新しいかたちのコミュニティを作り上げようとする意志をいう。それは現行の政治形態や境界設定を書き直し、土地についてのとらえ方を根底から再構成する。

スナイダーはいう。「〈本当の人々〉は、土地の植物のことを身近に、じつによく知っている。(……)ほとんどのアメリカ人は、自分たちが植物を知らないということすら知らない」(『野生の実践』)。もちろん、その無知はアメリカ人にかぎった話ではない。舗装道路、自動車、広域市場に大規模流通する食物、工業食品といった「アメリカ的生活様式」を無自覚に採用したすべての先進工業国が共有する、空恐ろしい無知だ。しかもこの無知は、わずか数十年の無知にすぎないのに、もはやほとんどくりかえしのつかない地点にまで進んでしまった。知識を、とり戻さなくてはならない。

まず、植物からはじめる。その「ローカルな知識」の追求において、われわれは権利上・実践上、ある地域の生まれたてのネイティヴとなることができる。この動きを、「リインハビテーション」と呼ぶことにしよう。植物を見分けられるようになり、植物についての伝承知を学ぶことが、その最初の鍵となるだろう。食料採取パターンは植物相によって決まり、伝統社会はすべて環境についてのきわめて正確な経験的知識をもっていた。逆にいえば、「土地をめぐる確実な、本物の知識が、新しい、場所に根ざしたethnosを組織する。人々は、「土地が、その地点で、どのような特定の植物を〈語るか〉を学ばなくてはならない」(『宇宙の中のここ』）。

土地は人間の言葉を語りはしない。しかし、われわれはそれをわれわれの言語において理解する。そのための中心的な語彙は、かってわれわれの祖先が――血脈による祖先ではなくその土地の祖先が――その土地の植物を呼んだその〈名〉なのだ。

土地に住む人々、伝統的先住民は、ふつう土地の聖性についてきわめて鋭敏な意識をもっている。この聖性が由来するのは、生と死の神秘の意識、われわれの生命が環境との日々の物質的交換によって織り上げられたものだという意識だ。その論理は、ごく明快に、次のようにいえるだろう。

われわれは生きるために、他の生命を殺す。
われわれは生命を、土地からの純粋な贈り物だと考える。
われわれが死んだなら、この体を物質的に土地に帰さなくてはならない。

スナイダーは、土地の人々のそんな意識をうけついでいる。彼の態度を、ぼくは「ナチュラル・マテリアリズム」と呼んできた。

生物学的・エコロジー的科学は、（暗黙のうちに）精神的次元への道を開いてきた。われわれは、ミネラルの循環回路、水の循環回路、栄養の循環回路を、サクラメンタル（供犠の観念を含んだ神聖）なものとして見ることを学ばなくてはならない――そしてその洞察を、われわれ自身の精神的（霊的）な追求にくみこみ、より近い過去からうけついできたすべての英知の教えと統合してゆかなくてはならない。その表現は単純だ。こうしたすべてに感謝の気持ちをもつこと。自分自身の行動に責任をもつこと。きみ自身の生命に流れこむエネルギーのあらゆる源泉（すなわち土、水、肉）に、直接の接触をもつこと。

自分をかたちづくる物質をサクラメンタルなものとして見るこの態度は、非常に重要だと思う。ここでスナイダーは、彼にとっての〈仏教〉をあらわに語っている。仏教の第一の戒律は「傷つけないこと」、サンスクリットの「アヒムサ」だ。殺生をしてはならない。しかしわれわれの生命の持続のためには、殺しが避けられない。種と種の関係から見れば、死と生はつねにひとつに連続している。生きることは殺すことであり、傷つけることなのだ。このことは、われわれのひとりひとりが自分なりの回答を探さなくてはならない問題だ。そして最終的な回答が出ないうちにも、きみには日々の態度決定がせまられる。

この「サクラメンタルな生態系」という見方が、狩猟採集文化における憐れみと感謝のすべての儀式の背後にある。そうした儀式では、狩猟の獲物の霊に対する、特別な尊敬が払われる。野生植物の採集と栽培も、同様に植物の生命に対する尊敬のこもった注意を要求する。菜食主義者にだって、狩猟者に劣らぬほどの注意深さが必要なのだ。

はたして、伝統文化が考えてきたような「霊」が実在するかどうかは、どうでもいいことだ。問題なのは、「自分」への物質的同化によって、それ本来の自律性を破壊され、ありえた生存の可能性を断ち切られた生命が、たしかに実在するということだ。この失われた可能性、ここに臨在する空白のことを人は「霊」と呼び、それは言語的な構築物であり、それが人の行動を制御する。ナチュラル・マテリアリズムが見る「霊」は、まやかしとは無縁であり、この意味での「霊的（精神的）追求」は、自分の行動の意味を考える誰もが、つねにおこなってきたことだろう。

ところで、世界各地の文化の神話で、液体から花への転換が語られているのは興味深い。古代ローマでは、眠る女神ユーノーのお乳が地面に落ち、そこから白い百合が咲き出た。イスラム教徒にとっては薔薇が神聖だ、なぜならそれは預言者モハメッドが天を旅した際の汗のしずくから生じたものだから。ラテン・アメリカ先住民文化の土着化したキリスト教のいくつかでは、ゼラニウムは悪魔から逃げるキリストの血から咲いたといわれる。谷間の百合は、「聖母の涙」とも呼ばれる（エリアーデ編『宗教百科辞典』パミラ・フリーゼの記述による）。

こうした神話が生まれるのは、花が水さえあれば何もない土地から生えだすことを、われわれが知っているからだ。乳、血、汗、涙は、いずれも象徴的な意味をおびた水にほかならない（おそらく精液から咲く花という神話もあるはずだ――あるいはジャン・ジュネの『花のノートル・ダム』がそれか）。意味は、言語によって、花に与えられる。これらの神話の真の秘密は、花とは水（元来は天からやってくるもの）と大地との結婚から生じたものだという点にあるだろう。水が、花になる。花に変わる。そしてこの単純な事実がもっとも強烈に感じられるのは、水の乏しい土地、すなわち沙漠地帯でのことだ。

アメリカ南西部、ソノラ沙漠。この高原沙漠の一角の盆地にオアシスのように存在する瀟洒な町が、トゥーソンだ。市内を縦貫するインターステイト10号線とグラント・ロードの立体交差を少し離れたところに、ごく普通の小さな家が立ち並ぶブロックがある。誰かにそうと教えられるまで、そのブロックの奇妙さに気がつく人はほとんどいないだろう。だが一度、気がついてしまえば、その奇妙さは頭から離れなくなる。

ここではすべての家が、小さな庭をもっているのだ。庭といってもアメリカの住宅に典型的な、緑の芝生一色のそれでも、あるいはこの地方に特有の、サボテンや沙漠の植物だけをアレンジした赤茶けた枯れ庭でもない。このブロックでは――先住民作家レスリー・マーモン・シルコの言葉を借りるなら――「トウモロコシと豆、メロン、薔薇、センナ、ひまわりが、いっしょに育っている。芝生はない」。ここは都市に埋めこまれたプエブロ（スペイン語で「村」のこと）、パスクア・ビエホすなわち「古いパスクア」と呼ばれる、ヤキ族の集落なのだ。トゥーソンを出て郊外を西にむかい、より大規模な新パスクア（パスクア・ヌエボ）の村にゆけば、このパターンはよりはっきり見えるものとなる。ヤキの人々は植物とのあいだに特別に親密な関係をむすんでいて、その関係がかれらの庭作りに反映されているのだ。その背後には、かれら自身の宗教的理由がある。

ヤキは、元来アリゾナの人々ではない。かれらのここ数百年にわたる父祖の地は、さらに南、国境を越えたメキシコはソノラ州の、リオ・ヤキ（ヤキ川）沿いの渓谷だった。メキシコが近代国家として成長する十九世紀から二十世紀初頭にかけて、中央政府は各地の先住民に対する弾圧を強め、「メキシコ共和国」への同化を拒む人々は、執拗な迫害に対してゲリラ戦を組織して抵抗してきた。なかでももっとも頑なに抵抗した部族のひとつが、このヤキだった。抵抗すればするほど、迫害も熾烈さを増す。かれらは伝来の土地からの立ち退きを強制され、流浪の生活がはじまる。

一九〇八年までには、少なくとも五千人の男女が、ユカタン半島のサイザル麻プランテーションに、小作人＝奴隷として売られていった（といってもいったい誰が、その代金を受けとったのだろう？）。子供たちはメキシコ人家庭に使用人としておかれ、そのままメキシコ人として育てられた。おそらく四千人ほどが、国境を越えてアリゾナ、カリフォルニア、ニュー・メキシコの各州に逃げこみ、残りの者はソノラ州各地に離散していったという。この流浪の歴史をつうじて、かれらは自分たち独自の世界観と信仰を維持し、そこでは「花」が中心的な象徴としての役割をはたした。このことは、かれらの伝統的な「鹿踊りの歌」、そしてイースター（キリスト復活祭）の儀礼に、明らかに見られる（「パスクア」というかれらの名は、スペイン語で「復活祭」を意味する。キリスト教化されて以降のこの二百年あるいは三百年、かれらにとっての一年の中心に位置するのがこの祭儀だったことがうかがえる）。

ヤキの宗教は、スペイン人到来以前の「土地の人々」の信仰に、キリスト教が混淆したものだ。一世紀近い流浪の生活の後にも、今日でもかれらの宗教生活はきわめて強い感情に裏打ちされ、一貫性がある。村の家々はどこも、年間の祭りのカレンダーの中ではたすべき役割をもつ。なかでも最大の祭りが、復活祭の祝いだ。たとえば村の少年たちのある者は、ファリセオ(パリサイ人)のグループに参加する。かれらは復活祭の期間、イエスの迫害者を演じる。ある者は鹿踊りの踊り手に加わる。この踊りの練習は年間をつうじておこなわれ、その練習自体に一種の宗教的な献身としての意味がある。復活祭の儀礼では、イエスの復活劇というキリスト教的パフォーマンスと鹿踊りという「土着の」パフォーマンスが、平行して演じられる。この共存ぶりが、ヤキの村の精神生活に独特の色彩を与える、大きな特徴だといっていいだろう。

村の中心は広場であり、その西のはずれに教会がある。対する東の端には、巨大な十字架が立てられる。教会は装飾され、そこでいろいろな行事がおこなわれる。入口の脇では音楽が奏でられている。ギター二本、フィドル、バホ・セスト(六弦のベース・ギター)からなるバンドが、反復の多いインストゥルメンタルの曲を延々と演奏する。これと同時平行で、広場の北東の端にあるラマダ(あずまや)では、伝統的な歌にともなわれた鹿踊りが、老人から子供まで全員男の踊り手たちによって絶えまなく踊られる。歌はヤキ語だが、ときおりスペイン語からの借用語が聞こえる。上半身裸の男たちは目隠しをして、頭に鹿の頭を載せ、ユーモラスな動きで野生の獣をその場に現前させる。この間も、広場の両側には仮設の店が立ち並び、揚げパンやお菓子や飲み物を売っていて、人々はぶらぶらと鹿踊りから音楽、教会へのお参り、知人との談笑などのあいだを移り歩いてすごす。この祭りのためには、ふだんは遠くで暮らしている者たちもできるかぎり帰ってくる。これがかれらの正月なのだ。鹿踊りの秘儀と教会の行事は互いに独立し、どちらも単独でその場を完全に支配してしまうことはなく、合わせてはじめて、ヤキの信仰とその祝いの全体をなしている。

ヤキの神話には、明確なトポロジカルな布陣がある。何よりも大切なのは「フヤ・アニア」、つまり「野」、野生の領域だ。これは最初の、「本物の」ヤキが住んでいた場所だとされ、それがさすのはかれらの現在の居住地から見ると山々のむこうに位置する、広大な高原沙漠そのものだ。それは現実の、人が住まない沙漠であり、同時にかれらの伝説的起源の場所なのだ。スペイン語では、ヤキはそれを「モンテ」、つまりただ「山」と呼ぶ(亡命以後のヤキはヤキ語・スペイン語・英語の三言語併用が基本だ)。現実のマテリアルな沙漠に、その神話的空間が重ね描きされている。かれらの心の時間軸では、フヤ・アニアはカトリック信仰が到来する以前の絶対的な過去、あるいは計測可能な時間の剥落した非歴史的・神話的な「刻」に属している。それこそかれらの故郷、同時に想像的でもあれば現実的でもあるふるさとなのだ。

ついで、「セア・アニア」(あるいはセワ・アニア)がある。直訳すれば「花の世」。それは方角でいえば東、夜明けの下に位置し、そこには自然界のあらゆる美が完璧に映しだされているのだという。この場所は花々と水と、自然がもたらすすべての恵みにみちている。そこには、ソノラ沙漠で見られるあらゆる昆虫や鳥や動物それぞれのプロトタイプともいえる、「原初のそれ」が住んでいる。たとえばハチドリならすべてのハチドリの祖先である原初の一羽のハチドリが、ジャックラビットならすべてのジャックラビットの祖先である神話的な一匹のそれが、住んでいるということだろう（したがってセア・アニアとは、あるいはオーストラリア先住民のいう、英語では「ドリームタイム」と訳されている概念に比べられるものなのかもしれない。ドリームタイムとは、年代軸を超えた、ある神話的な創設の「刻」のことだ。それははるかな昔というより、むしろつねに「いまここ」にある）。セア・アニアに住むこれらのプロトタイプ的動物たちのうち、もっとも偉大なのが「マリチ」あるいは「サイラ・マソ」と呼ばれる、鹿だ。ヤキの鹿踊りは、この神話の鹿、始源の獣を讃え、それと連想でむすばれる野のすべてを讃えて、舞われるものなのだ。

フヤ・アニアとセア・アニアの関係は必ずしもはっきりしないが、このように考えてもいいかもしれない。フヤ・アニアは時間的にはヨーロッパ人到来以前の絶対的な過去に属し、空間的には手つかずで無垢の、野生の沙漠に属する（方位の限定はない）。これに対して理想化された世界としてのセア・アニアは空間的には絶対に到達できない「東」に位置し、時間的には日々反復される「明日」にある。夜明けがくるたび、それはたしかに東に来ているのだが、その東に自分たちが追いつくことはない。いいかえれば、フヤ・アニアにとって、楽園を追放され流浪する自分たちは絶対的に遅れている。セア・アニアにとっても遅れているのだが、セア・アニアは夜明けがくるたびにその実在をわれわれに教え、しめしてくれる。フヤ・アニアが郷愁の色に染まった懐古のトポスだとすれば、セア・アニアは日々の希望を光と空の色の変化によって告げてくれる期待のトポスなのだ。

鹿踊りの歌はたくさんあり、歌い手それぞれによってもちがった歌詞をもつ。アリゾナ大学の英文学者ラリー・エヴァースとヤキの青年フェリペ・モリーナによって収録された歌のひとつは、このようなものだ。フヤ・アニワ（フヤ・アニアの古い語形）がくりかえされ、「野」が讃えられていることがわかる。

Empo sewa yo huya aniwa
empo yo huya aniwa
vaewa sola voyoka
Empo yo huya aniwa
vaewa sola voyoka
huya aniwa

Ayamansu seyewailo
huyata naisukunisu
yo huya aniwapo
usyol machi hekamake
syuolisi vaewa sola voyoka
huya aniwa
Empo yo huya aniwa

vaewa sola voyoka
huya aniwa

おまえは歌われた花の野生の邦（フラワー・ウィルダネス・ワールド）、
　おまえは歌われた花の野生の邦、
　　おまえはくっきりと見透かせる新鮮さをもって横たわる。
おまえは歌われた野生の邦、
　おまえはくっきりと見透かせる新鮮さをもって横たわる、
　　野生の邦。
あそこ、花におおわれた野生の
　邦のまんなかに、歌われた野生の邦がある、
　　夜明けの風とともに美しく、
　　　美しくおまえはくっきりと見透かせる新鮮さをもって横たわる、
　　　　野生の邦。
おまえは歌われた野生の邦、
　おまえはくっきりと見透かせる新鮮さをもって横たわる、
　　野生の邦。

英訳にしたがって訳すと、こうなる。英訳者たちがenchanted（魔法にかけられた、うっとりさせられた）と呼ぶその領域は、まさにその英単語の原義どおり、「歌われる」ことによってその魔法と魅力と美しさをとり戻す一帯なのだと考えていいだろう。もともとふしぎな力がみなぎったある「場所」が、歌われ祈られることによってありありと想起され、さらにその力を増す。「フラワー・ウィルダネス・ワールド」とは、豊穣と美の領域であり、そこから、人の生活のための大いなる贈り物が到来するのだ。

ところでヤキ族の「花」にまつわる概念として非常におもしろいものが、もうひとつある。「セアタカ」、すなわち「花の身体」だ。それはある人々にそなわる特別な力で、それがあれば物事がうまくゆくのだという。よい狩猟がおこなえるのも、よい歌をうたえるのも、セアタカがあるからだ。あるときには、セアタカは予言や透視（千里眼）の能力ともなる。またあるいは、同時に異なった場所にいるという、分身の能力ともなる。フェリペ・モリーナの言葉にしたがえば「主たる肉体のほうは家にいたり仕事をしたりしているあいだに、セアタカを内にもつ肉体の映像《うつし》が旅してまわる」のだという。花の身体とは、目に見えるものであろうと見えないものであろうと、よい力をもつ、不可思議な、人を護ってくれる身体なのだ。

こうして見ると、ヤキの人々にとって「花《セワン》」とは、すべての「良きもの、荒きもの、聖なるもの」（ゲイリー・スナイダーのいう〝good, wild, sacred〟）を表しているようだ。復活祭の期間中は、花のシンボリズムが時空を統括する。キリストの血は花で表される。鹿踊りの踊り手が頭につける鹿の首と飾りは「花」と呼ばれる。チャペイカ（道化）の仮面も、やはり「花」だ。

キリスト復活に先立つ四旬節のあいだ、マタチニ（プエブロ・インディアンなどにも見られるイベリア半島起源の踊りの踊り手）たちはけっして踊らず、その状態を「花は閉ざされている」という。復活祭の儀礼がその絶頂に達するのは土曜日の正午すぎに教会前の広場でおこなわれる「グロリア」だが、これは神の軍団と悪魔の軍団の戦闘というかたちをとっている。色紙をこまかく切ったコンフェッティが盛大に投げられるが、これはキリストの血が転じた花であるとされ、ラテン語で歌われるグロリアの歌と並んで、これが教会の軍勢の唯一かつ無敵の武器なのだ。

そしてこのように「花」に価値をおくという姿勢そのものは、ヤキの人々がキリスト教以前の日々から保ちつづけてきたものだと考えてよさそうだ。ヤキの言語はかってのアステカの言語と同系統に属する。パスクアの村を数十年にわたって見てきたミュリエル・ペインターは、ミゲル・レオン゠ポルティーヤのアステカ思想論を参照しながら、ヤキがいう「花」とはアステカの言語ナワトル語での「花」の概念に近い、と述べている。ナワトル哲学では、究極の真理——「地上での唯一の真理」——を探し求めた賢者たちは、それを理解する道は「詩」による以外にはない、と結論する。詩こそが「本当の内なる経験の果実であり、直観の結果であり」、究極の真理は詩の言葉の中に顕れる。そして「詩」のシンボルとなるのは、歌と花々だというのだ。

真理とは何か。それはある集約したかたちで表現される、濃密に定式化された「言葉」のことだ。ちょうど野生の生産力が「花」として美しく集約され現前するように、世界と生命そのものの力が、ある抽象化の作業を経て、まるで空間を切り裂くようなかたちとして、その場に突出する。歌の歌詞ももちろん詩だが、究極の真理としての「詩」はそれよりもさらにひとつ上の水準にあるものと考えられていることはまちがいない。つまり

その歌はどういうことなのか。
その花はどういうことなのか。

そうした問いに対する答えの領域が、かれらにとっての真理の場所なのではないだろうか。この沙漠のどこかに、花と歌を生むマトリックス空間がある。どこかに、あるいは、いたるところに。良きもの、荒きもの、聖なるものを讃えて、ヤキの人々は歌い、踊る。歌と踊りがかれらの祈りの形式であり、それにより土地はくりかえしくりかえしサクラメント化され、同時に人々はくりかえしくりかえし、土地に対してみずからをむすびなおしてゆく。

このヤキの「花の野生の邦」という概念に関してもっとも注目すべきことは、それがマテリアルな現実と神話的地理学との、いわば二重映しとして構想されているという点ではないかと、ぼくは思う。「フヤ・アニア」と「セア・アニア」はいずれもかれらの宇宙論の中で着想され、現実にかれらをとりまく沙漠の中に知覚されている。この点から見ると、トゥーソンはヤキの人々にとって理想的な地勢をもつ土地だといえる。山々の存在(「フヤ・アニア」がスペイン語では「モンテ」つまり山と訳されていたことを思いだそう)、そしてサワロ国立公園から

オルガンパイプ・カクタス国定記念物（いずれもこの地方特有の巨大なサボテンの名からとられている）にいたるゆたかで広大な手つかずの沙漠の存在は、ヤキにとっては、かれらの神話が真実でいまもたしかに生きていることを、日々実感させてくれるのだ。土地そのものが、巨大なマンダラをなしているといってもいい。世界観の結節点が、目に見え必要とあればそこにゆける具体的な場所として、存在する。土地の現実の植物相《フローラ》、ひとつひとつの茂みや一本一本の樹木が、かれらの神話宇宙に入ってゆくための知覚の扉となっているのだ。

そしてこのような現実と神話の密着した二重性は、おそらく「詩」の基本的な構造そのものに関わるといっていい。「詩の危機」の中のよく知られた一節で、マラルメはこのように書いていた。

私はいう、花！　すると私の声がいかなる輪郭も与えぬ忘却の外で、知られた萼以外の何物かとして、音楽的に立ち上がるのだ、馥郁たる観念そのものとして、あらゆる花束に不在のそれが。

これはようするに、ひまわりや百合や薔薇といった具体的な花、思い浮かべることのできるかたちをもち場合によっては花束にすることもできるそれらとはまったく別の、観念としての「花」そのものが、忘却の可能性すらない未知の領域（というより絶対に知ることのできない認識の余白とでもいうべき場）において、ただ"une fleur"という言葉の「音」としてのみ、たしかに立ち上がるということだろう。そしてこのような不在の「花」の領域は、人が言葉を使うかぎりはどのような文化のどのような部族にとっても、無縁ではない。

たとえばどのような種類であってもいいがある現実の花のまえで「花」という言葉をつぶやく。するとその単語の音響と花という観念が、同時にその場に現れる。このとき、この観念の花は自分の目のまえにある花に必ずいくぶんかはとって代わり、人を目のまえにある具体的な花そのものから奇妙に遠ざけることになる。視覚と嗅覚の領域から、目のまえの花のいくらかが目に見えない音の領域へと送りこまれてゆく。そう思うと、花々を讃えて歌われる歌は、まさに現実の花を絶えず犠牲にしてゆくわけだ。土地に咲く現実の花は、歌の力によって、夜明けの下にある完璧な美の邦、プロトタイプの鹿が平和に眠り水がつきることなくあふれる観念の邦へと、遠く送り届けられる。

「野」を讃えて歌うこと自体が、この聖性の空間を開くのだ。現前する沙漠を見て、人は不在の花を思う。この構造には、よく注意しておく必要があるだろう。生きるために、われわれは「不殺生」という第一の戒律を破り、他の生物を殺さなくてはならなかった。この殺しの記憶をしずめるために、われわれは歌い、祈った。詩とははじめ、祈りにほかならなかった。けれども言語を使用するということは、それ自体が別のかたちでの「殺し」なのだ。鹿踊りでは花が歌われ、歌われることによって供物とされ、原初の鹿と自然力の領域を讃えるものとされる。詩は殺しから生まれ、それ自体が現前するたびごとに、殺しを反復する。言語の儀礼的使用としての詩は、われわれは生きるために殺さなくてはならないということを、絶えず思いださせてくれるものなのだ。ゲイリー・スナイダーが土地のサクラメント化について語るとき、彼は詩（ひいては表象一般）に潜む、この「犠牲」の劇的構造にふれているのだといっていいだろう。

詩とは、殺しだった。だが同時に、ヤキの復活祭――そのキリスト教的側面でもネイティヴ的側面でも――で明らかに見られるとおり、殺しそのものが再生を願う人々の祈りなのだった。祭りとは、そこで上演される歌や踊りとともに、「花」そのもののサイクルの模倣なのだ。花は歌われるとき、死と生の秘儀の言語へと昇華される。歌うことによって、ある「人々」の連続性と、「野の世」におけるかれらの位置が、思いだされ、改めて強く記銘される。ごくわずかな人口での流浪生活にもその伝統を失わないヤキの人々は、「詩」の存在が与えるアステカ以来のこの英知を、よく心得、それを生きていた。

参考文献
Loren Eiseley. *The Star Thrower.* Harcourt Brace, 1978.
Gary Snyder. *The Practice of the Wild.* North Point Press, 1990.
Gary Snyder. *A Place in Space.* Counterpoint, 1995.

Leslie Marmon Silko. *Yellow Woman and a Beaty of the Spirit*. Simon & Schuster, 1996.

Larry Evers and Feoile S. Molina. *Yaqui Deer Songs/Maso Buikam*. The University of Arizona Press, 1990.

Muriel Thayre Painter. *Whit Good Heart : Yaqui Beliefs and Ceremonies in Pascua Village*. The University of Arizona Press, 1986.

1997

映像的ウォークアバウト

映像人類学ノート

ウォークアバウト。都会に暮らすことを余儀なくされたオーストラリアのアボリジナル（先住民）たちは、都市生活にうちひしがれると、回帰的に、ただひとり原野へと歩み入る。枯れはてた大地、鉱物的に青い空の下に戻り、無時間に似た長い時を放浪することで、五感も心ももやっと治ってくる。

現代では、都市の本質は映像にある。都市に病み映像を病むわれわれは、その外に歩み出て、治りたいと思う。しかしぼくらには、帰ってゆく荒野もない。惑星化された映像都市には、外がない。あるのは生活を全面的に照明する映像環境だけだ。

その映像環境に、朝焼けのような新鮮な原野を作りだすには、どうすればいいのか。その荒野に、未来を思いだすようにして分け入るには、どうすればいいのか。

テーゼ集

インドの古典『ブリハッド・アーラニヤカ・ウパニシャッド』に、次のような一節がある。「まことに真実とは視覚だ、というのはまことと真実とは視覚なのだから。よって二人の人間が『私は見た！』『私は聞いた！』などと言い争いをはじめたならば、われわれは『私は見た』という者のほうを信用すべきなのだ」。

視覚が明晰でごまかしのきかない知をもたらし、聴覚は——そして言語は——偽りと誤認のもとだという考え方は、別にデカルト主義的な近代の偏見ではなく、すでに古代インドで成立していたというわけだろうか。俗諺にしたがえば、百聞は一見にしかず。もちろん視覚にも、錯視も誤認もある。人は幽霊を見る。けれどもそれは、まずは暗い場所でのこと。十分な「光」があれば大丈夫。聞きちがいや空耳は、それよりはるかに多い。音は一塊の空気のふるえとして到来する。光により対象をこまかく「見分けて」ゆくことのできる視力とは、すばやさと精密さの度合いがちがう。そして言語という記号は、実在するモノへの対応から離れてでも流通し、組み換えられ、そのたびごとに誤解の余地がふくらむ。脳内で何かがささやけば、それは外からの声と区別がつかなくなる。「見た者」と「聞いた者」の、勝負は明らかではないか。

そうかもしれない。しかし、「見た者」が「見せるもの（映像）」はどうだろう。さらには、「見た者」が「語ること」はどうだろう。

視覚そのものがどれほど明晰でも、人はしばしば現実を見損なう。人が（ともかくも）捕らえた（あるいは少なくとも対面した）現実を映像化しようとすれば、その操作によって得られた映像は、現実の何をどう「うつして」（映して／移して）いるといえるのか。もちろん、映像には現実の全体を相手にすることはできない。視野のひろがりも場の空気そのものも断念して、映像は縁取られた平面に現実を「あきらめる」。映像化の試みは、すべて根本的な無力感から出発せざるをえない。あるいは、その無力感の自覚のないところに、見るべきほどの映像は生まれない。

「見た者」が「語ること」の批判（人類学の言説批判）と平行して、「見た者」が「見せるもの」の批判は進行した。映像人類学の歩みは、「記録としての映像」から「認識プロセスとしての映像制作」に、はっきりと力点を移してきた。映像にはフレームがあり、言語が伴走する。どれほど作為を排したものであれ、「記録」をみずから名乗る映像を、そのまま丸ごと信用することはできない。けれども、にもかかわらず、撮影された物の「生身」は、そのまま残る。

逆に「記録」ではなく「エスノフィクション」（ジャン・ルーシュの用語）を標榜して、ある問題系に沿って（これは事実だと主張しないままに）演出された映像の提示をおこなうこともできる。「資料」に対する、「アート」の立場だといってもいい。その場合にも、にもかかわらず、映像においては、作られた層の下に生身の歴史の層が露呈する。

現実の解釈と映像の解釈は、あくまでもちがう水準での仕事だ。だが映像体験という水準に立てば、「事実そのままの映像」と「作られた映像」は、同一の平面上に並ぶ。映像人類学にとっての問題は、映像の生産から受容にいたる、こうした構図そのものの認識からはじまる。映像人類学は人類学に映像を奉仕させるのではなく、はじめから映像批判であり文化批判として、みずからを定義しなくてはならなかっただろう。

人類学という分野は、もちろん学科的な専門分野だ。多くの職業人類学者たちが、研究や教育に従事している。しかしその一方で、人類学思考の冒険そのものは、人類学科の外でも——さらには大学の外でも——おこなわれてきたし、おこなわれている。否定できない。そうした前＝人類学や並行的人類学やアマチュア人類学において、文化批判としての人類学が、いっそう先鋭化した例もあるだろう。

映像人類学の場合、特にそうだ。この分野は、記録映像を残し研究のための道具として映像を使おうとした人類学者と、映像のさまざまな賭金（美／真実／興味／道徳など）をかかえて異文化・他社会（ときには自文化・自社会）を主題化する映像作家との、歩みよりと融合によって生まれたといっていい。そこでは「映像人類学とは何か？」といった観念的定義論ではなく、実践が先行する（人類学一般が本当はつねにそうだったのだが）。学科としての人類学とはまるで無縁でも、多くのラディカルな映画作家や写真家の作品が、人類学的な知の火を、直接つかんでいる。

ところで映像人類学について語るとは、ぼくは何者だろうか。映像人類学をめぐる議論は、第一に映像制作の実践をつうじてしめされなくてはならないだろうし、第二に映像人類学の作品に即してなされなくてはならないだろう。現場（フィールド）で、ただレンズという透明な無機質だけを介在させて「見た者」が「撮り」（すなわち「取り」）「作った」写真や映画やビデオを見て、さらにはその映像を提示するに際して語られた言葉を読んだり聞いたりして、その意味を考えるということ。いずれもぼくの手にはあまる。「学」とはあまり関係のないただのトゥーリズムに出かけ（「出発点に必ず帰ってくる旅」ということをトゥーリズムの定義としておこう）、しろうと臭いスナップ写真やビデオを撮影した以上の映像制作経験のないぼくには、映像人類学的実践というほどのものは存在しない。

けれども映像そのものの体験は、誰にとっても日常の体験だ。それについて語ることを、避ける必要はない。もし語ることに対する何らかの禁忌か回避があるなら、それだけいっそう語るべきかもしれない。映像は、その性格上、言葉の回避に人を誘う傾向をはらんでいる。

ここではまったくの非専門家的立場から、まず現代における映像と認識に関わるいくつかの素朴なテーゼ群をあげ、ついでそれらに対する注記を（特に写真の性格をめぐるとまどいを核として）書きつけてゆこうと思う。

テーゼは、以下のような鎖列をなしている。

1　われわれにとって「世界」は、直接には触れえないイメージの総体として構成されている。

2　イメージ的「世界」の核をなすのは、写真像（現実のものであろうと映像のものであろうと記憶された静止画像）の集積だ。

3　世界そのものから隔てられて、われわれはどこにゆこうと、そのイメージとしての「世界」に媒介されてのみ、全体としての肉ある世界に接近できる。

4　統合世界資本主義が作る全地球規模のフレームの内部（逃れがたい内部）では、諸文化の混在や個人の文化的文法の日々の書き換え（新しい衣装、食物、言語などなど）が、ごく普通のこととして進行しつつある。

5　「ここ」と「よそ」の連結、「自己」と「他者」の接触・衝突は、あらゆる場所で日常化した。

6　こうして一般化した「都市」は、異質な要素を並列させたコラージュを本質とする。逆にいえば芸術的手法としてのコラージュ（やアサンブラージュ一般）は、二十世紀における「世界化」の経済的基盤に立って発展した。

7　映像にも、この事態は反映される。「都市」をそのままに映した映像は、エグゾティシズムやプリミティヴィズムの意匠にこと欠かない、自発的コラージュとなっている（ここでいう「都市」は、通常の意味での都市化区域には限られず、行政的・流通的に都市網にくみこまれた末端部までも含む）。

8　シュルレアリスムをはじめとする諸モダニズムのもたらす映像は、アートを志向しつつも、現実の歴史的条件を反映することによって、映像人類学的素材となる（事実が映っていなくてもそこに別の事実を読みとることができる）。

9　記録とアート（創作）との区別は、映像的実践において、必ずしもつねにつけられるものではない。

10　記録を背後から支える文化的殺戮や生きた記憶の抹消を考えることなく、「人類学的記録」（行為および資料）をそのままに受けとることはできない。

11　記録と創作のあいだに避けがたく宙づりになって、人類学的映像がめざすのは、みずからが撮影した亀裂、撮る者と撮られる者のそのつどの軋み、画面に走るひび割れのすべてに、見る者の注意をうながすことだ。それはつまり、新たなコミュニケーションの領土を開拓し、それまでは表面化しなかった交渉の層を露出させることだ。

12　そんな批判的自覚だけが映像人類学的実践を正当化するとき、それが人類学者によってなされるか写真家・映画作家その他によってなされるかは、まるで関係ない。

13　この原則は、写真や映画が人類学的意図のもとに利用されるようになった、ざっと見て過去百年の作業の全体に、さかのぼって適用される。

14　新たな映像経験の探究としての映像人類学は、現実一般を撮影した写真・映画といった光学再現映像のみならず、対象集団が制作する絵画や彫刻をはじめとする表象芸術をも考察対象とする。

15　映像人類学は、「エスノグラフィー」という「記述」（文章、本）をアウトプットの主力としていた人類学に、映像のみならず絵画や彫刻やミクストメディアによる造形を含めた別種の、はるかに広大で効果的な表現手段を与えることを探り、それによって記憶と未来のあいだに反省的契機をもった通路をひらくことをめざす。

16　映像人類学は必然的に複合メディア人類学として展開し、経験を脱臼させ、他の場所と他の局面に移し、それ自体、別種の具体的体験を作りだすことをめざすだろう。フィールドを「映す＝移す」という以上に、それ自体が新たなフィールドを創出するのだ。

エキュメノポリス、一般コラージュ、歩行

一枚の写真に、ぐっと引きこまれる。突然、そこに映しだされた情景に、自分自身が臨場する。肉体を欠いた視線となって。対象と自分を隔てる時間、隔てる空間は、ぺしゃんこに潰れ、ゆがみ、蒸発する。われわれにとって、世界は、写真だ（とりあえず）。

これを「世界写真」の仮説と呼ぼう。ぼくらは世界を写真の集積として体験している、ということだ。そのように「見て」いるというのではなく、そのように「体験」している。見ることはあくまでも現在の経験だが、写真は（いったん出会ったなら）見られていないときにも脳のどこかに記憶されている。そこから呼び戻されるという可能性において、その写真像の体験は、持続する。

ロラン・バルトはアメリカのことを「映像しか存在せず、生産せず、消費しない」空間と呼んだ。だがこの意味での「アメリカ」とは、別にアメリカ合衆国の文化社会空間に限った話ではなく、むしろ「世界」の特質だ。

われわれは誰もがきわめて限定された局地で、自分の生を生きている。どんな世界旅行者、

ジェットセットだって、その限定ぶりは似たりよったりだ。人間に有機的に経験できる空間範囲は、限られている。人間はひとりでは、世界について、何も知らないに等しい。だがそれでもどこかに世界（という全体）が、たしかに自分とはある間隙によって隔てられたものとして、あると考えざるをえない。それは実在だが、実在として世界そのものに触れることはできない。バルトが「アメリカ」にそれを見たような、映像により構成された空間が、われわれの「世界」だ。

人類学（あるいは「学」の世界にかぎらない人類学的冒険全般）とは、イメージの大洋にもたしかに実在する海底にむかって、息を止めてダイヴすることにより、そんな映像的世界を切り裂こうとする試みだといってもいい。

もちろん、そこで得られた新たな映像は、ただちに「世界」に組みこまれる。だがそのとき「世界」はたしかに、かすかに別のものになっている。写真は言語とおなじく、一度知られたなら忘れられることができない。われわれは縁取られゼリーのように固まった静止画像を基本として、さまざまな情景を回想し、それらの同時共存的記憶をもって「世界」と呼ぶのだ。

言語は記憶を記号に委託することで外在化させ、こうして脳をその物質的限定を超えて拡張することになった。個体のマテリアルな脳を超えて、集団の非物質的な、共同化された脳がはじまった。

写真も、この点で、言語に似ている。写真は映像を現実から採集し、採集された映像はひとりひとりの人間を超えて、共同化される。自分が見たもの見ないものを含めて（自分が知っている単語と知らない単語のように）、集団的にアーカイヴ化された写真群が広漠とした潜在的世界を構成し、「私」はその中のごく一部を実際に目にし、記憶し、それが私にとっての顕在的世界となる。

そんな集団的・潜在的世界を拡大するのが、映像人類学だ。現実がひとつであっても、その映像は無限の生産可能性をもつ。ひとつの現実に対して、無限の言語的記述が可能であるように（いずれもその「無限」を限定するのは実用的諸条件だ）。

映像による世界の拡大が、人類学者によってなされるか、写真家や映画作家によってなされるかは、関係ない。問題なのは、対象にどのように貫入してゆくかという、その態度だ。「セザンヌの目は自然に触れ、集中し、その深さへと降りていったが、その自然そのものは見かけの相互接触を断って、外部の一点から透視する図ではなく、内部構造の断面を露呈する様相を示した。いって見れば山容を緑や大理石の山肌として見るのではなく、岩石の崩壊するがれ場や、山腹を切り取る石切場の角度から見るということである」（近藤耕人）。映像人類学とは、いわば異文化という山に対する、セザンヌ主義人類学だ。

人は、自分が置かれた環境としての現実を、ありのままに全面的に体験することはできない。世界を「世界」と呼ぶとき、そこにはすでにある焦点化・捨象・限定・対象化の動きが含まれる。

写真／映画／ビデオのいずれにせよ、自分にとって外在する、ごく限られた大きさの平面に焼き付けられた映像以上に「世界」に似ることができるものは、他に存在しない。古い「活動屋」たちが映画を「写真」と呼んだように、写真に代表させて、映画やビデオといった光学的再現映像のことを考えることができる。脳に記憶された映像は、いずれにせよ静止映像の集積のようなものになるからだ。

記憶とは、同時的・無時間的なものだ。もちろん音楽を記憶することはできるが、それを本当に再現するには(想像的にでも)時間を与えて演奏しなくてはならない。音楽そのものは、時間的持続を捨象したかたちで脳にしまいこまれている。動く映像もそうだ。映画やビデオも、さまざまなシーンの「呼びだし可能性」とでもいったかたちで、漠然と静止した多くの画像の集積として脳に収められている。「世界」を口にしながら、人はそのはてしなく不完全な模造物すら、まだ手に入れていない。ぼくらが「世界」という言葉で意味しうるのは、世界のアレゴリーだけだ(物質的世界からやってくる無数の線が、現にわれわれの肉体と生活の全体を構成しているというのに)。

われわれは現実を見ることができない(ほとんど)。再現可能・携帯可能な映像化を経て、やっとわれわれは現実に追いつく。たとえばスナップ写真は、見るたびごとに再演される、永遠のリプレイだ。進行する現実の時間に、同一の映像が何度でもさしはまれるようにして、われわれにとって「現にある現実」とは異なった「イメージの現実」を、そのつど更新してゆく。何枚もの写真、何分もの画像を日々、次々に見やりながら、ぼくらは(とりあえず)世界をその場で飛んでいる/飛ばしている。八十日間世界一周(ジュール・ヴェルヌ)から八十世界一日一周(フリオ・コルタサル)へ。さらには一万一千世界の瞬時の映像的周航こそ、ぼくらのもちうる唯一の「世界」体験だ（現実にどこにゆこうと、どこにいようと）。

映像の本質は「私」がそこから閉めだされていることにある、とバルトはいっていた（記憶による引用——不正確かもしれない）。いかにもバルトらしい当たり前さ、ほとんど言語道断な単純さだ。でも、そこには立ち止まって考えさせるものがある。

映像の実体は光であり、空間に散乱する光が平面（ないしは何らかの物の表面）に転写されたものを見て——それに再度光を当てることで——われわれは普通「映像を見た」と称している（フィルムでも写真でも）。ところが光の把握を可能にするのは対象物からの距離（隔て）であり、映像はその起源からして、「私の隔て」をはらんでいる。ついで転写された光の痕跡としての映像は、無限定の未来にむかって絶えず発送されつつある。空間的にも時間的にも、映像内容はどんどん「私」から遠ざかっている。映像の最大の逆説は、こうして遠ざかりゆく映像内容（オリジナル対象物）が、つねに平面上に投影された影として、物理的に再臨することだ。取り戻しえない直接性、という絶対の禁令を条件として、映像はたしかに直接に、その場に回帰してくる。

肉体を欠いた、影としての姿。ただし、確実にその場に「いる」もの。それが幽霊でなくてなんだろう。写真術の歴史は、いいかえれば、幽霊の実在証明の歴史だった。「本一万冊、そのどの上にも幽霊一匹」（エリアス・カネッティ）。それに倣っていえば、写真一万枚、そのどの上にも幽霊の群衆。

こんな像の増殖によって、世界は「世界」となった。いまここに「現代」文化というものがあるとするなら、それは抜きがたく「都市」文化だ。もちろん現実に、都市があり、同時に田園や荒野や沙漠があることは、いまでも変わらない。地表において人間化された土地が（人間の存在に汚染された区域がどれほど拡大しようとも）まだまだ一部分でしかないことは、否定しがたい。

しかし、いながらにして遠い土地を映像的に知り、広域流通により遠い土地の物産をいながらにして消費するわれわれの生活圏は、無限定にひろがる巨大な一個の「世界都市」をなしている。外貨の交換を接合面としてひろがるこの単一の世界経済都市を、「エキュメノポリス」と呼ぶことにする（これをイメージ体制の面から捕らえれば、かって伊藤俊治が「写真都市」と呼んだものとなるだろう）。

エキュメノポリスの基本的な詩学は、通俗化されたシュルレアリスムのそれだ。かけ離れたものの連結は、われわれの住む都市（化された）景観の常態であり、ちぐはぐさ、偶然の出会い、突飛な美は、日常をみたしている。われわれの世界像は、実在の諸要素の組み合わせからなるコラージュ、アサンブラージュ、パッチワークを、手法なき手法として使いつつ、成立している。

映像作家で批評家のヴィクター・バーギンは、都市で普通に暮らすわれわれの毎日がいかなる映像体制のもとにあるかを、こう簡潔に語っていた。「たとえばニューヨークにいて、メトロポリタン美術館にティツィアーノの絵を見にゆこうと思う。タクシーなり地下鉄なりに乗れば、道すがら広告や、新聞の写真や、その他いろいろな映像が目に入る。夜、家に帰れば、テレビのニュースも見るだろうし、それから映画を観に出ることもある。一日のどの時点をとっても、そのとき実際に目にしているものには、他の時点で見た他の映像の回想や予想が重ねられている」。つまり一般化されたコラージュこそ、われわれの世界の基本的な構成原理だ。その断片的映像群の数々の起点の地理的広大さと途方もない種類の多さが、現代を特徴づける。

人類学（文化人類学）のもっとも簡潔でおとなしく因習的な定義は「異文化の研究」だった。その定義には、観察者と観察対象の截然たる分離が含意されていた。けれども人類学者がその場にいるということで、場は必然的に変質する。人々の反応も変わる。人類学者にできることは、せいぜい自己と場（フィールド）の界面に生起するあれこれを記述することだけ。そこにはどこか影絵めいたところがある。過去二十年ほどの人類学の記述／書法に対する批判的見直しは、人類学者の内面や人類学の隠された意図を次々に暴きつつ、人類学を「よそ」の研究から「境界」の、インターフェースの研究へとシフトさせた。

それでも物質的に収集できる対象物については、現にそれがはっきりとしたかたちをもってそこにある以上、少なくとも人類学者はそれが自分のせいで「変わった」とはいわなくてすむ（と思いたがる）。写真や映画といった映像記録も、対象物をそのままに撮影したものとして、人類学者＝撮影者は自分自身の参与による変質を度外視して考えることができる（と思いたがる）。映像対象の物化を含むこれは、「記録者」としての立場だ。もちろん、そんなはずがない。カメラの存在により着実に場は変容し、人々の反応は変わり、「見えるもの／見えないもの」ないしは「見せるもの／見せないもの」の峻別はきびしくなる。反省的人類学（学そのものに対する批判を含む学）としての映像人類学は、「無垢な記録」という幻想を捨てることからはじまる。「学」と「人類学者」の自己省察を含む、経験の哲学としての人類学のもっとも素朴な定義は、固定的知識の収集ではなく「世界そのものの体験への歩みより」とでもいったものにならざるをえない。その「世界」とはあくまでも個々のフィールドでのそのつど一回かぎりの体験を通して現れてくるものだが、それはフィールドの枠組みをもつ具体性の中にとどまることはけっしてなく、必ずそこからはみだし、猥雑な混乱へと投げだされる。混乱の中でフィールドワーカーは、「学」にも「人類学者」という身分にも守られない、ただの知識をもった、ただの人になる。

しかし、「世界知識」をもった「世界人」とは、結局はそのような無資格の存在以外ではありえない。そしてこの修飾語としての「世界」とは、いずれにせよ、ひどく限定されたものでしかない。自分の視野の限定の自覚、「つねによそがある」という意識こそ、「世界」意識なのだ。

ここで「エスノグラフィー」という言葉にはじめから含まれた二重性についてふりかえってみよう。それはethnos（民族集団）の「記述・表象」だった。でも、誰による？ そのethnosにとっての異文化から訪れた「人類学者」たちがおこなう記述。しかし同時にそれは、その民族そのものが「地表」に、「世界」に、つまり諸文化が共有するひとつの地平に、刻みこむ文化パターンが先行して、はじめて可能になる記述だった（原＝記述としての「文化」）。Ethnosをめぐる記録映像は、あくまでも民族自身による先行記述をなぞるかたちでしか存在しえない(「創造」との根本的なちがい)。

人類学にとっての映像は、だいたい次の三つの機能をはたしてきたといっていいだろう。第一に記録、現実性の存在証明として。たしかに「そのとき」「そこ」に「そのようなもの」があった。第二に図解、ある定言化される情報に従属し、その情報をささえるものとして。「それ」は「何々」だ、という繋辞による、存在規定。しかし第三に、いわば映像そのものの「無用の美」とでもいうべき次元を忘れることはできない。撮影された映像の「強さ」「特異さ」「美しさ」がもたらす強烈な印象は、撮影者や撮影対象にはかかわらず、あるとき忽然と出現する。審美的に見ることが目的ではない人類学的映像が、逃れがたく「アート」の領域に突出する。美学化が、目的だというわけではない。だが受容する側において、それは避けられないのだ。

人類学にとっての写真の意味を論じるために、エリザベス・エドワーズは心理学者ウィニコットの「パラドクシカルな第三空間」という概念を援用している(「境界の彼方」)。それは空想の空間(想像力の空間、表出の空間)ではなく、共通に知覚されたこの現実世界の空間でもない。対立するこれら二つの空間の性格を、同時に帯びることができる空間、という意味だ。写真を撮る、そこには現実が映っている。だがその現実は、ほとんど想像された情景のように非現実的に見えもする。ドキュメンタリーでありながらアートにもならざるをえないのは、「映像」の宿命だ。

エドワーズはさらに、科学哲学者ポール・ファイヤーアーベントの、次のような言葉を引用する。「われわれは、われわれが住んでいると考えている現実世界のさまざまな性格を発見するために、夢世界を必要としている」。夢は現実世界のいろいろなイメージを素材として作られる。しかしそこで変形をこうむり、脚色され、誇張され、極端化され、現実の論理を侵犯し歪めることによって、夢はこの「現実」を規定する規則をはっきりと見せてくれるわけだ。こうして一枚の写真は、つねに二つの世界への扉となる。現実へ。夢へ。この分岐、この選択可能性そのものにおいて、扉としての写真は「第三空間」を構成する。

以上の三つの機能に、第四の機能をつけくわえておこう。映像人類学における映像は——その再現（再提示）機能によって——言葉を誘いだす。無言の映像を見て、人は語らずにはいられない。映像は、言葉による延長を、人に求める。撮影された一枚の写真あるいは一本のフィルムを同時に見ることで、インフォーマントの側からも人類学者の側からも、それ以外には誘発しえなかった言葉が浮上してくる可能性がある。映像が言葉を呼びよせる。フレームによって切り取られた映像の完結した性格によってはじめて、「現実」という茫洋としたひろがりの中では考えられなかったかたちで、話題がしぼりこまれ、言葉が立ち上がる。

ここまではとりあえず写真をモデルにとって、映画やビデオを含めた光学的再現映像を使う人類学を考えてきた。しかしさらに広く見た場合、映像人類学は、視覚経験全体の人類学へと拡張できるはずだ（もっとも「視覚経験の人類学」といっても、「見られたもの」の人類学と「見ること」の人類学を、作業上分けて考える必要はあるかもしれない）。調査者の側ではなく、ある

ethnosの生みだす絵画、彫刻、刺青、ボディペインティング、刺繍といったすべてが、考察の対象になる。同時に、記述の手段もただ文章に書かれ本となるエスノグラフィーではなくて種々のメディア混合による「エスノグラフィティ」(落合一泰)や「エスノグラフィックス」(ジョージ・マーカス)の可能性が探られるだろう。

マーガレット・ミードとグレゴリー・ベイトソンによる(いまでは古典的な)バリ島研究は、写真・映画・録音・事物蒐集といった人類学調査の手法そのものの、手探りの実験だった。同時にかれらは、地元のアーティストたちに多数の絵画を発注し、それも買い上げた。異国へと持ち去られ蒐集されることを目的とする絵画を描く、というトゥーリスト・アートの発芽形態が、「人類学」の欲望と、合意に達するわけだ。

こうして新たに発生するアートに、ぼくはむしろ(狭義の人類学的写真やフィルム以上に)興味がある。現代ではぼくらの誰もが一度や二度は見たことがあるオーストラリアの先住民絵画も、バリ島絵画も、サンブラス諸島のモラも、こうして「よそ者」のまなざしにむかって新たに創造された、「土着の」芸術だった。それらは先進国社会をつかのま逃れようとするトゥーリストのウォークアバウト(放浪)に応接するために、土地の潜在的伝統という本拠地へのウォークアバウト(帰還)に出かけた技芸の、即興制作といった様相を呈する。しかし、どれほど他者の欲望に従属しているように見えても、それはやはり伝統の発現、文化の実現なのであり、そうした「応対としての制作」を除いては、伝統も文化もないともいえるだろう。

話はものとして持ち運べる絵画や彫刻にかぎらない。現代太平洋の代表的小説家アルバート・ウェント（西サモア出身、英語で執筆）は、現代のポリネシア各地で昔よりかえって盛んになっている幾何学図形の刺青（タタウ）のパターンを説明しながら、こういっていた。「ごらん。見事な刺青をした男が歩いてゆく。あれが歩くポストコロニアル・ボディだよ」（一九九七年ホノルルでの講演から）。だがそのポストコロニアル・ボディは、植民者の側の社会に、意匠として買い上げられる。タタウ（元来の意味は「傷を叩きこむこと」）は現代の先進国各国で、ばかばかしいほどの隆盛をむかえているのだ。来歴なき借り物の紋様や、安っぽい都市神話の図柄が、現代都市のタトゥー・パーラーでは、金銭とひきかえにいくらでも皮膚に刻まれる。伝統と、伝統の更新＝再生と、都市消費文化における他文化伝統の引用＝商品化の三者が、ぼやけた境界をもって相互にいりまじっている。けれどもこの猥雑さの汚染から、われわれはけっして自由にはなれない。

人類学が「純粋な伝統」を見つけだそうとするとき、そこにはつねに無理がつきまとう。無文字社会における「伝統」とは、人類学が「発見」した時点における実践でしかなく、それを人類学（的な学知一般）は遡行的に「歴史化」しようとする。

人類学は、残存する（と思われる）伝統と現在再想像＝創造されつつある伝統とを、つねに同時に相手にしなくてはならない。そのうえ人類学は、自文化・自社会という伝統を、つねに再検討しなくてはならない。問題となるのは異文化と自文化のあいだの差異なのだから。「自己の内面とは他者の外部であり、他者の実質の影にすぎない。このため現実の内的自己の実在性《リアリティ》は、その非実質性によりつねに妥協を強いられることになる」（スティーヴン・タイラー）。けれどもこれは、逆にいえば他者の自己にとっては、こちらの自己が（どれほどかりそめのものであろうとも）実質として現れるということだ。つまり、人類学的交渉において「実質」と呼べるのは、交渉プロセスにおける「作用《エイジェンシー》」のこと以外ではない。

この観点からすれば、一文化の伝統とは、他文化の作用の痕跡の、累積にほかならない。実際、ある文化伝統の起源には、しばしば真に驚くべき由来が隠されているものだ。オクタビオ・パスの英訳者として知られるエリオット・ワインバーガーは、こんな数奇な史実を報告していた（「アジアのパス」）。

十七世紀、アジアからメキシコには毎年六百人程度の移民がやってきた。中に、海賊たちに誘拐されたデリー出身の十二歳の王女《プリンセス》がいた。彼女はマニラの奴隷市場で売られ、そこからアカプルコへと連れてこられ（マニラ―アカプルコ間にはスペイン船の太平洋横断航路が開かれていた）、ここでプエブラ在住の信心深い夫婦に買われた。夫婦は王女を使用人とし、宗教教育をほどこす。少女は苦行者・神秘家として頭角をあらわし、カタリーナ・デ・サンフアンと名乗るようになる。ニックネームは「プエブラの中国女」。多くの奇跡をおこしたというが、もっとも大きな功績はその仕立ての腕前にあった。ブラウスやスカートを縫っては、それに明るい色彩の鳥や花を刺繍する。そんな衣服はやがて国中にひろがり、「典型的な」メキシコ衣裳と見なされるようになった。さらにメキシコ女性たちがまとう肩掛けにしても、元来インド西岸のグジャラート州から輸入されたものだという。移植されたインドとしてのメキシコ。たとえば現代の（あるいは一九二〇年代の）、そんな刺繍のあるブラウスを着たメキシコ女性の写真を見ても、そこに露呈しているのは撮影の時点での現在だけだ。映像にとって「歴史」は、露呈しつつみずからを語らないものとして、隠れつつ現れて、存在するしかない。映像は、言葉による裏書きを必要としている。

しかし言葉もまた、映像によりただ一度の回復不能な打撃をうける。言葉のもっとも集約されたかたちとしての「名前」は、特にそうだ。ミシュレは歴史上のだれかれについて書くとき、可能なかぎり多くの肖像画を参照した、とロラン・バルトはいっていた。『ミシュレ』を書くにあたっては、バルト自身できるかぎり多くのミシュレの肖像（絵画と写真）を参照したという。著作家についていえば、ぼくらはいまでもなお大体は、まず文章をつうじてその存在を知り、名前を覚える。そしてある運命の一日、思いがけずその著作家の写真を目にして（あるいはテレビでしゃべっている姿を見聞きして）、いい顔をしていると思ったり貧相でなんだか醜いと思ってがっかりしたりする。こうした、顔を見ることの一回性には、どこか恐ろしい酷薄さがあると思ったことはないだろうか。ただ一度、一瞬、肖像を目にする。それだけでもうその存在は、「無貌」の状態にはけっして戻れないのだ（たった一枚の写真がロートレアモンから「無顔」を奪った）。

無貌を失なう存在は、人物には限られない。スペイン人たちはナスカの地上絵に気づかなかった。その紋様はあまりに巨大すぎて、地上を歩く人々には見ることができなかったのだ。一九二〇年代になって、ペルーからチリにむかう航空機が、はじめて巨大な謎の絵を「再発見」した。それまでの数百年、そこに変わらずにあったというのに。映像がいかに、行動によってはじめて「見える」ものであるかがわかる。

　ところで、はたして誰が何のために描いたのかについては定説のないナスカの地上絵だが、ぼくにとってもっとも魅力的な説は、それは見るために描かれたのではなかった、というものだ。見るためではなく、歩くためのものだという。大きな形象はいずれも一筆書き、線をつたって歩くことができる。かたちをなぞることによって、描かれた魂の、この世への再創造＝想像を実践するのだ。歩き、目にすることができない映像を構成する線が、確実な行動の指針を与える。ナスカの地表絵画に見られるこの実用性自体に、その映像の真価が潜んでいる。

　こんなナスカの地上絵のように、行動に誘う記憶術として長い時間をわたってきた／ゆく映像が、ぼくにとっては映像人類学の核心をなすものだと思われる。それは何より、人に他者への転身を経験させる、一種のマニュアルだ。ある映像により、行動が教えられ、ルートがしめされるのだ。ウォークアバウトのための手ほどき、ガイド。提示された再現映像をもとに、もともとの場にたしかにあった動きをなぞり、再現する。習得と模倣のよろこび、たしかにフィールドに存在し、人々をつねに新たな出発へとかりたてる倣い学ぶことの楽しみを、プロフェッショナルな人類学は、あまりおおっぴらに語ってはこなかったのではないだろうか。舞踊を記録した映像の目的は、舞踊の儀礼的意味を分析することではない。その踊りを覚えることにある、というのが、ぼくが支持したい姿勢だ。

　映像のアーカイヴがかくも肥大し（たぶん現実の惑星の表面積を数十回にわたって覆えるほど

にも)、めちゃくちゃなコラージュ経験が日常化したエキュメノポリスに住んで、現在われわれの視覚を限定する最大の要素は自分自身の肉体の運動能力だろうと、ぼくは思う。神経系の伝達速度や視力の限界、目覚めていられる時間の長さや記憶の容量まで問おうとはいわない。ぼくが問題にしたいのは、おなじみの歩行という経験だ。

それはごくありきたりな経験で、誰もが日々おこなっている。歩きながら、刻々と視野に入る風景は変わり、光のたたずまいも変わり、世界の印象も変わる。そこに、バーギンが語ったようなさまざまな日々の残滓の断片的映像が浮かび、しずみ、知覚と想像が入り混じり、拡散し、収束する。それをくりかえす。

われわれのヴィジュアルな体験とは、それ自体では何のまとまりもない。しかしそこに最低限生じる一貫性、それは歩行の跡が残してゆく線だ。潜在的な映像の総体としての世界が自分にとって本当に現れるのは、ただこの自分の肉体の、歩行により動く有機的空間(それは肉体をすっぽり包む透明な繭のようなものだと考えてもいいだろう)を通して(文字通りにそこを「通して」)のことなのだ。

こう考えると、八〇年代はじめごろにデヴィッド・ホックニーが発表した一連のフォトモンタージュ、特にその中の一枚が、まるで天啓のように浮上してくる。「龍安寺の石庭を歩く」(Walking in the Zen Garden at the Ryoanji Temple Kyoto Feb. 21st 1983)と題された作品だ。百数十枚の写真によって構成された石庭の風景だが、下のほうには左から右へと歩むホックニー自身の両足が映されている。左右の足を交互に踏み出しながら、石庭を縦一列ずつ順次撮影していった、という趣向だ。

これのどこが、きわだっておもしろいのか。一枚の写真の限界は、視点がひとつであり、撮影の瞬間かひとつであるということだ。（二重露光は二枚の写真を重ねたものと考えるべきだろう。）ホックニーの「石庭」は、全体として見るなら「一枚」と数えざるをえない統合された図像を提出しながら、そこには全体の構成のために使われただけのシャッター回数と視点の移動が、撮影者自身の移動の軌跡をともなって、記入されている。断片の集積により「一枚」に統合された全体が浮上するとき、そのまとまりはただ「私」の歩行のみが作りだしたものであり、私はその運動の全過程をつうじて「庭」という対象に注意を集中し、目の移動により庭をその場に開いている。

われわれひとりひとりにとっての「世界」（極度に限定されてはいるもののなおある「全体」たらざるをえない「世界」は、この構図の延長上にある。

われわれはひとところに集って、おなじ映像をそろって見ることができる。こうして映像が共同化できるということが、映像人類学ないしは映像批判の、根本的な条件かもしれない。われわれはそれを見て、個々に記憶する。しかし記憶は変形し、典型化し、あるいは特異化する。記憶の浸食とともに、映像はどんどん個人化される。いわば「現前への集い」とでも呼べる事態から、分岐し、個々に磨滅してゆくのが、映像の運命だ。

これに対して、個人が歩行のペースで（自己の肉体の日常的・持続可能な運動速度で）個別の線を延長し育ててゆくことにより絵画や物を造形し、そこに新たな「現前への集い」を呼びかけるのが、アートの仕事だろう。それなら創造とは反＝記憶であり、反＝映像だ。

創造とは記憶への反抗であり、映像への反乱だ。

1999

参考文献

Marcus Banks and Howard Morphy eds.. *Rethinking Anthropology*. Yale University Press, 1997.
John Collier and Malcom Collier. *Visual Anthropology*. University of New Mexico Press, 1986.
Elizabeth Edwards ed.. *Anthropology and Photography*: 1860-1920. Yale University Press, 1992.
近藤耕人『映像・肉体・ことば』彩流社、一九九三年。
Lucy Lippard. *Overlay*. The New Press, 1983.
Paul Melia. *David Hockney: You Make the Picture*. Manchester City Art Galleries, 1997.
Lucien Taylor ed.. *Visualizing Theory*. Routledge, 1994.
Stephen Tyler. *The Unspeakable*. Unieversity of Wisconsin Press, 1987.
Eliot Weinberger. *Outside Stories*. New Directions, 1992.

サンゴ礁の勇気を弾ませる「哲学」

秋になって、ある日、日没の空を見上げる。もっとも高い層にたなびく薄い雲は、まだまばゆく白く、そのせいで空の高い圏にはこの時刻でも光があふれていることがわかる。光がみちた青空の深みに、大胆な筆触や躍動する舞踊を思わせつつひろがる雲という反射物があるせいで、はじめてその明るさがわかるのだ。その下には重みのあるモコモコとした雲が、すでにわれわれが大地と呼ぶ地球そのものの影に入って、灰色に点在している。雲の下面は特に暗くしずまり、夜の気配を呼びよせている。都市のこの雑踏の上で、なんというおとなしさ。さらに下、われわれの日常的な視力でもくっきりとその肌理が見抜ける、手がとどきそうな高さのすぐそこには、かなりの速さで川のように、軽い雲の隊列が飛んでいる。それは水滴の集合なのだから、たしかに川だ。列島の、ここから見るならはるかな北西をゆっくりと進んでいるはずの巨大な低気圧の渦に吸い寄せられて、地表の水系とは独立に、おそらくどんな大河よりも幅広い河川が、低空を音もなく流れてゆく。

こんなとき、空はしっくりくる。夕方は部分的な遮光としてではなく、全面的に訪れる。

世界のすべてが、いわば反転した光のようなもので、一気にみたされる。そんな空には、美しさがあり、平等がある。太陽や月、その他の天体が住む空には、われわれが生きうる空間のすべて、「あそこ」と「ここ」の連続性を保証するものがあり、「かつて」と「いま」という隔たった時の連続性を保証するものがある。超越性にどんな表象を与えるのも個々の宗教の自由だが、最終的な、唯一の超越性の姿として、このむきだしの青空以外のものがありうるとは、ぼくには(実感として)思えない。このとき、雲は両義的な位置を占めるだろう。層をなしながら、雲は隠し、顕す。光を奪い、あるいは反射し、転送する。空の深みを教えるのも、光の存在を知らせるのも、雲だ。そして雲を構成する個々の水滴はときおりはちきれるほどにみちて、こらえきれなくなった雲はその舌を地表にとどかせ、われわれの生活圏や心はどしゃ降りになる。

空のそんな全面的な平等性、完全な公正さ、われわれの生きる時間にも空間にもまるで関わりのない不変、ただし鉱物の不動ではなくつねに運動と変化にみちた恒久に、救われた思いをしたことのない人は少ないだろう。そう書きつつ、ぼく自身は十年前に住んでいたアリゾナの沙漠を思い出し、そこで燃える闇としか呼びようのない夜の青空の下で涸れ川を歩きながら、いっそう遠いサハラ沙漠の夜についてポール・ボウルズが記した文章のことを考えていたことを、たったいましがたの記憶のようにまざまざと想起する。すると乾いた花粉の匂いが鼻をつく。ぼくには神学は必要なく、哲学も叙情詩もいらない。けれどももし、たとえばこのあまりに圧倒的な空について、あるいは海について、森について、太陽と火災について、大地と鉱物の転成について、何事かを語ってくれる言葉があるのなら、それに耳をかたむけたいと思ってきた。そうしたエレメントのからみあいに、日々のもっとも根源的な実在を感じるからだ。そして言葉という過剰は、ヒトにとって、リアリティとの齟齬を刻々と埋めてゆくための覚醒のきっかけでなければ何だろう？

そんな目覚めの言葉は、ひとりの人間が特権的につむぐものではない。人がエレメントに出会ういたるところで、「あっ！」という小さな驚きの声、「うん」という喉の奥の肯定のつぶやきとともに発せられるものだ。しかし中には、このような言葉をとりわけ濃密に育ててゆく、一群の果敢な著作家がいることも、否定できない。サン・ジョン＝ペルスやウォレス・スティーヴンズの詩、ローレン・アイズリーやJ・M・G・ル・クレジオの散文は、ぼくにいつも晴朗な勇気を与えてくれた。そして、リンギス。アルフォンソ・リンギスの一連の旅の思索には、「世界」という了解不可能な対象の、「リアリティ」という手に負えない何か——出会うまではどんなものかわからず出会えば瞬時のうちにまたほどけてゆくむすびめ——を求めてどこまでもゆく者の、無鉄砲なまでの「いきおい」の痕跡が、びっしりと刻まれている。

『汝の敵を愛せ』という邦題で出版された*Dangerous Emotions*（中村裕子訳、洛北出版、二〇〇四年）を見よう。痛快で、楽しく、たわごとと笑いと驚きにみちて、なお突発的に胸をしめつける。彼が職業生活のほとんどを哲学教師としてすごしたことはぼくにはあまり意味がないし、その著作の文脈化や哲学的評価には、ぜんぜん興味がない。この本が書店で「哲学」の棚に置かれることを恐れよう！　それよりは「生物学」か「紀行」か「エッセー」、それよりも「セクシュアリティ」か「ユーモア」の棚に、ぜひ並べてほしい！　死を見すえて生を試みるそんな領域が、本書の中心的な主題なのだから。この本は、その中にひそむ数々の「旅」によってきわだち、その旅の途方もない距離と振幅によって独自性を記す。個々の人間の独自性などが問題にならない層に、つまりは空にむきあう雲の層に、直接達した言葉だけがもつ独自性だ。この独自性は勇気を与える。「勇気はあまりにも明白なので、他人のなかの勇気に出会うと、自分のなかの勇気それ自体が弾むのが感じられる」（１８０ページ）。その勇気とは歴史的に形成され価値判断にさらされてきた「美徳」ではなく、はるかに動物たちの「本能」に近い。リンギスの著作に響きわたる勇気は、人を旅に駆りたて、生き方の実験を肯定し、思考や感受性の全面的シフト――必ず身体の過剰な動きと解放をともなわずにはいない――へと誘う。これが哲学なら、それはたしかに哲学の名誉だ。

すべての本の中には、明言したり要約したりできない部分で人を誘惑し、ある「いきおい」を伝達し、無意識をさんざんかき乱して、夜を眠らせなくする本がある。リンギスの本はそうだ。ある種の写真集や地図帳や科学解説書や詩集がそうであるように、自分が自分と呼ぶ何者かのうちの、明言できる領分以外に強烈なうねりが押し寄せてくるため、睡眠が面倒になったり、寝てもつじつまの合わない夢を見つづけたりする。たとえば『汝の敵を愛せ』の最初の章は「世界のへそ」と題された紀行文で、その舞台はテ・ピト・オ・テ・ヘヌア、つまりイースター島、南太平洋の絶海の孤島だ。読みはじめてすぐ、こんな一節に「おや？」と思うとき、すでにわれわれはリンギスの罠に落ちている。生物体という「自己保存を続ける濃密な空間」が環境からエネルギーを取り入れるとき、必ず「過剰な力」を生み出し、それは「熱情となって感知される」。そう述べたあとで、リンギスはこうつづけるのだ。

しかし、環境それ自体もまた、自由で目的をもたないエネルギーで充満している。環境は、貿易風や嵐、この惑星の四分の三を覆って流動する大海、漂流する大陸プレート、火山爆発で噴出した海洋山系、何マイルもの厚さに積もった南極大陸の氷河と、それが海に流れこみ砕けてできる氷山で充満しているのだ。ペンギン、アホウドリ、ジャガー、人間の熱情が、その顔を上げて、巣やねぐらや水平線の向こうを見ようとしないわけがあるだろうか。これらの熱情が、火山岩のなかや海洋生物のいない海域へと、沈潜していかないいわけがあるだろうか。(p.11)

過剰は、いわば無根拠な志向性、あらかじめ決まった目的をもたないまま外に連結を求めて出てゆく運動性を、ヒト(のみならずあらゆる生物体)に強いるだろう。その志向性は絶えず外部のエレメントと直接にむすびあい、その連結が情動(エモーション)という効果を周囲に波及させてゆく。

靄や激しいみぞれ、花咲く草原地帯や夏に歓喜の歌を歌うツバメたちこそが、私たちの心を開き、たえず広がりゆく現実へと、私たちを安心させ満足させるために作られたあらゆるものの向こうにある現実へと向かわせるのではなかったろうか。（……）情動は力を外部から獲得する。情動が力を獲得するのは、この自転する惑星の上空で渦巻く風、大海の荒波、宇宙空間の深奥を漂う雲、きしみながら移動する大陸プレート、深海から隆起している火山、モッキンバードの戯れ歌、ゾウアザラシが浮かれて転げまわるそのそばで気まぐれにはばたく蝶々からなのである。それらの自由な動きやエネルギーがうねりながら私たちを貫き、それらの動揺や苦悩や激発が、情動として私たちのなかを流れていくのだ。（p.35）

どうだろう。こうした文から学ぶことは、ほとんどない。「テ・ピト・オ・テ・ヘヌアをただ一人さまよいながら私が得る知識はほとんどない」とリンギスが記していたのと、まったくおなじように。でもモアイたちがたたずむ島の海岸に立たなくてはありえない、溶岩とまぶしい空と大波と強い風のもたらす情動があるように、この本にはこの本だけがもたらす目覚めと情動がある。そしてその目覚めと情動によって、われわれは自己と世界の再定義を強いられるのだ。「私たちの身体は、ポリプ、スポンジ、ゴーゴーニア、そして自由に泳ぎまわるマクロファージで満ち、湿気、血液、胆汁からなるモンスーン気候によって常に攪乱されているサンゴ礁なのだ」とリンギスは突拍子もないことをいって、人を笑わせる。さらに「群れをなす狼、日暮れになるとカエデの木に集まって不協和音を奏でるムクドリ、沼をリズミカルに鼓動させるカエル、夜をとおして明滅しつづけるホタル。何よりもまずこういったものに私たちは魅了される。私たちを魅了するのは、私たちのなかにある多様性なのだ」(50ページ)と彼が語るとき、ぼくは心以前の何かが深く同意しているのを感じる。こうした認識は、生の経験そのものに取って代わることはできない。けれどもそれは人が世界を求めて外に出てゆく旅に連れ添い、実際に経験され荒々しい痕跡を残して通過していった嵐を、恐れることなく想起し記憶のうちに配置しなおすことを助ける。

十年前、*Abuses*によってリンギスの著作をはじめて知ったとき、その異様なエクリチュールにすっかり面食らったぼくは著者に手紙を書き、あなたはブラジル人にちがいないと思うがどうか、とたずねた。他に何を書けばいいか、わからなかったのだ(なぜ「ブラジル人」なのかをいぶかる人は、たとえばアテネ・オリンピックの男子マラソンにおけるヴァンデルレイ・ジ・リマの高貴なゴールぶりを思い出してほしい)。彼の答えは「私はリトアニアからアメリカに移民した農民の子供です」というもので、それからときおり、世界の思いがけない場所から、挨拶のように写真を送ってくれることがあった。二〇〇一年、ロンドン大学で講演をする彼に会えるはずだったその前日が九月十一日で、彼は大西洋をわたれなくなった。それ以来、連絡も途絶え、彼はぼくにとっては大部分の著作家とおなじく亡霊じみた存在のひとりに戻った。だが、そんなことは何でもない。彼のいくつかの著作は振動をやめず、その振動は世界の実在が直接に発しているものだ。多様性の刻印と高らかな笑いにみちて、それは読者に得がたい勇気を与えてくれる。

「そう、それで結局、それはどういう本なの？」

「彼は信じがたい世界旅行者なんだよ。ブラジルやインド、マチュピチュ、タンザニア、ラスコーの洞窟、ジャワ島。旅をし、スナップ写真を撮る。そして考える、というか目覚める、あちこちで。動きが、目覚めによって中断される。すると思考はいたるところに飛ぶし、エピソードは脈絡なく出てくる。そこにあるのは、知りたい、という気持ちだ。あれも、これも、世界のすべてを。彼はそれをそっくり書こうとする」

「きみはなぜ、いきなり雲の話からはじめたの？」

「雲の話！　それはじつは別の話でもあるんだ。われわれはこの大地が浮遊する大地であることを見抜けない。でもひとつの空、太陽と月を、誰もが知っている。空の青、それは認識が届かない実在のレベルをさしている。高い雲、それは光を浴びて輝き、認識の可能性を教えてくれる。中間の雲の下面は地上の生活によってどんよりと染まっているけれど、これが言語の歴史的塊だね。そして低く流れる雲は、日々のおしゃべり、気象や事件への反応、楽しみや悲しみ。青空と三層の雲。きみも見ただろう。それは実在と言語のメタファーだったのさ」

2004

語学者ベケット

メキシコ詩の翻訳者としてのベケット

I'm all these words, all these strangers... (*The Unnamable*)

「語学者ベケット！　変なタイトルだけど、何だかわかる気がする。若いころのベケットは外国語の勉強が好きだったにちがいないし、外国語との関係において自分の言葉を作り替えていったことも確実。このタイトルを採用することで、いったい何が見えてくるのかしら」

「ぼくはベケットを専門に読んでるわけではないんだ、それはきみも知ってる。でも大きな尊敬の気持ちを、彼に対してはずっと抱いてきた。サムの師匠であるジム、つまりジョイスに対するのとおなじくらいにね。その核心にあるのは、かれらの外国語との関係だったんだと思う」

「改めていうまでもなく、ジョイスは狂気を思わせるくらいの語学マニアだったし、ベケットも出発点ではそうだったのかもしれないわね」

「たとえそんな語学に対する態度が、最終的には大きく分岐してゆくとしても。ジョイスがゆきついた地点、いや地平、それはもちろん『フィネガンズ・ウェイク』で、この作品の夢の言語についてはリチャード・エルマンが『四人のダブリン人』で見事に要点をまとめている。引用してみようか。

舌はすべる、なぜかは誰も知らない。私たちはラテン語をしゃべりながら眠りにつき、フランス語をしゃべりながら目覚める。語は壊れ、他のいろいろな言語から謎めいたかたちで輸入された語とむすびつき、みずからの要素に対してトリックをしかける。閉じた眼のきらめきの中、赤いroseは赤いnoseとなり、phoenixはfinishとなり、funeralはfunforallとなる。ジョイスは自分が音韻法則に完全に一致したかたちで仕事をしていると主張した。唯一のちがいは、徐々に起こる言語的変化としては何百年もかかるかもしれないことを、彼がフィクショナルな一夜のうちになしとげたという点だと。(1)

どうだろう。圧縮と置換という夢の基本的メカニズムの見本市みたいに、言葉が響きを介して変身し、他の言語から密輸された他の単語とむすびつき、花火のような小爆発をいたるところで起こす。ジョイスは英語を、音響的な万華鏡のように多言語化した。いくつもの別の言語の音と音が響きあい、言語をつらぬく地口《パン》が、意味を途方もない方向にさまよわせていく」

「そんなジョイスのゆきついた場所を、きみは以前にカリブ海の島マルチニックの詩人、エドゥアール・グリッサンとむすびつけていたわね」

「うん。あらゆる言語はつねにすでに複数化されているとグリッサンは考える。これは事実として、まったく正しいと思うね。すべての言語は恒常的な翻訳過程におかれていて、単語は借用され、造語が試みられる。それは言語の障壁を超えて、共有する現実に対するおなじまなざしを、われわれが発明しようとしているということだろう」

「おなじ歴史的条件を共有するカリブ海の島々では、それがたとえばフランス語圏の島と英語圏、スペイン語圏の島の詩人や作家たちの、言語的な態度に現れているわけね」

「かつてローマ帝国のラテン語が辺境でどんどん崩れ俗ラテン語として新たな息吹を得たように、帝国主義的ヨーロッパの諸言語は、英語でもフランス語でも、なんの本来的なつながりもない地域を支配するために使われ、同時にまさにその支配の前線で、多くの要素の侵略をうけ、音を変え姿を変えてきた。すると別の土地、別の言語、別の生活様式や別の感受性が、帝国の言語に宿ることになる。帝国の目から見るなら、それは同化のプロセスだと見えるだろうね。でも必ずその背後に、とても同化しえないばかりか帝国にひそかな戦いを挑む要素までもが、流入し、着床する。言語の境界は海綿のように穴だらけで、ひとつの言語がどこで終わりどこからはじまるのか、なんとも定めがたいものではないだろうか?」

「そうね。ということは、ひとつの言語にはつねに他の複数の言語が滞在しているし、言語どうしのあいだには海流みたいな流れがあるし、流れはある場所の音を思いがけないほど遠くの別の場所で響かせることにもなる。それをグリッサンは〈世界の響き〉と呼んだわけね。たしかにジョイス的なヴィジョン」

「うん。ジョイスのいう〈カオスモス〉を、故フェリックス・ガタリも自分の本の書名とするほどに現代世界の本質をついた一語、予言的な一語だと考えていたようだけれども、ガタリの親しい友人だったグリッサンは、それをさらに〈カオ＝モンド〉つまり〈混沌＝世界〉と読み替えて、混沌の中から秩序が自己生成されてくる大きな運動体と捉えていた」

「もちろん、そこでいう秩序は、〈資本〉の秩序なんかじゃないわよね。それは注意しておかなくちゃいけないかもしれない。〈資本〉は階層と境界を固定化し、その電位差を利用して利潤を生もうとする。モノと貨幣を恣意的にリンクして、その恣意性を操作しつつ、境界を突破する流れを作りだしては、そこで利益を得る。グローバル化と呼ばれる惑星経済の一元的なシステム化は、結局そういうことでしょう」

「そうだね、いいなおそうか。〈カオスモス〉は混沌＝宇宙であり、その語には秩序の母胎としての混沌という連想がつきまとうけど、いまきみがいった〈資本〉のすさまじいシステム化、連結力に対抗して、利潤の発生源として利用されるような階層や境界を斜めに横切って世界の小さなポイントどうしをむすびつけようとするのが、ガタリのいう〈横断性《トランスヴェルサリテ》〉でありグリッサンの〈関係《ルラシオン》〉だった。そしてグリッサンが〈世界の響き〉と呼ぶのは、そんなもともと無根拠なむすびつきが何らかの表現において一種のエンブレム（紋章）となって、その形象に注目するときそこに流れこんだすべての力が遠い海鳴りのように聴こえてくる、そんなひとつひとつの契機のことなんだろう」

「グリッサンはフォークナー、パウンド、ジョイスを〈世界の響き〉の例として出していたわね。説明してくれる？」[2]

「まずフォークナーはアメリカ深南部、プランテーションの宇宙に渦巻く欲望と敗北の劇を、誰よりも大きな構想力をもって語った作家だ。プランテーションという、ヨーロッパ植民地主義のもっとも露骨な装置の舞台を、歴史後の場所から歴史を見つめるような冷徹さで描き出した。〈歴史後〉というのは、すべてが過去になったという意味ではないんだ。そうじゃなくて、空間化された歴史がすべて同時に露呈し、この〈現在〉の中で歴史がゼラチンみたいに固まっている。ラテン・アメリカの多くの作家たちにとって、フォークナーの書法がもたらした富は計り知れない。一方パウンドは引用と翻訳のコラージュによって、大文字の〈歴史〉と平行して生きられてきた想像力の歴史を再構成することができるという信念を、もっとも徹底的に方法化した人だった。そしてジョイスは、夜の中、夢の中で変形される歴史を、総体的な響きとして提示した。英語のハイ・モダニズムの代表的作家たちが、いずれも〈外国語〉とそのしばしば理解不可能な〈音〉や〈かたち〉に十分な注意を払っていたことは、どんなに強調しても強調しすぎることにはならないだろう」

「ジョイスやパウンドについてはよくわかるけど、フォークナーと外国語って、どういう関係があったのかしら」

「英語圏ハイ・モダニズムは、ひとことでいって、ロマンス諸語にあこがれていたよね。特にアメリカ人を考えると、北西部アイダホ州生まれのパウンドが『ロマンスの精神』を書いたのは思えば途方もないことだし、ウォレス・スティーヴンズは英語とフランス語は分けることのできないひとつの言語だと断言してはばからなかった。エリオットはもちろんサンスクリットをはじめあれこれの言語を勉強し、フランス語についてはラフォルグやサン＝ジョン・ペルスの翻訳をやっている。パウンドの親友だったウィリアム・カルロス・ウィリアムズは、そのミドルネームが語るとおり母親がプエルト・リコ人だったね。母の言葉はスペイン語。学者的なところはぜんぜんないヘミングウェイだって、パリで作家になり、イタリア語もスペイン語も学んだ。フォークナーはフランス語でフローベールを読んだはずだけど、ジョイスやエリオットたちみたいに外国語ができたとは思えない。でもたとえば『アブサロム、アブサロム！』では、ハイチから連れてこられた、フランス語に似た訳の分からない言葉を話す黒人たちのことが話に出てくる。明らかにハイチ・クレオル語。アメリカ南部はカリブ海文化連続体の一部であり、北東部を意識の中心に置くアメリカにとっては、端的にいって外国だった」

「なるほどね。モダニズムの詩学の基本が何よりも〈連結〉であり、その連結はときには自分にとって異質な伝統への非正統的な連結をめざした。でも一般的にいって、連結をはばむものは、まず〈外国語〉なのかもしれないわね。するとその連結の失敗というか挫折において、かえって歴史が露呈するということもあるのかな」

「モダニズムの基本が連結にあったこと、これは疑えないね、たしかに。物理的な移動の可能性や、速度の増大や、電気の普及や、そうしたテクノロジーの進展が、一方で人を〈外〉にむかわせ、一方で〈過去〉にむかわせた。新聞にしても書籍にしても、出版事情の変化もその背後の刺激になっている。大学のステータスの変化も関係があるかもしれない。歴史のアーカイヴが特権的なものではなくなり、それこそアイダホやミズーリ出身の青年たちにすら中世以来のヨーロッパの広大な過去が、手の届くゾーンのように見えてきた」

「それでかれらは外国語――まあ、ヨーロッパ語だけど――を一所懸命に勉強した、というわけ。でもそうした〈連結〉って、根本的に逆説的なところがあるでしょう」

「どういうこと？」

「つまり、ある種の連結可能性がひらければひらけるだけ、その連結の影に残される部分も強く意識されるわけじゃない？　外国語の学習には、典型的にそういうメカニズムが現れると思う。ある外国語の知識が増えれば増えるだけ、〈理解〉という名のもとにつねに起こっている〈翻訳〉の影で、そこからこぼれ落ちるもの、取り残されるものも飛躍的に増えていく。そのことにいやでも気づくようになる」

「翻訳の挫折、か。どうもそのあたりからベケットの核心に入っていくのかな」

「そうしましょうか。『名付けえぬもの』でベケットが書いていた熱に浮かされたみたいなひとことに、こういう部分があったでしょう。私はこれらすべての語、これらすべての外国人、っていうところ[3]。フランス語ならje suis tous ces mots, tous ces étrangers. 私は語でできている。語はすべて外からやってきた異質なもの、私の中に住んでいる外国人たち。私とはさまざまな、奇妙でけっして慣れることのできない音のかたまり。それにこのsuisを（ブルトンの『ナジャ』に倣って）動詞suivreとわざと誤解するなら、私はこうした語、すべての外国人たち

について ゆくということにもなる。そんな風に考えると、ベケットという人もその作品に現れるベケット的存在たちも、やっぱりすべて〈世界の響き〉であり、ジョイス的な本性を共有しているのかもしれない。たとえベケットにおける〈世界の響き〉が、現れとしては極端に貧しさをめざし、沈黙をめざしているとしても」

「おなじ姿勢によって出発しながら、ジョイスと二十四歳年下のベケットは、正反対のベクトルをもつことになった。言語に関して、足し算のジョイスと引き算のベケットとは、よくいわれることだけど、じつはジョイスの音響的な離れ業は足し算というよりもかけ算であり、ベケットは言葉を言葉で割ってゆくとでもいったほうがいいかもしれない。英語をフランス語で割ってゆき、フランス語を英語で割ってゆく。この割算の結果が1なら、二つの言語が完全に等しいことになるけれど、もちろん1になることは絶対になくて、0・98とか1・03とか、割り切れない意味の微妙な差異が生じ、その操作が反復されるうちに全体としてはどんどん貧困化し、沈黙ばかりが浮上してくる。それがベケットの自己翻訳」

「おもしろい言い方ね。フランス語で書くことは文体の放棄につながるんだ、とベケット自身がいってたらしいわね。文体もなく、詩もなく、饒舌から遠く、意味の充満を放棄して。するとそれが英語とフランス語の本質的なちがいに関係してくるんだろうか、という疑問をもつ人が出てくるのも理解できる。私自身はそんな本質的なちがいなんて、ぜんぜん信じないけど」

「うん。通俗化された言い方では、ゲルマン語とロマンス語の混成したクレオル言語である英語は、もともとフランス語よりもはるかに語彙が多く雑多で広大な言語だとする見方があるよね。語彙の多さは本当かも。でもそうした、それぞれの言語の総体としての性格と、ベケットにおける選択とは、また話が別だろうなあ」

「当然そうよね。ベケットがフランス語で書いたことに関して、いまの話を含めて、いくつか神話があると思うのよ。眉毛に唾をつけるというお呪いが必要な。

(1)ベケットは意志的な貧しさをめざしてわざと不自由なフランス語を選んだ。

(2)アイルランド人であるベケットにとっては、そもそも英語すら一種の外国語だったのだから、フランス語で書こうがそれでかまわなかった。

(3)ベケット家はもともとフランスから逃れてきたユグノーの家系だったから、フランス語に戻ることは先祖の言葉に戻ることだった。

どれもいらいらするくらい嘘っぽく聞こえるな、私には。どれも〈母語〉と〈外国語〉という区別を、信じられないほど本質化している。話し言葉に関しては、ある程度、〈母語〉が特権的な位置をしめることは疑えないと思うの。反応時間とか、訛りとか、言語習得期にドミナントになった言語によって、脳がいくつかの初期条件を与えられている以上。けれども読み書き能力は、別の経験の領域でしょう。自分の母語でだって文章の書けない人はいくらでもいる。エクリチュールの領域では、人はそれぞれの言語でそれぞれに人生をやり直すことができると、私は思うようになっている。そこに、すごく大きな可能性がある」

「ああ、わかるような気がするよ。母語の外で書いた作家を多和田葉子は〈エクソフォニー〉

の作家たちと呼んでいるけれど、そんな例としてすぐ出されるのがナボコフやコンラッドだよね。もっと後の人では、たとえばブロツキー、クリステヴァ、クンデラ。背景は、みんなそれぞれだ。幼児のころから家庭で本格的な外国語教育をうけていたり、外国語の幼稚園に通っていたり、あるいは亡命者として十分に長い年月をそれぞれのホスト国で暮らしたり。特にブロツキーやクンデラの場合は、言葉を乗り換えることにおいて、ベケットという先例を意識しなかったはずがない」

「そう、そして書き言葉、文章語、エクリチュールに関しては、人は外国語だろうがなんだろうが、わりとどうにでもできると思うわけ。私はね。逆にいえば、自分の母語だって、文学の言葉に足を踏み入れていくとき、外国語の場合とおなじだけの困難がある。その困難に気づかない人がたくさんいるとしても。それに〈自国語〉の表現として当然のものと見なされているとしても、自分の生活環境における〈話し言葉〉のレベルからはすごく遠いところに文章語のレベルを構築することで、やっと〈作品〉にたどりついている作家は、どこにだってたくさんいるんじゃない？　たとえば宮澤賢治の奇怪な文体は、彼の周囲にあった話し言葉と翻訳文学の文体の結合から生まれたものにちがいないし、チカーノ（メキシコ系アメリカ人）作家の英語作品やフランス語圏カリブ海の黒人作家たちのフランス語作品だって、程度の差はあっても言葉の乗り換えの結果としてはじめて書かれているものなんだから」

「それはそう。もともと言語を一つ、二つといった可算的な単位で見るのは、ごく限定的な言語観でしかないしね。でもね、ベケット自身やっぱりあくまでも英語は英語、フランス語はフランス語で、分けて考えていたと思わない？　われわれがどれだけ非本質化しようとしても、彼の意識の中ではやっぱり二つの言語は海峡で分断され、オブジェとしても別々の書物に住み分けなくてはならなかった」

「そこは微妙な点ね。イメージとしては、ちょっと語学学校的なのかな。ここはフランス語の部屋、ここはイタリア語、ドイツ語の部屋。それぞれに国旗や地図や歌詞が貼られたり、異なった飾り付けがしてあったり。それはともかく、初期の作品、『蹴り損の棘もうけ』と上手に日本語題名が与えられている *More Pricks Than Kicks* を見ると、若いベケットにとってのオブセッションだった〈外国語〉をめぐる意識があちこちで露出している。彼は外国語のほうが気に入ったときはけっして英語を使わなかったのだ[4]とか、これは驚きだ、この女は二か国語を操るのだ[5]とか、細かく見ればいくらでもあると思う。ちりばめられたラテン語、イタリア語、ドイツ語、ゲール語なんかも」

「そうだね、ダンテ『神曲』の登場人物であるベラックワに名を借りた主人公をもつ、この連作短編集の出版が一九三四年。ということはこの本に、一九〇六年生まれのベケットの二十代までの言語をめぐる意識が、有無をいわさぬかたちで書きこまれているといえるのかもしれない。ここでベケットの外国語遍歴をまとめておこうか」

「いいわよ。ノウルソンの伝記を開いてみましょう。子供のころ、ドイツ生まれのエルスナー姉妹の私塾で勉強することになったベケットは、そこでまずフランス語を学んだ。九歳でダブリンの学校に、ついですぐ寄宿学校のポートラに替わってからも、フランス語はつづけ、ラテン語もやった。結局、大学ではフランス語とイタリア語を専攻。大学時代にはラドモウズ＝ブラウンという、英語とフランス語で詩を書いていた先生の影響が大きかったというわね。でもそれ以上に、大学の外でイタリア語の個人教授をうけていたビアンカ・エスポジトという女性のおかげで、イタリア文学の規範的な作家・詩人たちを丹念に読むことにもなったらしい。『蹴り損の棘もうけ』の最初の短編、「ダンテとロブスター」というあのとってもクレイジーなタイトルの話に出てくる「アドリアーナ・オットレンギ夫人」は彼女をモデルにしている。それからドイツ語がくる、二十二歳の年。五つ年下のドイツに住む従妹ペギー・シンクレアへの恋のせいでドイツ語の勉強に没頭した、と」

「ドイツ語は実際、かなりできるようになったらしいね。三十歳前後にはドイツ語で短い作品を書いているようだし、後にも自作のドイツ語訳をチェックしたり、ドイツでの芝居の稽古に立ち会ってドイツ語で指示を出したり」

「そう。それから何といっても、パリでのジョイスとの出会い。これも二十二歳のとき。ノウルソンを引用するなら

ベケットより年長の、このアイルランド作家のおいたちと人格には、ベケットを惹きつけるものが多かった。卒業した大学こそちがうが、二人ともダブリンの大学からフランス語とイタリア語の学位を取っていた。ジョイスの並はずれた言語能力と、イタリア語、ドイツ語、フランス語および英語による幅広い読書量は、言語通で学者気質のベケッ

トに強烈な印象を与えた。またベケットは以前からの研究のおかげで、ダンテへの強い情熱をジョイスと分かち合うことができた。二人とも言葉やその発音、リズム、形態、語源、発達史が大好きだった。ジョイスは多くの言語から得た桁はずれの語彙力をもち、同時代の複数の言語のスラングに強い興味を抱いていたので、ベケットはそれには頭が下がる思いで、自分もそれを見習おうとした。(6)

どう？ それこそ頭が下がる思いじゃない？」

「まったく。言葉を失うよ。それを十分に見習うことのできなかった自分の人生を、激しく反省させられる」

「別にきみが反省しなくてもいいけど。まだ先は長いんだし。ともあれこうしてみると、〈外国語〉という強迫観念が、二十代はじめのまだまだどうにでも方向を変えられる若い時点で、ジョイスの太陽系に捉えられてしまったといえるかもしれない。ベケットのフランス語は、いわばフランス語のベケット方言。ところがその成立には、ヨーロッパ語ジョイス方言の引力と斥力が働いていた」

「なるほど。ところで、おなじロマンス語の中でも、スペイン語はどういう位置になるんだろう？」

「ベケットにとって最初に意識された〈スペイン〉は、幼児のころにおしゃべり好きの乳母のビビーから教わった歌ね。Rain, rain, go to Spain. こういう記憶って、残ると思わない？ 二十代の一時期、スペインに住む可能性を考えて、スペイン語を真剣にやった。それに当然、人によっては近代小説のはじまりとも呼ぶ『ドン・キホーテ』を読んでいるし、『ドン・キホーテ』をはじめスペイン語およびポルトガル語からの翻訳をいくつも出している、ブラジル文学研究者としても知られる編集者・翻訳者のサミュエル・パットナムと親交があり、翻訳の仕事を回してもらっていた」

「そうか。じつはここに『メキシコ詩選[7]』という本をもってるんだけど。オクタビオ・パス序文、サミュエル・ベケット訳となっている」

「ああ、ベケットがアルバイトとしてスペイン語から訳したといわれてるものね」

「ユネスコとメキシコ政府の共同企画として、一時ユネスコに勤務していたオクタビオ・パスが編集し、まずポール・クローデルの解説を添えたフランス語版が一九五二年に出た。フランス語への訳者は確認できず。ついでC・M・バウラという批評家が解説を書いた六年後の英語版では、四世紀、三十五人におよぶメキシコ詩人たちの作品の、ベケットによる英訳が掲載されている。翻訳は一九四九年、ベケットの四十代前半、『ゴドー』を書き終えたころの仕事みたい」

「アルトーとメキシコならともかく、ベケットとメキシコは組み合わせとしてちょっと唐突ね」

「そう。でもアステカ神話とカトリシズムが、ナワトル語とスペイン語が、強い熱とおびただしい血によって奇妙に融合するところからはじまったメキシコ詩の四百年に、ベケットが持ち前のダンテ、ブルーノ、ヴィーコといった人々に鍛えられたイタリア半島的想像力をもってとりくんでいたことを思うと、非常におもしろいと思うよ。ベケットにとってはアルバイトのつもりだったのかもしれないけれども、作家にとってまとまった分量の詩の翻訳が何ももたらさないことはありえないし」

「どんな作品があったのかな」

「いろいろあるんだけどね。いま、スペイン語の原文が手に入らないので、仮にこれらすべてをベケットによる創作英語詩として読んで、訳してみようか。まず、これはどうだろう。

幽霊

白く繊細だ、白百合のように、
外套に隠れほとんど見えない、
両手……おれの鎖を断ち切ってはくれない両手。

青くて黄金の砂がまぶされている、
雲なき夜のごとく青く、金色の、
両目……おれの数々の罪を見つめる両目。

The Phantom[8]

White and delicate, like white lilies,
hardly visible among the cloak,
the hands... the hands that do not break my chains.

Blue and strewn with a sand of gold,
blue and golden as unclouded nights,
the eyes... the eyes that contemplate my sins.

首は鳩の雪の胸の白さだ、
鬚と髪は太陽のたてがみに似る、
そしてかたちのいい素足は銀のよう。

おだやかでさびしい顔、衣服は青……
悪のみなぎる湖面をわたってイエスがおれ
という小舟の聖別に来てくれたように。

尖塔がつかのまの、ゆたかな確実性を
おれの霊魂の上にきらめかせたのだ、
反射光の眩しさをもって。

そんな風に彼はいつも訪れ、おれに戻そうとする
人を救う信仰、人をよろこばせる幻影を
すると一瞬、おれの暗い魂は燃え上がる。

White the neck as the dove's snowy breast,
Beard and hair like to the mane of the sun,
And like to silver the shapely foot unshod.

Mild and sad the face, the garment blue...
Thus across the mighty lake of evil
Jesus came to my unction, as to the bark.

And the pinnacle glittered on my spirit
its fleeting and abundant certitude,
as though with radiance of reflected light.

So he wont's to come and give me back
the faith that saves and the illusion that gladdens,
and for a flash my dark soul is aflame.

……こんな感じなんだけど」

「誰の作品?」

「サルバドール・ディアス・ミロン。十九世紀後半から二十世紀初頭に活躍した人、明らかにロマン主義的なイメージが見られるね。オクタビオ・パスの解説では、言葉をそぎ落とし、形容詞を削り、金属的な質感を与えている、とある。彼はピストルの名手でもあった」
「へえ。おもしろいじゃない。もうひとつ、見てみる?」
「うん。さっき名前の出たアルトーの連想から、こんなのはどうだろう。一八八〇年代生まれの、世界文学のモダニズムの天才たちのひとり、アルフォンソ・レイエス。サン=ジョン・ペルス、エリオット、フェルナンド・ペソアといった人たちと完全に同世代のこの詩人が、メキシコ北部の山岳民族、タラウマラ族を主題として書いた作品だ。

タラウマラの薬草
タラウマラ族のインディオたちが下りてきた、
悪い年のしるしだ
山では作物がとれなかったのだ。

裸で日焼けして、
風と陽のせいで黒くなった、
色を塗りたくったつややかな硬い肌で、彼らは
Tarahumara Herbs(9)
The Tarahumara Indians have come down,
sign of a bad year
and a poor harvest in the mountains.

Naked and tanned,
hard in their daubed lustrous skins,
blackened with wind and sun, they enliven

チワワの町の街路をにぎやかにする、
ゆっくりと、猜疑心をもって
臆病な豹のように、
恐怖のねじを巻いて。

裸で日焼けして、
野生の雪の住民である
彼らは――彼らは俺おまえで話す――
避けがたい問いに、いつもこう答える。
「だっておまえの顔は冷たいかい？」

山では悪い年だ
山頂からの激しい雪解け水が
村々にむかって、背中に荷を積んだ
獣人の群れを押し流してしまう。

村人たちは、彼らを見ると
すこぶる大きな反感を覚えるのだ

the streets of Chihuahua,
slow and suspicious,
all the springs of fear coiled,
like meek panthers.

Naked and tanned,
wild denizens of the snow,
they — for they thee and thou —
always answer thus the inevitable question:
"And is thy face not cold?"

A bad year in the mountains
when the heavy thaw of the peaks
drains down to the villages the drove
of human beasts, their bundles on their backs.

The people, seeing them, experience
that so magnanimous antipathy

自分たちが見慣れているものとは、かけ離れた美に。

カトリックへと
新スペインの布教師たちにより改宗させられたのだった
——これらライオンの心臓をもった子羊たちは。
そして、パンも葡萄酒もなく、
彼らはキリスト教の儀礼をおこなう
彼らの酒チチャと彼らのピノーレ、
普遍的な味わいをもつ粉によって。

彼らはトウモロコシとペヨーテの酒を飲む、
予兆をもたらす薬草だ、
色彩や形態を変えてしまう
強力な美学の交響曲。
そして形而上学的な酩酊が
地表を歩まなくてはならない彼らを慰める
それは、結局のところは、
すべての人間に共通の苦しみなのだが。

for beauty unlike that to which they are used.

Into Catholics
by the New Spain missionaries they were turned
— these lion-hearted lambs.
And, without bread or wine,
they celebrate the Christian ceremony
with their chichi beer and their pinole
which is a powder of universal flavour.

They drink spirits of maize and peyotl,
herb of portents,
symphony of positive esthetics
whereby into colors forms are changed;
and ample metaphysical ebriety
consoles them for their having to tread the earth,
which is, all said and done,
the common affliction of all humankind.

世界最高のマラソン走者たち、
鹿の苦い肉で育った彼らは、
われわれが五感の壁を跳び超える日
その勝利の知らせを最初に
伝えるだろう。

ときおり彼らは隠された鉱脈から黄金をもってきて
街路にしゃがみ一日中、
塊を砕いているのだ、
白人の町人たちのねたみを浴びながら。
今日、彼らはただ薬草の束だけをもつ、
ほんの小銭と交換する癒しの草だ。
ミント、クスクス、エンレイソウ
これで胃腸がぴたりとおさまる、
「しゃく」と呼ばれる病のための
ネズミの耳という名の草はいうまでもない。
スーマックとチュチュ軟膏とヘリボーは
血を増やしてくれる。

the finest Marathon runners in the world,
nourished on the bitter flesh of deer,
they will be first with the triomphant news
the day we leap the wall
of the five senses.

Sometimes they bring gold from their hidden mines
and all the livelong day they break the lumps,
squating int he street,
exposed to the urbane envy of the whites.
Today they bring only herbs in their bundles,
herbs of healing they trade for a few nickels:
mint and cuscus and birthroot
that relieve unruly innards,
not to mention mouse-ear
for the evil known as "bile";
sumac and chuchupaste and hellebore
that restore the blood;

シャクジョウソウは打ち身のため
それからマラリアのための薬草があり、
風邪薬になるキクゴボウもあり。
カンナの種をつなげた首飾りは、
呪いをかけられたときによく効く。
龍血は歯茎をひきしめ
ぐらぐらの歯の根をしっかりさせてくれる。
（われらがフランシスコ・エルナンデス
――一五〇〇年代のメキシコのプリニウス――
はインディオの本草学から少なくとも
千二百種の魔法の植物を収集した。
国王フェリペ二世は、
大した植物学者ではなかったが、
二万ダカットをわざわざ投じて
この特異な薬草園が荒れはてて土埃の下に
埋もれるようにしむけた！
というのもモホ神父様の証言によれば
エスコリアル宮殿で十七世紀にそんな事態が起きたのは

pinesap for contusions
and the herb that counters marsh fevers,
and viper's grass that is a cure for colds;
canna seeds strung in necklaces,
so efficacious in the case of spells;
and dragon's blood that tightens the gums
and binds fast the roots of loose teeth.
(Our Francisco Hernandez
— the Mexican Pliny of the Cinquecento —
acquired no fewer than one thousand two hundred
magic plants of the Indian pharmacopoeia.
Don Philip the Second,
though not a great botanist,
contrived to spend twenty thousand ducats
in order that this unique herbarium
might disappear beneath neglect and dust!
For we possess the Reverend Father Moxo's
assurance that this was not due to the fire

たしかに火災のせいでは　　that in the seventeenth century occurred
なかったというのだから。）　　in the Palace of the Escurial.)

蟻のような沈黙の忍耐をもって　　With the silent patience of the ant
インディオたちは薬草を集めにゆき　　the Indians go gathering their herbs
地面に積み重ねる――　　in heaps upon the ground —

彼らの完璧な、野生の自然科学。　　perfect in their natural natural science.

……どうだろう？　わずか五百年前に起こったヨーロッパによるアメリカスへの侵略が、いまもなお現在の事件として感じられるメキシコならではの、あざやかな点景、重要な主題だと思うけど」

「たしかにそうね……。詩人がかいま見た、先住民世界の伝承知の風景。ちょっとどう考えればいいのか迷うんだけど、いまきみが訳したこの英文もまた、たしかにベケットの脳を一度は通過したものだったわけね。私たちがふだん思っているベケットの作品世界とは、まるで関係ないみたいに見えても」

「そう。だからぼくにいえるのは、人にとって作品世界で実現されるのは、彼あるいは彼女の想像力の広大な宇宙の、ごく一部でしかないということなんだ。作品の受肉には、たしかにある種の神経症、強迫観念が作用しているのかもしれない。でも読み手としての彼はちょっと別の位置にいて、別の言葉を丹念に調べていることがある。翻訳はその意味でも、読むことと書くことの、こまやかな振動にみちた中間地帯を形成しているように思える」

「むしろ、そこが〈世界の響き〉の発生源なのかな、翻訳の地帯が。あのね、これも多和田葉子なんだけど、文学というのは翻訳の極端なかたち、と彼女はいう。きちんとした意味がとりにくいけど、喚起力のある言葉だと思った」

「そうだね。確実なのはベケットもまた、〈世界の響き〉の中で生き、みずからの作品によっても〈世界の響き〉を作り出したということ。どれほど独特にくぐもった、どれほど沈黙に似た響きだとしても」

「そうね。思えば語学といい翻訳といっても、言葉のいとなみのすべては沈黙に裏打ちされている。そしてベケットの声にならない声として、このスペイン語で書かれたメキシコ詩の風景も、たしかにどこかに隠されていたというわけね。現実のメキシコの歴史や風や光とともに」

(1) Richard Ellman. *Four Dubliners*. Gorge Braziller, 1987, p.87(日本語訳がある。大澤正佳訳『ダブリンの四人』岩波書店、一九九三年)
(2) エドゥアール・グリッサン『〈関係〉の詩学』(管啓次郎訳、インスクリプト、二〇〇〇年)pp.119-120.
(3) Beckett. *Molloy, Malone Dies, The Unnamable*. Grove Weidenfeld, 1965, p.386. この部分に気づかせてくれたのはAlan Astro. *Understandin Samuel Beckett*. University of South Carolina Press, 1992, p.11.
(4) 『蹴り損の棘もうけ』(川口喬一訳、白水社、二〇〇三年)p.82.
(5) 同書p.258.
(6) ジェイムズ・ノウルソン、『ベケット伝』(上巻)(高橋康也他訳、白水社、二〇〇三年)p.128.
(7) *An Anthology of Mexican Poetry*, ed. by Octavio Paz, trans. by Samuel Beckett. Indiana University Press, 1958.
(8) *Ibid.*, pp.121-122.
(9) *Ibid.*, pp.188-190.

2005

トゥピへの転身
ブラジル・モデルニズモの詩学

あまりに看過されてきた、人間学 anthropologie のこの一部門は、死んでいるわけではない。人喰い anthropophagie はまったく死んではいない。

アルフレッド・ジャリ（一九〇二年）(1)

われわれはフランスの精神的支配から脱却しようとしている。われわれはポルトガルの文法的支配から脱却しようとしている。

マリオ・ジ・アンドラージ（一九二四年）(2)

ブラジル・モデルニズモの芸術運動は二人のアンドラージを焦点として展開した。オズヴァルドとマリオ。二人は同姓だが、血縁関係はない。スペイン語圏アメリカでは一般概念としての「モデルニスモ」が十九世紀のルベン・ダリーオやホセ・マルティの作品によってはじまったとされるのに対して、ポルトガル語国ブラジルにおける運動体としての「モデルニズモ」は、明らかに両大戦間ヨーロッパに展開した国際モダニズムの潮流に棹さすものだった。中心となったのは、南回帰線下の内陸の高原に位置する新興都市、コーヒーの富を集めたサン・パウロ。当時、イタリア系移民が住民の半数を超えるといわれていたここでは、ことに同時代のイタリアの社会・芸術思想(無政府主義や未来派)への関心が、ひとつの起動力となったことは想像にかたくない。

一般に、それが個人であれ集団であれ、「遅れている」という意識から出発する者のたどる行程には、ある共通するパターンが見られるだろう。模倣と反発は人間文化のあらゆる側面を規定している動きだが、後進性の自覚にはじまる創作への衝動は、時間的な遅れと中心地(たとえばパリ)との距離的な隔たりを一挙に解消するために、先進性の記号をランダムにとりそろえようとする。世界の首都の最新流行が輸入され、その語法が翻訳され使用される。作品の形態や内容にかぎった話ではない。たとえばある文化イベントを組織すること、あるいは常識やぶりのマニフェストを執筆すること、それによって激しいヴィジョンを共有していると見られる中核グループを形成すること。モダニズム芸術が、あいかわらず国民国家の地理的・言語的境界を前提としつつ(それがあるからこそ「越境」が歓迎すべき芸術的アクションとしてうけとめられるわけだ)、ある程度の国際的同期をもって各地で反復してきたそれらの身ぶりこそ、具体的な創作に先立って、「遅れてきた青年たち」が再演すべきものとなった。かれらはまず予言し、ついでその予言を追うように創作の冒険を重ねてゆく。本稿ではまず一九二二年サン・パウロでの出来事を簡単にふりかえり、ついでブラジルの精神的独立をめざすナショナリズム的色彩の濃いモデルニズモの中心的ヴィジョンをオズヴァルドの二つのマニフェストに探り、最後にマリオの奇怪な傑作『マクナイマ』がいかに「ブラジル」の統一なき同一性を演じようとしているかを、見てゆくことにしたい。

一九二二年、あるいは始まり

一九二二年二月一三日、サン・パウロ市立劇場に集う聴衆をまえに、グラッサ・アラーニャが講演をおこなった。ブラジル文学アカデミー会員の高名な作家が、速度と運動、物質と技術を称揚する。おなじ舞台に並ぶのはほとんどが二十代の若い、無名のアーティストたち。この晩は、それでも滞りなくプログラムを終えることができた。ところが二日後の一五日になると、もはやそうはいかなかった。新聞がかれらのことを「未来派」と呼び（すなわち「未来派」は蔑称だった）、美術や文学のアカデミズムからは一斉に非難の声があげられたためだ。この晩、劇場は罵声と嘲笑にあふれた。その中で、若い詩人や作家たちは、朗読を貫徹した。かれらにしてみればスキャンダルは当然予期していたことであり、それだけで成功だったのだ。劇場のロビーにはグループの彫刻や絵画が展示され、背の高い、魁偉な容貌の若者が解説を加えていた。彼がマリオ・ジ・アンドラージ。尖った顎、厚い唇、すでに禿げはじめた大きな頭、力強い声に、大きな身ぶり(3)。おそらくこのイベントそのものは、今日想像するよりはるかに小規模なものだったのかもしれない。しかし、それはたしかに事件の名にふさわしくある決定的な断絶を刻むものであり、流れは変わり、新たな巨大な水脈がそこから育っていった。

アカデミックな芸術や文学に対する反逆として組織されたこの三晩にわたるイベント「現代芸術週間　A semana de arte moderna」は、ブラジル固有の表現を追求することを使命としていた。モデルニズモならびに現代美術についての講演がおこなわれ、マリオやオズヴァルドらが詩や散文を朗読した。アニタ・マルファッティのドイツ表現主義的絵画、ヴィトール・ブレシェレットの彫刻が展示された。日本でもよく知られている作曲家エイトール・ヴィラ＝ロボスが、ピアノ・リサイタルを開いた。「週間」そのものには参加しなかったものの、リオからはまもなくレシーフェ生まれの詩人マヌエル・バンデイラがやってきて、グループに合流する。かれらの多くにはヨーロッパ滞在の経験があり、ヨーロッパの同時代芸術によく通じていた。けれども造形芸術や音楽での実作の試みは、それだけでは運動を形成しえない。運動を組織するのは言葉であり、アーティストの仕事に座標軸を提供するのは詩人の役目だ。以後のブラジルの前衛芸術にとって、そんなイデオローグとしての役割をはたしたのが、オズヴァルドだった。

もちろん、一九二二年がこのような舞台を準備するためには、その前史にあたる期間が必要だった。オズヴァルドがはじめてのヨーロッパ旅行にいったのが一九一二年。まだ二十歳を超えたばかりの若者だった彼は、マリネッティの未来派宣言の洗練をうける。(4) 一九一七年、ロシア革命の年には、サン・パウロで史上初のゼネストが決行された。指揮したのはイタリアから亡命してきた無政府主義者たちだ（この時期の暗い不穏さもくすぶる希望の火もわれわれにはわかりにくいが、たとえばバルセロナでも無政府主義者の暗躍、労働運動指導者の暗殺といった時代の空気のうちに一九一六年には毎年恒例のカーニバルのパレードが中止されている。そしてロマンス諸語圏がリアルタイムの情報ネットワークによって、独特なかたちで大西洋を超えた一体性をつねに保持してきたことは、たびたび思い出さなくてはならない)。

その後のオズヴァルドとマリオは必ずしも足並みをそろえて生きてゆくわけではないし、現代芸術週間が覚醒のための衝撃以上の意味をもったわけでもなかったのかもしれない(その年に限ってみても、むしろ本当に運動らしい意味をもったのは雑誌『クラクサンゥ』*Klaxão* の創刊だ)。だが、この晩に集ったアーティストたちが、まぎれもなくその後のブラジルを変え、その流れは現代までまっすぐつづいている。いい例が「トロピカリズモ」と呼ばれる音楽運動だろう。ジルベルト・ジルと並んでその代表者であるカエターノ・ヴエローゾにとっては、オズヴァルドの「人喰い」の理論が(一九六〇年代のアウグストおよびアロルド・ジ・カンポス兄弟のポエジア・コンクレータを媒介者として)大きな刺激となった。「文化的人喰い canibalismo cultural という考え方は、われわれトロピカリスタにはぴったり合っていた。われわれはビートルズやジミ・ヘンドリクスを〈喰って〉いたのだから[5]」。ある文化事象の世界的最先端の部分を喰い、同化すること。それはブラジルの前衛の、ほとんど唯一の手法であり、あるいはブラジルのみならず、創造にたずさわるアメリカスの多くの者たちがたどる道でもあった。

オズヴァルド、あるいは人喰い

オズヴァルド・ジ・アンドラージOswald de Andrade（一八九〇―一九五四年）は「文学的」に生きるしかない人々のひとりだった、とまずはいっておこう。反抗的性格、破壊的性格。それが現実生活では奇矯な、突拍子もない、でも同時に目の覚めるように新鮮なふるまいとなって表れ、その言動と見合うかたちで作品が自伝的要素（ジョアン・ミラマールやセラフィンといった人物像に結晶する）をちりばめられつつ書かれていった。すべてを集め、総和し、吸収する。世界をむさぼり喰う。それがいずれは、文学表現の血肉となる。いかにも大富豪のコーヒー農園主の子らしい、新し物好きと旺盛な好奇心を生涯にわたって保ちつづけた彼を、ひとことで規定するならやはり「コスモポリタンな知識人」というべきだろうか。

ここでいう「知識人」とは、あらゆる分野に一定の意見をもち、あらゆる機会に発言を重ねる人物のことだ。オズヴァルドは詩人、小説家、エッセイスト、劇作家、論争好きなジャーナリストといったすべての面をもちつつ、自己のスタイルとしての「反逆」を追求し、自分が抱く「ブラジル」のイメージの増殖と繁茂を求めた。コスモポリタニズムとナショナリズムをヤヌスの二つの顔のようにもつことも、「遅れた」国の知識人の宿命だろう。個人の芸術的成熟への「遅れ」が、一国の文化的水準の「遅れ」とただちに混同される以上、かれらは越境し他所を求めることと、既存の自国文化の容赦ない批判へとむかう。現代芸術週間の人々に多かれ少なかれ見られるそうした傾向を、彼はもっとも強く生きた。

ブラジルを語るために、彼は二つの象徴を思いつく。「ブラジル木Pau-Brasil」と「人喰いantropofagia」だ。ブラジルの起源にあった自然物は赤い染料のとれる樹木であり、人喰いとはヨーロッパ人の想像力につきまとう、この大地の真の住人、トゥピ族の習慣だった。[6] もちろん、ブラジルを主題化しようとする試みは、ロマン主義的な理想化にみちたエグゾティックなブラジル風景(シャトーブリアンの北アメリカのような)を描きだす十九世紀のジョゼ・ジ・アレンカール以来あったわけだが、オズヴァルドの表現は、その奇矯な主張、衝撃の強さ、マニフェストという形式(予言的言挙げ、「われわれ」が「きみたち」に呼びかけることによる共同体形成への誘いにおいて、先行する文学ナショナリズムとは一線を画し、ヨーロッパ人到来以前の時に対するノスタルジアをむりやり未来にさしむけることによって、ネーション創出の新たな段階を探っている。

オズヴァルドの個人的人喰いは、ヨーロッパ前衛詩学の吸収にはじまった。はじめてヨーロッパを訪れた一九一二年、彼はマリネッティの未来派、ピカソのキュビスム、アポリネールの詩と詩論を知った。十二年後、『パウ=ブラジル宣言』*Manifesto Pau-Brasil*が執筆される。熟成のためには、十分な時間が経っていた。つづいて『人喰い宣言』*Manifesto anthropófago*。いずれもブラジルならではの、自然状態とテクノロジーの結合の上に立つ理想社会という、不思議なユートピア的ヴィジョンを語っている。来るべき高度技術社会において、父権制的権威は崩壊し、人は本来的な怠惰preguiçaを楽しむようになるのだという。夢想、発明、愛の母胎であるような怠惰。人々は技術的進歩と自然的生活の総合を、遊びにみちた本能のもとに生きる。そのときそこは「ピンドラーマ」(椰子の木の土地、無垢の理想郷)となる。資産や階級を作り出さずにはいない父権制社会の対極にある、いわば大地母神的コミュニズムとでも呼べるこんな夢のヴィジョンを、オズヴァルドは一九五〇年発表の哲学論文『メシア的哲学の危機』にいたるまで語りつづけてゆく。

二十四の断片からなっている『パウ=ブラジル宣言』(7)は、こうはじまる。

詩は事実のうちにある。紺碧の青空の下にある、ファヴェーラ［大都市周辺のスラム］の緑の中のサフラン色と黄土色のぼろ小屋は、美的な事実だ。

リオのカルナヴァルは種族の宗教的事件である。パウ=ブラジル。ボタフォゴの山並を前にするとき、ワグナーは沈黙だ。野蛮はわれらにあり。ゆたかな民族形成。植生の富。鉱物。料理。ヴァタパ［ココナッツミルクとデンデ椰子油を使ったバイーア料理］、黄金、舞踏。(p.5)

ブラジルの富が列挙されている。都市の自然成長性そのものであるファヴェーラの、混乱した美しさ。ブラジル人によるブラジル人のための祭礼、カルナヴァル。壮麗かつ野蛮な音楽を思わせる、海岸の山々。植物や鉱物の豊富さ、そしてアフリカ系の味覚をとどめつつ新天地で再発明された料理のおもしろみ。ガリンペイロ（黄金掘り）たちがおびただしく群がる黄金。アフリカの律動と身体言語をよみがえらせる舞踏。すべてが、むせるほど「ブラジル」だ。こうした土地の総体を背景に、ブラジル人としてのわれわれは「中国人のごとく諸観念の系譜学の中に迷っている法律家たちではなく、エンジニアたること」(p.6)を勧められる。

使う言葉は「古風な語法を欠いた、博識なき言語。自然で新語にみちた。あらゆる錯誤の、盛大に気前のいい貢献」であり「われわれが話すがまま」「われわれがあるがまま」のものだとされる(p.6)。

とりわけこの言語意識は、世代的に共有されたものだった。すなわち、かつての本国であるポルトガルのポルトガル語とは明らかに異なった発音や語彙や熟語や文法をそなえた、「ブラジル語」の肯定。アメリカスにおいてヨーロッパ系言語がこうむった変容は、かってロマン主義の時代に「国民国家」がその規範的「国語」を求めた身ぶりを正確になぞりつつ、言語的本国とのあいだに断絶のくさびをうちこむ宣言を必要としていた。ブラジル社会に流通している言葉 fala brasileira のレベルでは、断絶はとっくに事実だ。ところが「文学」という、それ自身の過去の幻影につきまとわれている領域では、断絶が意識的な暴力として演じられる必要がある。オズヴァルドやマリオのナショナリズムは、言語的ナショナリズムの文学的昇華という一点にむけられる。

けれどもそこでめざされる「ナショナルなもの」とは何なのか。「未来派世代の仕事はキュクロプス[一つ目の巨人]的なものだった。ナショナルな文学の大時計を合わせること。/この段階が達成されたならば、問題は別のものとなる。みずからの時代において、地域的かつ純粋となること」(p.9)。そのためには「無垢の状態」を理想とし、「土着の独創性」を尊び、「われわれの叙情詩的伝統」と「近代的表明」の最良のものを再発見しなくてはならない(p.9)。ナショナルな自覚、地方性の純化、無垢と土着の称揚といった主題を述べたあと、宣言は意味を超えた連禱のような言葉で終る。その音楽を少しでも聴きとるために、原文をかかげておこう。

Bárbaros, crédulos, pitorescos e meigos. Leitores de jornais. Pau-Brasil. A floresta e a escola. O Museu Nacional. A cozinha, o minéiro e a dança. A vegetação. Pau-Brasil.（野蛮人たち、無邪気なものたち、絵のように美しく、やさしい心をもった。新聞の読者たち。パウ＝ブラジル。森林と学校。国立博物館。料理、鉱夫、舞踏。植生。パウ＝ブラジル。[8]）（p.10）

まるで「パウ＝ブラジル」の反復がそのまま森となり、木々のあいまに諸要素が分散しているような風景。起源にありすでに失われた森林を、呪術的言語により再生させようとしているかのようだ。

四年後の一九二八年に『人喰い雑誌』*Revista de antropofagia* に発表された『人喰い宣言[9]』は、基本的には『パウ＝ブラジル』の正確な延長上にありながら、新たな連結の原理としての「人喰い」を提唱している。「ただ人喰いだけが、われわれをむすびつける。社会的に。経済的に。哲学的に」（p.13）。そこでは問題はただひとつだった。

Tupi, or not tupi that is the question.（p.13. カンマの位置は原文のママ）

「私が興味をもつのは、私に属さないものだけだ」（p.13）という立場からすれば人喰いとは他者との交渉を動機づけるものでもあり、「われわれはカライブ［カリブ族は食人種だと考えられていた］革命を望んでいる。フランス革命よりも重要な」（p.14）という希望が語られる。それは「人間をみちびくためのあらゆる有効な反抗の統一」（p.14）。そのとき「われわれはもはやけっして、われわれのあいだに論理が生まれることを認めない」（p.15）。必要なのは論理を超えて無媒介的に物を変形してゆく行動であり、言語的にはそれは叫びに似た理解不能な言葉となるだろう。

われわれはすでに共産主義をもっていた。すでにシュルレアリスト的言語をもっていた。黄金時代。

Catiti Catiti
Imara Notiá
Notiá Imara (10)
Ipeju.
(p.16)

黄金時代を見すえる者にとっては、「退屈な国家からの逃走」をめざす「移住」が問題となる（p.17）。そもそも「ポルトガル人がブラジルを発見する前に、ブラジルはすでに幸福を発見していた」（p.18）のだ。「ピンドラーマの母権制のうちに」。それは「フロイトが探究した、隠蔽され、抑圧的な社会的現実」の対極にある「コンプレックスも、狂気も、売春も、刑務所もない」(pp.18-19) 母権制社会の姿だった。

見取り図は、かなり単純なものだといわざるをえない。現代都市社会にたちこめる不安と神経症、諸制度が生み出す現代人の隷属化を、すべて資本主義と父権制が必然的にもたらした悪だと考え、ポルトガル人到来以前の黄金時代として夢想される母権制原始コミュニズムの称揚のうちに、論理以前の混沌から創造へとむかう決意を表明する。ヨーロッパ人が自己と他者のあいだに明確な差異をうちたて冷酷な距離を保った上で他者を支配することをめざすとすれば、人喰いであるわれわれは他者を喰い、同化し、安定した支配関係などありえない、混沌末分の共同体をうちたてるのだ。求められているのはトゥピ族への転身という不可逆の跳躍であり、それによってブラジルは幸福とゆたかな創造性をとりもどすことができるはずだ。試みられるのは儀礼的、魔術的な喰人。まるでアントナン・アルトーを思わせる意味不明な呪文か、鳥の歌のようなかけ声が、ブラジルの言語的独立を果たすのだと考えてもいいだろう。そしてこの人喰いの呼びかけは、オズヴァルドの妻だった画家のタルシーラ・ド・アマラルが描いた人喰いの巨人アバポルや、ラウル・ボッブがアマゾン流域への旅のあとで書いた先住民宇宙を主題とする詩『コブラ・ノラート』(一九三一年)といった作品にも反響を見出してゆく。

マリオ、あるいはマクナイマ

この「人喰い」の原理を、あたかも「言語喰い」と読み替えたかのようなかたちで、言語革命的な散文作品を書いたのがマリオ・ジ・アンドラージ（一八九三—一九四五年）だ。その長くはない生涯は、同時代の世界のどんな芸術家や思想家にくらべても遜色のない、知性と感覚の冒険にみちたものだった。[11]はじめ商業学校にかよっていた彼は十八歳のとき、サン・パウロの音楽学校でピアノを専攻しはじめる。音楽への転向というよりも、実業を去って複数の芸術に生きることの決意。まもなく美術、音楽、文学の批評を書くようになる（ブラジルでは新聞を舞台にした高度に文学的な時評エッセーが「クロニカ」という一ジャンルをなしているが、マリオはその創始者のひとりだといわれる）。一九二一年にはブラジル文学における主流派をきびしく批判する評論「過去の大家たち」と最初の詩集『詩のひとつひとつには一滴の血が入っている』を発表。オズヴァルドは「わが未来派詩人」と呼んでこれを讃えた。翌二二年発表の『錯乱したサン・パウロ』*Paulicéia desvairada*では、ヨーロッパ型都市の熱帯への生誕、苦難と波瀾にみちたそのはじまりを、ワイルドな自由律により、口語的ブラジル語表現をふんだんに使用しながら物語った。こうしてはじめから、マリオは言語の破壊者、革新者、飽くことなきアメリカニズム（アメリカス特有の語法や態度）の探究者として登場する。

現代芸術週間のあと、マリオの探究はブラジルの民俗と音楽にむかう。一九二七年、彼はブラジル北部および北東部に長い調査旅行を試み、そこから得た民俗学的素材に基づいて詩集『亀の氏族』*Clã do Jaboti*を発表する。これはアマゾン流域の密林に入りこんだゴム採集人《セリンゲイロ》たちの生活を、単純で怠惰と安逸にみちたユートピア的イメージをもって描いたもの。ついで二八年に発表されたのが、ブラジル・モデルニズモの中心的テクスト『マクナイマ――いかなる性格ももたない主人公』*Macunaíma: o herói sem nenhum caráter*であり[12]、これによってマリオは神話時代から現代、土着の未開から都市文明の先端へと線的に表象されるような秩序を一気にひっくりかえし、時間も空間も混乱したブラジルの英雄を造形したのだった。

　彼の独自性は、ブラジルの広大な多様性の中に、ブラジルという同一性をそれでも成り立たせていると思われる何かを探る試みに、フォークロアと民族音楽学の両面からとりくんだ点にある。そしてそれはマリオの自己探究と密接にむすびついていた。あまりに多くの私（ある詩には「三百の、三百五十の私」という表現がある）の分散の中から、いつか自分自身（と呼べる何かを）見出すという希望。ナショナルな文化的同一性の探究を内面化するかのようにして、私を密林や荒野にさまよわせ私の耳と舌を解体し、その果てに「あらゆる特徴を欠いた」私が幻のように立ち現れるのを見届けようとする感受性は、大西洋のむこうのポルトガル語の首都に住んだ同世代といっていい詩人＝劇場、自己を「誰でもない者《ペソア》」としてその複数化を極限までおしすすめたフェルナンド・ペソア（一八八八―一九三五年）のそれとあたかも対をなすものであるかのように、ぼくには思われる。ペソアが散逸する自己のさまざまな結節点や可能性を内面に探るとき、マリオは外的な冒険にむかい、ブラジルという国家の枠組みがかかえこんでしまった他者たち／多様性を見出すことで、散逸する自己をかろうじてつなぎとめようとする。互いにまったく独立におこなわれたかれら二人の詩的探究こそ、ポルトガル語／ブラジル語が世界に贈ったモダニスト的感受性の絶頂だったといえよう。

それでは『マクナイマ』とは、どのような作品なのか。まず、それはジャンルとしては「ラプソディー」だと作者により指定される。ギリシャ語の原義ならば叙事詩の朗唱。転じて、比較的短い章の乱雑な積み重ねによって展開する、奇想にみちた物語をいう。そのうえに、副題が重要な意味をもつ。「いかなる性格ももたない主人公」。着想を与えたのは一九二六年に読んだ神話研究の書、ドイツ人民族学者テオドール・コッホ＝グリュンベルクの『ロライマ川からオリノコ川へ』だった。ここに記された文化英雄マクナイマ Makunaíma の像（矛盾だらけ、大胆不敵、怠惰、奔放な性欲の持ち主）を借用し、その綴りをわずかに変え、種々雑多な民族学的知見を合成することによって、何の性格もない、したがって変幻自在である主人公を造形したのだ。おなじころ、フロイトの『トーテムとタブー』（一九一三年）やデュルケームの『宗教生活の原初形態』（一九一二年）なども読んでいる。そのうえで、ブラジルの全体像、ブラジル的存在の祖型を提示するためには、広大な領土を地理的・歴史的に鳥瞰し、ヨーロッパ人にとっての先行者である土着の英雄に神話時代から機械文明の現代までを一息に駆け抜けさせる必要があることを、彼はあるとき直観したのだろう。その戦略は、たしかに有効だった。

全体は十七章＋エピローグからなっている。マクナイマ、その名の含意を強いて訳せば「悪太郎」。処女林の奥で生まれたこの男の子は「夜の恐れの子 filho do medo noite」であり、非常ムの次兄はジゲ。に色が黒く醜かった。すでに年輩の長兄はマアナペという呪術師、青年である次兄はジゲ。マクナイマが普通の存在でなかったことは、六歳になるまで一言もしゃべれなかったということでもわかるが、いっそうそれが明らかになるのはジゲの妻ソファラとのエピソードだ。子守役のソファラに森に連れてゆかれるたび、マクナイマはただちに成長し立派な王子となり、ソファラと激しく性交するのだ。あるいは洪水により村に食料が尽きれば、母親に目をつぶらせその間に住んでいる小屋を向こう岸の高台、バナナや果実のみのる場所に運んだりもする。このトリックスターを主人公に、奇想にみちたブラジル探究の物語がはじまる。

母胎であるジャングルに別れを告げ物語が本当に流れ出すのは、鹿と見誤って母親を弓で射殺してしまったマクナイマが、兄たちと旅に出てからだ。マクナイマは「月の鏡の湖」のほとりで眠っている美しいアマゾナ（女戦士ばかりの部族の一員）を犯す。これがじつはシー、処女林の女王で、結婚によりマクナイマは森の帝王となる。シーと激しく愛しあい、シーの髪で編んだハンモックに二人で眠ったこの時期が、彼にはもっとも幸福な時期だった。やがて彼女は子を宿すが、赤ん坊は生まれるとすぐに死んでしまう。アマゾナである彼女には十分なお乳が出なかったからだ。悲しんだシーはマクナイマにお守りを残して昇天し星となる（こうして星となるのがこの物語の多くの精霊的な存在の宿命だ）。さらに道をゆくマクナイマが「ムイラキタン」と呼ばれるお守りを川岸で落とし、それがペルー人の宝石収集家ベンセスラウ・ピエトロ・ピエトラ（正体はピアイマンという巨人の妖怪）の手にわたり、それを取り返すために三兄弟がサン・パウロにむかい現代の機械文明に仰天するあたりから、ブラジルの全土、全歴史にまたがる幻想的な闘いがくりひろげられることになる。

時間の混乱（神話時代と現代が並存する）、距離の破壊、生命の論理の攪乱（死者が生き返るのは普通のことだし、ヒトと動物と妖怪と神々と天体の区別はない）、コミックな取り違え（たとえば都会のエレベーターを兄弟は長い腕の猿だと思いこむ）、呪術（マクナイマはマクンバの黒魔術でピアイマンを攻撃するが、それに立ち会うのは作者マリオの実在する文学仲間であるマヌエル・バンデイラやブレーズ・サンドラールだ）、祝祭的言語使用（特に目につくのは「列挙」の語法で、これが物語空間を過剰にふくらませてゆく）は、典拠の秩序を逆転させることで笑いをひきおこすパロディー文学の伝統につらなり、またいうまでもなくラブレーを思わせ（人類学者ロジェ・バスティードは早くからそれを指摘していた[13]）、ミハイール・バフチーンが語った「メニッペア」のジャンルに属するものだといえる。語彙は異様なまでに豊富で、できあいの辞書ではとても対応できない。ブラジル各地の地域語を統合して使用する、祝祭的言語、人喰い的言語の実験だ。マクナイマの冒険を追ってゆくと、あるときから言語意識が前景化されてくるのに気づく。文章を書くときには端正な伝統的ポルトガル語を用いながら、話す言葉はおびただしい新語や俗語をちりばめたブラジル語であるという実生活上の二重言語的現実を、もういちど「文」という平面にくみこむ運動。先住民諸言語や混在する移民たちの言語をかかえこんだアメリカスの宿命であるそんな一種の「口語文運動」的な意志が、『マクナイマ』にはたしかにある。同時に、そんなナショナリスト的意志の造形にあたって、主人公マクナイマの出生地をギアナ高地に近い密林、はたしてブラジル領土かどうかすらさだかではない土地に置くことで、ナショナリズムそのものをはじめから相対化しているともいえそうだ。

言語意識という点で特に注目すべきなのは第九章「イカミアバへの手紙」だ。森の皇帝であるマクナイマから臣下であるアマゾナスたちに宛てたサン・パウロ発の美文調の手紙には、マクナイマがもつ文法や書字へのこだわり（「ムイラキタン」の綴りだけでも四種類が検討される）やサン・パウロでの言語観察の鋭さがうかがえる。それはもちろん、文法家や人類学者にむけられた諷刺なのだが、その諷刺は笑いの陰に真剣な言語探究の意志を宿しているような性格のものだ。「会話においてサン・パウロっ子たちは野蛮で雑多な方言を使う、それは表現は野卑、土臭い不純さにみちているものの、味わいにも呼びかけの力にも欠けることはなく、冗談をいうにもうってつけだ」（p.66）。あるいは「私たちはブラジルの綴りの z をめぐって、あるいは再帰代名詞 se の問題をめぐって熟考し、長い時間を費やした」（p.67）。これはそのまま次章のこんな一文につながってゆく。「マクナイマは一週間のあいだ、食べるものも食べず、遊ぶこともなく、眠りもせずに、不機嫌にすごした。それというのも土地で話されている言葉を知りたいばっかりに」（p.70）。それ自体が言語学的実験でもあるような作品に埋めこまれた、言語学者としての主人公！　教養文化と民衆文化の分離を嫌い、両者があくまでも統一的に捉えられることを望んだマリオにとって、白紙の性格をもってみずからに遭遇の痕跡を刻んでゆくマクナイマとは、その後のブラジル研究へとむかう自分自身を予言する、したがってある決意のこめられた、きわめて操作的な形象なのだった。

みんながトゥピになるとき

オズヴァルドとマリオの関係は、永続するものではなかった。二〇年代の終りには二人の道は分かれ、交遊は終る。けれども二人がそれぞれに追求したトゥピへの「転身可能性」は、個々の感受性の違いなどをあっさりと超越した原則として、この世代の詩人・アーティストたちに共有されていた。「『人喰い雑誌』には方向づけもなく、いかなる種類の思想もない。あるのは胃袋だけだ」（アルカンタラ・マシャードとラウル・ボップ[14]）。すべてを合わせ喰うこと、それは「性格をもたない」ことの誓いであり、異質なものとの遭遇の機会があるたびそれを逃さず連結を探る、きわめてモダニスト的な美学の宣言でもあった。

おもしろいことに、ブラジル以外の土地でも、この「人喰い的感受性」を主張した人がいた。一九四〇年代にカリブ海マルチニックで雑誌『トロピック』を夫エメ・セゼールとともに創刊したシュザンヌ・セゼール。彼女はこう語っている。「マルチニックの詩は人喰い《カニバル》的なものだろう、さもなくば存在しないだろう[15]」。人喰いとは結局、ごく単純に、炸裂的な出会いをそのままに生きようとする意志なのだろう。それは儀礼であり、他者への尊重の気持ちなく喰うことはできない。みずからの転身への願いをこめずに喰うことはできない。ハムレットの悩みに新たな句読点を打つことでジャック・ラカンが読み替えた例が思い出される。To be or not, to be, that is the question.（存在しているかどうかもわからぬままに存在している、それが問題だ。）これに倣っていえば、Tupi or not, Tupi, that is the question.（トゥピであろうがなかろうがトゥピになること、トゥピすること。）それはもはや偏狭なナショナリズムの要請ではない。ましてや「世界」をひとつの統一的都市とみなしそこへの所属を誓うコスモポリタニズムでもない。所属を解除し、全体や所有を指向することなく、土地なき地域主義とでも呼べる態度を生きること。「周縁」の「ローカル」な存在であることを運命づけられた者たちが、担うべき正統性をもたないからこそ手に入れることのできる鋭敏さの実験を、アメリカスの二十世紀の人喰いたちは、黙々と実践してきたのだと思う。

（1）Augusto de Campos. *Poesia antipoesia antropofagia.* Cortez & Moraes, 1978, p.107.
（2）Mario Carelli et Walnice Nogueira Galvão. *Le roman brésilien.* PUF, 195, p.53.
（3）João Luiz Lafeta. "Mário de Andrade, o arlequim estudioso" in *Mário de Andrade.* Abriu Educação, 1982, p.3.
（4）オズヴァルドの生涯については主としてMaria Augusta Fonsecaによるチャーミングな小著*Oswaldo de Andrade.* Brasiliense, 1982を参照した。
（5）Caetano Veloso. *Verdade tropical.* Companhia das letras, 1997, p.247.
（6）トゥピと総称されるのは南アメリカ大陸の先住民集団で、トゥピ・グアラニー語族のトゥピ語を話す諸部族の人々。アマゾン流域および大西洋岸地帯にきわめて広く居住していた。ポルトガル人と最初に遭遇したトゥピナンバ族は、そのひとつ。カヌーを巧みにあやつり魚をとる森の河の民であり、捕虜を殺して喰うことでポルトガル人に恐れられていた。

（7）Oswald de Andrade. *Do pau-brasil à antropofagia e às utopias*. Civilização brasileira, 1978.

（8）この一節をめぐっては管啓次郎『コロンブスの犬』弘文堂、一九八九年pp.144-148を参照。

（9）Oswald de Andrade. *ibid.*. pp.11-19.

（10）ここで参照した全集版では、この呪文のような言葉に脚注が付されている。「「新月よ、新月よ、私の思い出を誰かさんにささやいておくれ」。コウト・マガリャンイス作『密林』から」。だがいうまでもなく、ここではこの歌の理解不能性、音の反復の不透明な効果こそが「シュルレアリスト的言語」に譬えられているわけだろう。

（11）マリオの全体像を知るのにもっとも手ごろなのはJosé I. Suarez and Jack E. Tomlins. *Mário de Andrade: The creative works*. Bucknell University Press, 2000だろう。

（12）Mário de Andrade. *Macunaíma: o herói sem nenhum caráter*. Editora Itatiaia, 1984. またJacques Thieriotによるフランス語訳を参照。*Macounaíma*. Stock-UNESCO-CNRS-ALLCA XX, 1996.

（13）ロジェ・バスティード「パリのマクナイマ」については『コロンブスの犬』pp.164-165を参照。

（14）Augusto de Campos. *ibid.*. p.110.

（15）マリーズ・コンデ「英雄とカニバル」『越境するクレオール』三浦信孝編訳、岩波書店、二〇〇一年pp.141-162.

その他の参考文献

Leslie Bethell, ed.. *A Cultural History of Latin America*. Cambridge University Press, 1998.

Gilberto Mendonca Teles. *Vanguarda europea e modernismo brasileiro*. Vozes, 1983.

Roberto Schwarz. *Misplaced Ideas*. Verso, 1992.

2003

十和田奥入瀬ノート

よく「心が洗われる」というけれど、知らなかった土地を訪れて心も目も肌も、自分の存在がまるごと洗われるような気がすることは、たしかにある。自分自身を洗うことが必要だと感じたときには、土地を訪ねよう、水を訪ねよう。その旅は同時に、ある地域を流れ地形をかたちづくってきた時間の果てしない深みにむかって垂直なダイヴを試みることであり、あまりに限定されたひとりひとりの人生を思いがけない広大さにむかって解き放つことでもある。

ぼくが今年はじめて訪ねたのは青森県中央部、十和田と奥入瀬だった。太古の火山が生んだ湖から流れ出す渓流、力強い風の吹きわたる平原。遠くには、冬になれば深い雪に埋もれるにちがいない山々が見えている。美しい土地、さわやかな土地だ。土地との出会いはいつも全面的だ。その風がきみをつつみ、その光がきみを射る。この土地からうけたいくつかの印象について、これから書けるかぎりのことを書いてみる。

はじめて七戸十和田の駅で降りたとき、空が大きく春の光がぱらぱらと降りそそいで、その明るさにとまどうほどだった。視界がのびやかにひろがる。アメリカ西部モンタナ州は渾名をビッグスカイ・ステイト（大きな空の州）というけれど、その名をつい連想するほど、ここも青空がでっかい。もっとも、モンタナとはスペイン語の「山」に由来する名前で、その州はロッキー山脈を擁しているものの、ここ七戸十和田ではそんなに峻厳な山脈がすぐそこにあるわけではない。なだらかなやさしさを感じさせる山々を見ることができてもこの場所は平野、春先の冷たい風が強く吹き、陽光はあくまでも明るく空に散乱している。その中を、光の中を、走りはじめる。

ここは青森、青い森。土は黒々と輝き、表土はまだ冬の硬さを宿し、生命であるわれわれはその鉱物質の硬さの上に乗っかって春の祭礼の準備をしているところだ。十和田市をめざした。地形は平坦だが独特な強さをもってうねり、風を切り、空を切っていた。空と地面の戦いは永遠で、人間の心には関わる余地がない。地形とはすべて時間の関数だ。いったいどんな時間が、この土地を平野を平原を台地を大地を流れていったことだろう。時間を目に見えるかたちで担うのは、水の流れ。この地形を流れの力によって削り出していったのは、どこからやってきたどんな水なのだろう。ぼくが何も思わないうちから、それどころかぼくの祖先たちがまだヒトですらなかった時から、これらの土たちはその粒子を育み、少しずつ土壌を整えてきた。火山灰と微生物。菌類と小さな植物。土の粒子はやがて芽生える樹木のために、われわれには計り知れない時間を費やして、みずからを育ててきた。平原をかたちづくってきた。

その土壌をいっそう育てるかのように、馬たちがいた。七戸十和田の明るい風を切るようにして南下すると、すぐに幻の馬たちの群れに取り囲まれる。この幻の馬たちは人なつこくて、どこまでもきみと一緒に走ろうとする。その速度は人の歴史よりもずっと速くて、逆説的にも、生命の進化のきわめて緩慢な速度に追いつこうとしている。現実の馬を見かけるまえに、ぼくは話に聞いただけの馬たちのことを思い浮かべていた。こうしてひとり車で走っているとき、想像しようとするのは、それぞれの土地が経験してきたすべての時間のこと。するとときおり、たとえばいたちや野うさぎやきつねのような小動物が地を走り目の前を横切って、まるで何かの警告のようにして土地の生命世界への扉をさししめしてくれることがある。そんな瞬間を期待しながら、走る、走る。まだ馬もいたちも姿を見せてはいないが、かれらは確実にこの風景のどこかに身を隠している。出会いを待っている。

生命の複雑さは何よりも種の多さとして現れるので、それをいずれかひとつの種によって代表させることはできない。あらゆる瞬間にヒトがさらされているのは、地球上における誕生以来連綿とつづく生命の、現在における全体像なのだが、ふだんのぼくらはそのことにさえ気づかず、ただ漫然と生きていることが多い。それでも生命はさまざまな小さな現れによって、われわれの小さく貧しく簡潔な生涯を、つねに途方もないユーモアによって相対化してくれる。突然、驚かしてくれるのだ。風景の中に隠れている多くの種、その全体像は、体験することはおろか見抜くこともヒトにはむずかしい。ヒトは小さく限定された意識をもって地表をさまよいつつ、ある地域を共有する生命の共同体に体でふれようとする。だがその共同体は、ヒトの営みによって大きな影響をうけ外見を変えるのだ。たとえば、それまでその土地にいなかった動物が持ち込まれるとき。どこからか、馬という巨大な哺乳動物が旅をしてきて、この土地に定着したとき。

十和田の市街地に着いた。ここはかつて三本木原台地と呼ばれていた。はじめぼくはその名が三本の木に由来するのだと思っていた。どこにその三本の木があったのかは知らないけれど、ある土地において樹木の三本がその「3」という数字を厳格に守ることはありえないだろう。生命はそもそも算術を知らない。3は6であり9になる。ところが後で聞くと、木は三本ではなく一本で、三つ又に分かれた神木がここにあったのだという。その三本木を目印とする平原に住みこむにあたって人間たちが最初に試みたのは、用水路の掘削だった。水があれば荒れ地を開墾し、不毛の大地と呼ばれた地域を多産な耕地に変えることができる。もちろんそこで実現される多産とは人間たちに都合のいい食料や商品作物の生産のことであり、そこで果たされるのは土地の人間化であり、あるいはそれは他の形態のさまざまな生命にとっては窮屈な、限定状態となるのかもしれなかった。

こうして村が拓かれるとき、そこに住む生命の全体像の、信じられないほどの変化が進行する。その際にも変わらないのは空の光、空の青、森の緑、森の青、植物たちのすこやかな生育だ。町を流れる用水が稲生川《いなおい》と呼ばれるのは、その名が物語るとおり米作りのために作られた川だったということだろう。この水は水らしくない直線をもって土地を横切っていく。この人工の河川には河童も住まないし、鮭や鰻も遡上しないかもしれない。けれども流れが担う本質的な生命感覚は変わらず、この川によって町はいきいきとする。ではその水は、どこから流れてくるのか。

十和田の市街地はきれいに整った直線道路が直角に交錯して、町を作ったのが近代の都市計画だったことを思わせる。桜並木の官庁街通り（駒街道）には銅像の馬たちがいて、美術館のまえには後脚で立ち上がる花の馬がいた。桜が散る季節のこの道路の写真を見たことがある。花びらが歩道を一面に埋めつくし、それは夢のような美しさだった。火山灰の平原に生える草に放たれた馬の群れが軍馬として集められたころ、この道でも馬たちのみごとな行進が見られたのだろう。いま生きた馬に出会いその温かい鼻面に手をふれるためには「駒っこランド」に行き、同時に、隣接する馬の文化資料館「称徳館」をじっくり見てみるといい。馬についてまるで無知なぼくは、「青毛」というのが黒い馬をさし「葦毛」と呼ばれるのが年齢とともに白の度合いを増していった馬だということも知らなかった。馬に乗って弓を射る流鏑馬という勇壮で典雅な競技も見たことがないけれど、いつかは見る機会があるかもしれない。いつか何かの機会に、馬に乗ってこの平原の一部を横切ってみることだってあるかもしれない。

いまは水をたどる。町を出て奥入瀬川につかず離れず進み地形の微妙な変化を楽しむうちに、渓流への入口にやってきた。ここから、方角としてはほぼ南にむかって、奥入瀬川沿いの道をさかのぼってゆく。すばらしいドライヴだった。最初に訪れたとき、春のこの道は通行可能になったばかりで、残雪が道路わきにも渓流沿いにもたくさん残っていて、すっかり葉が落ちた木々の枝のあいまは光のみでみたされ、濃い空の青がその彼方を輝かせていた。ついで夏のはじめに再訪すると、すべての枝で緑が爆発したかのようにあらゆる濃淡の緑がついこのあいだまではからっぽだった空間を埋めつくし、渓流の水面さえ見えなくて流れは音だけの流れとなっていた。これを見ると秋の紅葉の時期がどれほど饗宴を思わせる色彩の氾濫となるかも予想されて、その予想は人を身震いさせるほどで、ここが木々たちのしずかで豪奢な王国なのだということもわかる。

車を停めてしばらく歩いてみる。流れには音がつきもので、音は水の落下によって生じるが、落下にはあらゆる複雑なパターンがあってそれは川底の、川岸の、細かい地形に対応している。水が落ちるとき空気が巻き込まれ、泡立ち、水は千々に引きちぎられてはまたひとつに合流しつつ白く輝き、さわがしく忙しい運動をやめない。飛沫のひとつひとつが完全な球からの変形で、光を宿し、それ自体としては無色透明の水がじつはこの森を、山を、空を映す自然のレンズでもありうることがわかる。魚はいるのか？　わからない。獣はいるのか？　わからない。でもいま姿が見えなくてもかれらの存在は疑えず、ここは一面の生命の地帯だ。水の流動自体が、まるで生命の本性である連続する運動そのものを見せてくれようとするみたいだ。

通しで歩くなら、渓流の出口にあたる焼山から湖までは14キロの小径がつづくのだという。その歩行はこんど（たぶん秋に）試みることにしよう。石ヶ戸、屏風岩、馬門岩、千筋の滝、雲井の滝、双竜の滝、白布の滝、岩管の滝、玉簾の滝、白絹の滝、白糸の滝、不老の滝、双白髪の滝、姉妹の滝、九段の滝、銚子大滝、五両の滝。大小の滝や岸壁を眺めながら進む、すばらしいトレールだ。滝といってもwaterfall（まとまって水が落ちる）とcascade（階段状につづく）があるが、いずれにせよ滝たちにはもともと名前がない。その無名の状態に出会いたかったけれど、そのためには少なくとも数百年は時間をさかのぼらなくてはならないだろう。今日は流れに沿った舗装道路を車で走ってきた。この自動車道路はやがて通行禁止になるという話があり、いいことだと思う。渋滞になるほどの自家用車での走行をやめて、代わりに観光専用の連結車両をもつ電気自動車を走らせたほうが、ずっとこの場所にはふさわしいだろう。もっとも冬明けのいまは誰もいない、誰も通らない。まもなく十和田湖に着くというあたり、子ノ口の水門で車を停めると、湖面をわたってきた強烈な風が吹きつけ、枯葉の群れが路面を小動物の群れのように走ってきた。何が押し寄せてくるのか？　風が、季節が。春というよりは冬の最後の抵抗のような冷たさだが、強い高揚感をもたらす。わずかな登り斜面を駆け上がるように、枯葉の群れは転がりながらどんどん加速して目の前を通り過ぎてゆく。まっすぐ立っているのはむずかしい。そして光は明るく、すぐそこからぽっかり開けた湖面を予感させている。

湖畔に出た。茫然とした。対岸の山には雪の白い地から木々が黒々と浮かび上がっている。空には雲がたちこめ、雲のある部分は暗い底を見せて、実際ときおり飛ばされてくるのは湖面からのしぶきだけではなく雨のしずくなのかもしれない。別のところでは雲はずっと明るい白で、太陽がさしている。雲はすみやかに飛ぶ、そして青空が見える。海洋性気候の土地でよく見られるような、走るような気候の変化と混在。湖面には強風のせいで海のような波が立ち、波は足元の岸辺に打ち寄せ、船着場のコンクリートの壁にぶつかって砕け、ぼくはそれを浴びる。湖ではない、これは小さな海だ。きびしい北の海だ。

それから水辺をしばらく歩いてみた。あいかわらずの強烈な風、寒い。荒涼としている、誰もいない。それはぼくが大好きな雰囲気で、光と水と土と風のぶつかりあいをそのままに体験するには最高の条件だ。左手の小さな島には鳥居が作られている。この先にあるのは「乙女の像」。人間世界が自然のさまざまな力にさらされるこういう地点に彫刻作品を置くことの意味はよくわからないけれど（まさに人間世界の境界を刻印するということなのか、ことさらに「人間的」なこの一対の裸婦像によって？）彫刻作品としてのそれはきわめて力強く大きく、高村光太郎という詩人彫刻家の力量がたしかにじんわりと伝わってくるものだった。湖に、船はまったく出ていない。これもいつか、そんなことができるなら、湖面がおとなしく落ち着いているおだやかな夏の夕方にでも、カヤックでこの水に漕ぎ出してみたい。

こうして町から渓流を経て湖までの道をたどってきた。さあ、ここから想像力の経路を逆転させ、時を一気にふりかえることにしようか。ぼくがいっているのは、この土地の成り立ちのことだ。青森県中央部でもっとも目立つ山は八甲田山。そこには四年前の夏に登ったことがあった。百十万年前、この一帯は活発な火山活動のステージで、八甲田山を作った噴火活動が現在の十和田奥入瀬地域にも火砕流の台地を作ったのだという。ボコボコとあちこちからマグマが噴出するようすをつい想像するが、現実には噴火ははるかに長い時間の中に点在するだけのものなのかもしれない。そんな噴火のひとつが巨大な噴火口を作り、そこに雪解け水が溜まる。十和田湖のはじまりだ。

約一万年前、湖のへりの一部が決壊し、大洪水が溶岩の台地を深く削って、渓谷を形成した。この時期は氷河期の終わり、つまり地球温暖化の時期でもある以上、大洪水はそれと関係しているのではないかと思う。温暖化とは地表の水の循環の活発化でもあり、雪もたくさん降るようになり、その雪解け水の量も増大するのだから（おなじ青森県の日本海側にある最終氷期埋没林もその時期の洪水が作ったものだ）。できあがった渓谷地形には、つねに水が流れていった。思い出してほしい、十和田湖が田沢湖と支笏湖につづいて日本第三位の深さをもつ湖だということを。この安定した水源から、水がちろちろと流出をつづける。さらに十和田地方の夏に強い影響を与える「やませ」がある。太平洋から吹き込む、オホーツク海気団由来の湿った冷たい空気塊のことだ。この湿潤な環境で、渓谷にはゆたかに苔が育った。はじめは土壌をもたなかった渓谷で、苔のマットの上にさまざまな植物が生え、やがて樹木が育つようになった。

こうなると森はみずからを育ててゆく。植物の世代交代の上に、土ができてゆく。菌類、動植物、すべてが、陽光と水の供給に応えて協働する。奥入瀬渓流の現在は立派な森だが、おそらく土壌そのものはさほど深くないのではないだろうか。しろうと考えだけれど。倒木が多い。もともとの溶岩の地盤の上、あまり深く根を下ろすことがない樹木が、雪解けの季節に水の圧力を受けて倒れるのではないだろうか。けれども倒れた樹木の生は、まったくむだにはならない。森の中ではひとつの死はそのまま別のかたちの生。ひとつの死は、別の数多くの生命たちに確実に受け継がれてゆく。

そんなことを考えながら町に帰った。途中、山頂にひろがる牧草地に迷いこんだり、大きな男女一対の萱人形が飾られた梅集落を通ったりした。平家の落人が住みついたともいわれるここには二つの湧き水があり、人々はいまもそれを生活に使っているのだという。山に降った雪が解け、水は地中に浸透し、山塊の中での岩盤と土壌の関係にしたがって、どこかでまた地表に湧き出る。獣もヒトも、それに頼って生きる。そんな単純であたりまえの事実が、この場所では沁み入るように実感できる。

2013

写真的シャーマニズムについて

もし人の体が透明な輪郭だけの体で、空気と完全におなじ重さで空気の中に住みこんでいるのだったなら、風が吹くたび人は風の速さで軽々と移動し、風にしたがってまたたくまに広大な土地へと拡散していったことだろう。かれらの移動は音をもたず、ただ水に住むある種のクラゲのように、光の加減でその姿がときおりかすかなブルーにきらめくだけだったろう。それでもその存在ははっきりと感じられて、どこにいってもかれらはその場所で暮らしを営んでいるのだ。誰もいないと思っていても、どこかに、そこに誰かがいて、われわれを見ている。植物たち動物たちはその鋭敏な目で、かれらとわれわれを見比べている。そして驚いたような顔をする。ああ、これはどちらも人なんだ、と。われわれ自身だって驚いているのだ。人は人の全体を知っているわけではないので。新しい土地には、われわれにとって新しい人が、必ずいる。かれらと出会うことはわれわれにとって大きな衝撃で、その出会いを通じて、われわれには世界がまったく異なった光のもとに見えるようになる。はじめ、かれらは風として移動して行った。それから、種子のように着地し、そこに住みはじめた。土地の人となった。

ヒトという動物の旅には、ひとつの大きな秘密がある。すべての旅にはそれに先行する旅があったということだ。きみが訪れる新しい場所には、必ずきみに先行してそこに行った人がいた。きみが歩む道は、必ず誰かが拓いたものだった。誰も住んでいないと思った土地に、誰かがいた、あるいは先行する人々の痕跡があった。北アメリカ大陸南西部の高原沙漠に移住してきたプエブロ・インディアンたちは、そこに自分たち以前に住んだ人々の痕跡を発見して驚き、何の理由によってかその土地を立ち去ったかれらのことをアナサツィ（古き人々）と呼んだ。ジェイムズ・クック船長は疑いなく人類史上もっとも巨大な知性をそなえた旅人のひとりだったが、絶海の孤島と呼ぶにふさわしい南太平洋の島々で島人に迎えられるたび、自分たち西洋文明の航海術とは異なり、かつはるかに先行するかれらの航海術に、どれほどの畏怖を感じたことだろう。あるいは星野道夫はハイダグアイを訪れ、森を歩くうちに出会った、朽ち果て森そのものに還ろうとするトーテムポールに手をふれて、いったいどんな時間の流れを実感したことか。

人はいたるところにいる。この地表では。東アフリカのどこかで始まったわれわれの種はたぶん四万年ほどまえには地球のほぼ全体への拡散を終え、極地から赤道まで、海岸から山脈までのあらゆる緯度と高度に順応し、それぞれの土地に即した特異な生き方、特異ではあるけれどどこかで遠い土地どうしの呼応関係も見られるさまざまな生き方を、作り上げてきた。その結果、じつにさまざまな生き方が、地球にはある。でもその多様性を強調するあまり、人間文化に全体をつらぬく普遍性はない、といわれると、ぼくはそれに反対して「いや、普遍性はあるよ」と答えたくなる。ヒトをヒトとした特徴的な行動や問題解決の仕方には、時間的にも空間的にも離れたさまざまな文化で、何度となく再発明されてきたものがある。人の個々の行動に指針を与え、ある方向にむかわせるいくつかの根源的な態度だって、たぶん普遍的だ。残忍な攻撃性？　そう、たぶんそれもそのひとつであることは否定できない。だがそれとは反対の方向性をもつ歓待・贈与・利他行動といった特質も、たしかにあるはずだ。さらには善悪のいずれともいいがたいが、新しもの好き《ネオフィリア》、好奇心も、おそらく普遍的な資質だろう。好奇心を基盤として、つねに新たな道、地平、土地を求めてどこまでも移住してゆくことは、たぶんヒトが種としての創成以来くりかえしてきた行動のパターンだった。なぜか。新しいものを知り、その使用法を開発することは、たぶんヒトにとって直接に生存に関わっていたのだ。

「人は本性上、好奇心にみちている」と、疲れを知らない旅人だったブルース・チャトウィンは書いていた。人のノマディズム（移動生活）を根底からささえるのは、好奇心だ。現代都市の日常生活という卑俗なステージにおいて、好奇心がどんな風に外を求めてくすぶるかについては、チャトウィンが簡潔に述べている。「単調な環境とつまらない日常行動が織りなすパターンから生まれるのは、慢性的疲労感、神経の乱調、無気力、自己嫌悪、そして暴力的反応だ。驚くにはあたらない、セントラルヒーティングによって寒さから守られ、エアコンによって熱さをしのぎ、消毒された交通機関でどれもよく似た家やホテルから次の家やホテルに運ばれてきた世代が、精神と肉体の旅の、興奮剤や鎮静剤の、セックスと音楽とダンスのカタルシス的な旅の必要に迫られるのは。われわれはあまりにも多くの時間を閉ざされた室内ですごしている。」ここには真実があると、ぼくは思う。好奇心を風と光にさらし、発見を求め、発見の連続によってこの地球各地での生存を確保してきたヒトという動物の本性を、まっこうから否定し密室に閉じこめるのが現代の都市生活であり、その基本条件としての市場経済だからだ。

都市の生活は計画され、管理され、予測可能性と効率にすべてをゆだね、システムにひびを入れるような発見・驚き・魅惑を周到に排除する。世界の大都市は相互に連結され、どんどん加速され補強されてゆく一方の惑星的ネットワークを形成し、われわれに大いなる忘却を強いる。大いなる忘却？　そう、地上の各地に拡散した人々がそれぞれの土地の生態系に呼応しつつローカルに編み出してきた生き方に対する忘却だ。先住民の知恵、としばしば呼ばれるものは、ただロマンティックでスピリチュアルな口当たりのいい甘い歌なのではない。それは各地のきびしい自然に対して発見された知識と使用法の総体であり、土地をヒトと共有する植物たち動物たちをめぐる発見の蓄積であり、土地の全体を維持可能なものとして保ってゆくための決まりごとをも含む倫理的姿勢をさしている。

現代日本という社会を共同で営んでいるわれわれの中で、おそらくもっとも遠い旅人のひとりである津田直の旅は、一貫して辺境をめざしているようだ。辺境、すなわち、都市機能から遠いところ。中でも首都の、みずからを中心化する作用から、可能なかぎり離れたところ。端的にいって人が少ないところ。そして少ないがゆえに逆説的にも、人類史の真の伝統がよりよく守られているところ。いったいいくつの土地の話を、ぼくは彼から聞いたことだろう。アイルランドおよびアウターアイランズ、ブータン、ミャンマー北部、琉球諸島、そしてラップランド(津田の呼び方にしたがえばサーメランド)。どの土地も現代世界のシステムにとっての「はずれ」であり、のみならず、みずからを「はずれ」に留めようという強い意志が感じられる土地ばかりだ。「はずれ」にいることで、古い道を守る。古いやり方を、その知識と技術のすべてを、つねに新しくよみがえらせようとし続ける。そしてそれぞれの土地に根ざした長い歴史をもつ生き方をつらぬくことで、これらの場所は人類史の真の伝統、土地のオムニスケープ(全景)をつねにまるごと相手取り意識しながら生きるという伝統へと、合流する。それは現代世界がひたすら忘却しようとしている伝統だ。その忘却の先に、どんな危険と頽廃が待っているかも知らずに。

津田直は、忘却の崖っぷちにあるそんな人類史の伝統にふたたび合流するために、みずからを「はずれ」へとずらし、「はずれ」へと歩み寄って行くのだ。数々の旅で彼が出会うのは土地ごとに受け継がれてきた伝統であり、その担い手たちだった。知識と実践はひとつで、かれらはその実践の強度によって、百年はおろか千年を優に飛びこえて、土地における生存の技術を現代によみがえらせてくれる。トナカイを放牧するサーメの人々の場合、津田が実際に立ち会ってきた、トナカイの群れの年に二度の総数確認の作業などは、六千年まえのペトログリフ（岩絵）に描かれている姿とまったく変わらないのだという。数字化され直線的な時間軸に並べられたかたちで年月を数える癖がついてしまったわれわれには、千年といえばとてつもない昔に思える。だがトナカイという別の動物種との共生関係に立ち、この土地の季節のサイクルをトナカイとともにありのままに体験してきた人々にとっては、千年は百年の十倍ではなく、六千年は千年の六倍ではないのだ。かれらが体験するのは年ごとに重ね塗られ、毎年新たによみがえる、生命の持続に最大の価値を置く、循環する時だ。

そんな時間感覚は、土地に根づく共同体によって共有されている。生命の年ごとの再生に注意を払う文化ではどこでも、生と死のむすびめをつかさどる聖性の技術者がいる。聖なるポイントがあり、供犠がとりおこなわれる。いくつもの土地の文化を訪ねるうちに、津田直にはどうやらそんな地点に対する感受性が強く育ち、生死にまつわる共同体の司祭役の人をも見抜ける力がついてきたようだ。みずからきわめて巧みなストーリーテラーである津田の数々の体験については、いつか彼自身の口から聞くのがいちばんいいだろう。トナカイの数かぞえの日、地面に花びらのように落ちた切り取られた耳の断片や、なんらかの自然の装飾なのか目のまわりが黒く、それで目がいっそう大きく見えるトナカイの愛らしい美しさについては、津田の写真が教えてくれた。北の、ほとんど極限まで北に位置する大地の夏は、風が強く、太陽は夜も沈まない。個々の種へと区分けすることのできない丸ごとの「生命」がそもそも稀少なこの土地だが、逆説的にも、光は弱くない。光はどこにも増して眩しく地平をみたし、恐ろしいほどのしずけさの中で、トナカイも人もおなじ光に縁取られ、おなじ長さの影をもち、その輝く輪郭は六千年前と変わらず、この土地における生き方を忠実に演じている。

津田直にサーメランドの写真を見せてもらった直後、ホーメイ歌手の山川冬樹の話を聞く機会があった。中央アジアのトゥバ共和国でホーメイという独特の歌唱法（すぐ南にあるモンゴルでいうホーミーに近い）を学んだ山川によると、倍音を駆使したこの歌は動物や風の音を真似ることによってエネルギーを得ることを目的とするのだが、そこで行なわれているのは声の中に潜んでいる別の音階を排出してやることにあるという。人の咽喉にあらかじめ備わっているこの機能の発見が、ヒトが住むすべての土地の中で、なぜか中央アジアのこの一帯でのみ起こった、という山川の指摘を聞いたとき、戦慄を覚えた。それはもっともな反応だったと思う。音楽は環境から生まれる。ライフスタイルから生まれる。ノマディズムが培った、環境音に対する鋭敏さが自分の声にむかったとき、そこにすでにあるのに聴き取られていなかった声が発見される。それを可能にしたのは、アジアの北の草原の、異常なほどのしずけさだったろう。それは津田が語ってくれたサーメのヨイクに直結する。

サーメのヨイクと呼ばれる独特の歌唱法、それはいわゆる「歌」ではない。たとえば「狼のヨイク」では、人は自分が狼になった状態の声を出すのだ。狼の子が突然、遠吠えを始めるように、人の子が誰からも教わらないのに突然、狼とおなじく吠えはじめる。こうした人の転身はシャーマニズムの伝統に属するものだ。シャーマニズムとはそもそも、「生命」がつねに危機にさらされ生存が絶えざる戦いであるような土地で、まるごとの生命の維持を企てるために、人が開発した手段だった。人は狼になり、狼の力を借り、生存を企てる。狼のように、土地に住みこもうとする。人にとって生きることが戦いでなかったためしはないが、いまよりもはるかに地表に人口が少なかった時代から、たぶん六千年あるいはそれ以上の昔から、人は自然との関係をどう安定させるかに心を砕き、模倣をそのひとつの手法として洗練させていった。

そして津田直がその広大な旅と写真を通じて行なおうとしていることは、そんなシャーマニズム的態度の正確な延長上にあると、ぼくは考えている。人は自然の中でどう生きるのか。「自然」あるいは「生命」を共有するすべての他の存在とのあいだに、どんな関係を築くべきか。取り戻すべきか。途轍もなく大きな問いだが、津田は無言のうちに、その問いをくりか

え し発している。彼は他の土地に出かけ、その土地の自然と人々の関係、その土地において人々が自然との関係を制御するために行なってきたことの現場を撮影する。現代における現場でなければ、過去が残した痕跡を撮影する。自然を写しとる。自然力を模倣する人々を写しとる。自分自身が、自然力を模倣する。結局、写真とは彼にとって、回復すべきシャーマニズムのための方法なのだ。現代社会が、生存のために。津田の写真が示唆するものは大きい。その一枚一枚がさしだす遠い記憶に、じっとむきあってみよう。

2014

エレメンタル
レベッカ・ソルニットの文章について

「慣れ親しんだものをふたたび見知らぬものに変えてゆくさまざまな物語」
（レベッカ・ソルニット『迷うことについて』）

そこでは火が燃える、水が流れる、風が強くあるいはやさしく吹き、土が土に土を重ねてゆく。そしてすべてが流動する。ぼくはそんな文章に興味があり、言語のつらなりがそうした変化と動きを実際に体験させてくれること、させずにはおかないことに、いつも驚いてきた。文化史家・フェミニスト・社会思想家としてのレベッカ・ソルニットについては多くの人が注目しているし、いまもこれからも論じることと思う。それは正当なことだ。ぼくは少しちがった角度から、彼女の文章のすべてにみずみずしい力を与えているのは何かということを考えてみたい。浮上してくるのは場所としての「西アメリカ」、要素としての四大《エレメンツ》（地水火風）、そして自然史的な時間。前提を、まず説明しておこう。

西アメリカとはぼくが前世紀から使っている個人的用語でメシャスベ（ミシシッピ川）以西

の土地をさす。ざっと見て「アメリカ西部」に重なるが、あえてそう呼び替えるのはアメリカ西部があまりにアメリカ合衆国を自明視した呼び名であるのに対し、それ以前の先住民のネーションが散在し、それぞれのライフスタイルにしたがって土地に住みこんでいた長い時間をつねに思い起こすためだ。つまり、アメリカという名称が生まれる以前の。十九世紀半ばまでのメキシコの領土だった時期はもちろん、十六世紀にスペイン人探検者たちが入りこむ以前の。概念化されてひとつの統一的なまとまりとして考えられることのなかった、個々のローカルな集団が体験し生きていた具体的な土地の集積、波打つ大陸のはてしないひろがりをさしている(「アメリカ」を消去して使えば、もっといいにちがいないけれど)。

地水火風というとエンペドクレス以来のギリシャ自然哲学を思われるだろうが、ここでは宇宙論における観念的要素ではなく、あくまでも現実の土、水、陽光、空気塊の運動などを思い浮かべてほしい。文章がふしぎなのは、人は文章にそれらの具体物を呼びこむことができるということだ。呼びこめば、それらは現実に文章の位相や温度や乾湿を変えてしまう。文章を書く人間は生身の人間である以上、生まれてこの方ひとときの猶予もなく地水火風にさらされ全面的に影響されてきたわけだが、われわれはしばしばあたかもそうした経験がいま目の前で書かれつつ/読まれつつある文章とは無縁であるかのように、自然力のすべての影響を脱色した文章を書いてしまう/そのように読んでしまうことがある。けれども地水火風は介入する。雨が降りはじめた、風が吹いている、とひとこと記されるだけで、その文章がもつ気象は現実に変わるし、それは文体や声を実際に左右する。

自然史の時間は、われわれのほとんどが共有するもっとも根強い偏見のひとつである、世界は自分の誕生とともにはじまり自分が死ねば雲散霧消するという暗黙の信念をこなごなに打ち砕く。われわれにはは自分の生涯という、極端に短い時間に合わせて、ものすごく緩慢に長い長い時間をかけて進む自然のプロセスを切りつめて考える傾向がある。まさか私はそんなことはしないという人でも、自分が生まれる前の時間をどこまで、ほんとうに実感をもって遡ることができるだろう。あるいは自分が死んだあと、自分を構成する物質群がさっぱりと飛び散っていったあと、それらの物質が以後どのような経路と転身をたどるかを想像し、自分の周囲にあったたとえば（目につきやすいものでいうなら）樹木群がどんな運命を生きることになるかを真剣に考える人は、ごくごく少ないのではないだろうか。人間的尺度でいう数世代の幅でも、時間を見通す人はいない。百年を考える人はいても、千年を見通せる人はいない。ましてや一万年、十万年という尺度で、生命世界だけでなく非生命的な地形・地質・地理をまとめてつかんでやろうと試みる人はほとんどいない。それらの時間の痕跡は、つねに目の前に露出しているにもかかわらず。だがときおり、一瞬でも、そんな自然史の時間がわれわれの生活時間や社会の集合的合意の時間の底をつねにいま流れているのだと思い出すことは、正気を取り戻すために必要だ。これは何度でも、積極的に思い出し、思い出したという事実を書きこんでいかなくてはいけない主題だと思う。たとえば「おはよう、きょうもマグマが巨大ななまずのように踊っているね」と朝の挨拶を交わし合うことは、それだけでもわれわれの社会に必要な日々の基礎的活動なのだ。

これらの論点を、ぼくがいま語ったかたちで彼女が取り上げているわけではない。しかしそこには確実な接点があり、それらの接点をつうじて彼女は自分の文章を踊らせようとしている。文章の秘密については、彼女自身が語っている。いや、秘密というにはあたらない、道路の切り通しに地層が露呈するのとおなじく、文章はつねに全面的にそこに現れていてごまかしようもないものだ。しかしなんらかの職人や身体技術の達人がふとみずからのやり方の核心にふれる言葉をもらすようなかたちで、彼女が自分の文章がやってきた場所、めざす方向を語ったことも、たしかにある。よい例が『私のいない部屋』（東辻賢治郎訳、左右社、二〇二一年。原著は *Recollections of My Non-Existence*, 2020）に収められた「夜、自由に」という章で、読むことから書くことへの小道を見出した過程をふりかえるようなそのエッセーは、文筆家としての彼女自身をめぐる明晰な自己分析となっている。まずそれ見ておこうか。

誰にとっても文の道は読書にはじまる。「鳥の形をしたレンガ、それが本だ」と彼女はいう。そして「頭の中に読書が積み上がってゆくようすは、どこか家の中に本が積まれてゆくようすに似ている」と。もちろんこれ自体は読書をイメージするひとつのやり方、ありふれた蓄積的表象にすぎない。彼女らしさが生まれるのはその直後、やってきた本を何でも読む自分をこう動物化するときだろう。「自分でも何を基準にしているのか、何が嬉しくて何が嬉しくないのか分からないままの見境のない雑食動物のようだった。そうやって行き当たりばったりに読んでいるうちに、やがて本の森に巡らされた小道を辿る術を身につけ、道標となるものや、そのつながりを知っていった」。多和田葉子が書いたといっても信じられる二つのセンテンスだが、この感覚はよくわかる。本のあるページは、まったく思いがけない別の本の別のページと隣り合っている地続きになっているというのはぼくの基本的テーゼのひとつだが、本と本はそのように地下水脈でむすばれ、テーブルの下で手を握り合い、互いの匂いをかぎ、合流し、一体となり、変身するものだ。あるいはそれぞれのページが、パラグラフが、センテンスが、夢を交換しあう。そんな契機の読者による発見の歴史こそ真の教室であり、その教室には窓も屋根も壁も必要に応じて生まれたり消えたりし、内と外が循環し、あらゆる植物も動物も自由に出入りする。

若者の読書は（読書する心の若さは身体的年齢とは無関係だけれど）こんなふうに進展する。

今まで知らなかった語り手に出会い、新しい考えや可能性に触れるとき、世界はほんの少し、あるいは驚くほどに筋が通ったものに見え、自分の宇宙の地図に新たな領域が描きこまれる気がする。その純然たる喜びや、物事のつながりや意味を見出すことの素晴らしさはまだまだ十分に認められているとはいえない。しかもそんな目覚めは一度ならず、幾度も幾度も繰り返され、そのたびに喜びをもたらしてくれるのだ。（p.124）

知識化された領土の拡大というよりは、線の発見。いくつもの線の発見。それぞれの糸口の発見。投げ出されたそれぞれの線はつねに伸びてゆき、どのようにでも延びてゆき、また他の線と出会ってはからみあい、もつれあい、新たな紋様を描き出す。そして再出発。線の延長。また再出発。反復される出発のそれぞれの出発点は一冊の本だ。ところで読書がめざすものは一時的なアイデンティティの解消であり、その手法は現実の自分を中断して読まれている世界に没入することにあり、不在のままその世界をくぐりぬけるという体験が、また自分に新たな線を付け加えてくれる。読まれている世界はたしかにどこかの誰か、著者が作ったもので、本を介して著者と読者のあいだには共有されたつかのまの蜃気楼のような世界が生まれているものだと思う。間の世界。共有場《リュー・コマン》といってもいいかもしれない。ぼくにいわせれば、われわれは本をつねに一種の擬人化とともにうけとめているものだ。つまり、本を著者の似姿において捉えている。本に手足を生やしミニチュアの頭をつけたような姿の、テレパシーの能力をもった小人の著者が、本のページを開くたびにこちらを見ながらニコニコ笑っている。開きもつ本の天に腰かけている。かれらとは、無言の対話を、お望みの時間に好きなだけくりかえすことができる。彼女はぼくよりもはるかに正確な筆致で、本について、著者との対話について、こう記す。

何かを恐れてその中に身を隠すことを逃避と呼ぶならば、本はそれとは違うものだという気がする。本は私が堂々とそこに身を置くことのできる場所だった。本は私の心を燃え上がらせ、そこで私は著者たちに触れていた。フィクションには間接的な作者との対話があった。エッセイや日記や一人称で書かれる文章には生身の著者との対話があり、やがて私はそちらに心を惹かれるようになり、自分はエッセイ的なノンフィクションを

書こうと思うようになった。（p.137）

本と著者との同型性といっても、フィクションの本にぴたりと寄り添う著者はそれだけ人間離れした、ある種の怪物のような姿をしているのかもしれない。それに対してノンフィクション的な本では、日常生活で出会うようないかにも人間らしい著者が見え隠れしているものだ。対話と仮に呼んでいるが、その対話はその場での返答が期待できるものではないだろう。読者である自分がいて、その自分が腹話術師のように、人形じみた著者の言葉をも代わって発するしかない。本そのものの言葉は確定され固定されたかたちでそこにあるだけで、私はその魔術的な世界に入ってゆく、その水を泳いでゆく。この動きは私にとっては全身運動だが、本は動かない。私は本の表情も音調も体温もつぶさに記憶していくが、私は記憶されない。本が描き出す世界に、私はいつまでも不在だ。不在のまま、答えを待っている。そして答えは、私の未来において、本の声ではない何かの声として、必ずやってくる。

その約束がはたされるまでには、さらに自分の側に成長が必要だったのはいうまでもなく、その修行を一足飛びにすますことは誰にもできない。書けるようになるためには、書ける自分を作る必要があるのだ。これもまた文章を構成するさまざまな延びてゆく線の束を、著者という名において擬人化されたかたちで捉え直しているように思われるかもしれないが、この書く私はそもそも生身の通常の現実を生きる人間としての私に、そこまで重なるものではない。ずれた位相にあり、沈黙している。現実の、いわば斜め後ろにいて、書く力と資源を提供し、マリオネットとしての生身の自分に書かせている。ニューヨーク出身でサンフランシスコのビートのシーンに身を投じたという点において彼女のはるかな先行者にあたる詩人ダイアン・ディ・プリマの「一行たりとも書けはしない、宇宙論がなくては」という気になる言葉を引用しつつ、書く私の成立についてソルニットはこう述べる。

書くことは、部品を一つずつ組み立てるものづくりのような仕事と思われていることが多い。しかし書かれる言葉がやってくる源はその人自身、その人が大事にしているもの、本当のその人の声だ。あらゆる偽りの声や見当違いの注釈を捨てることから書くことは始まる。つまり、何か特定の文章を書くという課題の水面の下には、取り組む仕事を成し遂げられる自分をつくり上げるという大きな課題が潜んでいるのだ。（p.146）

その自分は自分自身にとっても他人として訪れ、それ自身の考えと論理と判断によって、抵抗する水を切りひらくように進んでゆく。彼女はそれを「声」と呼ぶが、声といってもスタイルといっても、文章を遂行する上での態度といってもいい。文章へのこの挑戦が実際に世界を書く準備ができたときには、書きながら、人はその書いている言語を意識するようにもなるだろう。そのときこそ作家のはじまりで、私は作家としての作業ないしは実践をつうじて個体化し、まぎれもなく置き換えのきかない文章の紡ぎ手となり、自分が書くべきことを書くために既存の言語を鍛え、ねじ曲げ、延し、縒り合わせ、ときには破壊することも辞さない。新しい何かを書くには、その言語の通常の水位を破り、あふれさせ、他の要素を呼びこむことが必要だ。自分がどんな言語で何を書きたかったのかをめぐる彼女の感慨は、これも驚くほど率直で、的を射ており、新鮮だ。

私は英語という言葉がいろんな音楽を奏でる楽器であってほしいと思った。書かれるものはみずみずしく、気づかれぬほどに繊細で、喚起力のゆたかな、ただ事実や堅固な物事だけでなく、霞や雰囲気や希望をも描くことができるようなものであって欲しかった。私が描きたかったのはこの世界をつなぎ合わせている隠された配列や直感や類縁関係の地図なので、バラバラになってしまう前の世界に存在していた失われた布置を辿り、その破片でつくり出すことのできる新しい模様を見つけ出したかった。 (p.151)

英語に対する彼女のこの願いに見合うものを、われわれは日本語に望んできたか。実践してきたか。隠された秩序を見出すこと、世界の破片をつなぎ合わせて見えていなかったパターンを見えるようにすることは、いずれもベンヤミン的といっていい営みだが、この視覚的・知性的な試みに音楽の直接的な力と情感を投げこみ、事物を震えさせ、その振動する輪郭から未来をそこに呼び寄せるような期待を生み出してみたかった。過去形で語られる彼女のこの希望が、その後の彼女の文をパッチワークやロサリオのようにつなぎ合わせてゆく、根本的な原理となった。その希望をもって、彼女は外に出てゆくし、書物を渉猟する。外は都市と荒野だ。人に会い、話を聞き、口ごもる。考えこむ。以後、彼女が記すすべては野帖、フィールドノートとなった。

彼女とぼくが共有しているものがあるとすれば、それはまずニューメキシコ州の土地をめぐる記憶だろう。一緒に訪れたわけではない、ぼくは生身の彼女に会ったことはない。彼女の人生をそこまで知っているわけでもないので、居住の時期やなじんでいた場所が少しでも重なっているのかどうかはわからない。でもその光と乾燥した空気と地形のいくつかが、おなじように、前世紀の終わりが近づいてもまだまだ一般的に見られた白黒の銀塩写真にも似た、みずみずしくコントラストが強いイメージとなって、いまもわれわれの心のどこかの地帯を占めていることは確実だと思っている。

乾いた広大な高原沙漠。それとたしかに地続きでありながら、緑の草が一面にひろがり強烈な風がその上をわたってゆく草原。さらに標高の高い北部にゆけば、サングレ・デ・クリスト（キリストの血）と呼ばれる山脈からの雪解け水がほとばしる急流となって、木々を育て、森を育て、流れは水量を増し、遠くまで見渡せる平原に出ればそこを深く深く掘って渓谷とし、悠久と呼ぶしかない時をかけてみずから決めた経路に沿って南下し、いくつかの先住民村をうるおしたあと州の最大都市アルバカーキを成立させ、さらに流れ、やがては隣国（あるいは母なる国というべきか）メキシコとの国境を刻む。西アメリカを語るとき、水の記憶、川の記憶は、必ずつきまとう。水が欠乏しているからだ。あるいは流れが荒々しいからだ。ロバート・レッドフォードが監督しルベン・ブレイズ、ソニア・ブラガ、クリストファー・ウォーケンらが出演した映画『ミラグロ豆畑戦争』（一九八八年、邦題『ミラグロ 奇跡の土地』）を見た人は、水と豆畑をめぐる小さな村の事件を扱ったその作品が映し出す風土をよく覚えていることと思う。それはニューメキシコ州北部、十七世紀の古いスペイン語が今も話されている山間部の物語。世界史上、忘れてはいけないのは、そこからさほど遠くないところに原子爆弾を開発したロス・アラモス国立研究所があり、最初の核爆発が起こされたトリニティ・サイトを擁するホワイトサンズ・ミサイル実験場が州の南部にあることだ。その白い石膏砂の広がりには、車で数時間で着くことができる。こんなふうにたちまち記憶が野牛の群れのように地響きをあげて走り出すことを許してほしい。彼女のいくつかの文章を読み、それらに対する反応を自分でも記してみようとして、ぼくはまるで夏の強い雨の降りはじめのような気分に誘われることを避けることができない。雨が降ってきた、ずぶ濡れになろう、かまうものか。だが、なぜそう思うのか。

どんな題材を扱うにせよ、どんな内容をもつにせよ、彼女にははっきりとしたスタイルがあり、それを裏打ちする態度がある。そこから彼女の文章の多くには、極度に詩的に活性化された状態がもたらされ、予想のつかないスリリングな展開が生まれる。唐突な転調、まったく異質な時空への場面転換。しかもそんな転換によりそのつど新たに導入されるのはあくまでも具体的な、つまり現実にはっきりとした対応物をもつイメージで、しかもそのイメージ自体が単にあざやかというよりもどこか特別な自然光による色彩に染まっているような印象を与える。夏の日没の前の数十分、オレンジ色の成分を増した太陽の光によってあらゆるものが奇妙に美しく、落ち着いて見えることがあるだろう。たとえばそのように。冬の朝まだき、青白くほの明るくなる霧の中に木々が寡黙な幽霊のように浮かび上がる時があるだろう。たとえばそのように。

　社会批判者としての彼女において文章の執筆と活動がひとつであることはいうまでもない。そして文章がex nihilo（無から）生まれることはなく、必ずそれは具体的な地点と時点に根ざしている。二十年あまり前、*Savage Dreams*（1994）によって初めてそのヴィジョンにふれて以来、ぼくは彼女のことをエコクリティック、つまり生態学的意識をつねにもちつつ森羅万象を考える人々のひとりと見なしてきた。だったらエコクリティシズム（エコロジー的批評）を成立させるのがどういう態度かを、立ち止まって考えておくことも必要かもしれない。ぼくの意味するエコクリティシズムは

　人間社会がこの地上においていかなる枠組の中で成立しているかを考える
　人が物質的条件をいかに利用・改変しつつ居住を図ってきたかを考える
　ヒトと他の生物種（菌類・植物・動物）の関係を考える
　人間の歴史を、つねに自然史の中に置き直して考える

という共通の態度を基盤としている。こうした思考の態度の端的な表現として、あらゆるものを地水火風の流動と生成という観点から見るという習癖があることも指摘できる。生命／非生命の区別なく、すべては物質の流動の中で一時的にかたちをとる現象でしかない。自分

自身を含めて。人間社会を含めて。ようやく一般にも根づいてきたアンソロポセン（人新世）とは、人の活動により地表に地質学的レベルの改変がほどこされるようになった時代をさしていう用語だが、現代の人間の大部分は自分がそのただなかにいると思うことすらしない。気候変動に人為的原因があることを否定し、すべてを自然のサイクルのせいにし、エネルギー大量消費産業社会のやり方を変えようともせず、投機的・搾取的な経済体制のグローバル化をなんとも思わない。自分が儲かるならそれでいいと思っているのだ。エコクリティックの戦いは日常生活批判に出発し、エネルギー論・ジェンダー論・動物論・階級論などのすべてをとりこんだ後に、また日常生活批判に帰着する。その日常を成立させるもののうち、見直す必要のあるすべての見直しを提言する。それは裏打ちとして自分自身の生の軌跡の点検、自分はなぜこのような私になったのか、なぜこのようなスタイルで生きているのかを、意識化する試みを必要とするだろう。考え語り書く主体としての自分は、つねにある時ある点での自然力につらぬかれながら、つかのまの物質的布陣として生きつつ、ヒトの種社会、人間の経済社会、家族や友情や愛（あるいはそれらの不在）の歴史、自己の形成と遷移と選択といったすべての層にむけられる注意の焦点の絶えまない移ろいを経験し、考え、語り、書く。これはエコクリティックの一般的条件だが、レベッカ・ソルニットの文章は、かなりの程度までそのお手本といっていいほどの広がりと深みを達成していると思う。

どんな文章か。文章には当然、意がある。主義主張を抜きにして語ることはできない。意においても彼女は、ひとつひとつの論点にぶつかるたびに「それはちがう」と粘り強くおだやかに語っているように思える。その強靭な静謐さをもたらすのは文体の一種の揺れで、その揺れとはたとえば水面をゆく小舟のそばにシャチのポッドが姿を見せることで生じる突然の揺れ、雷雨が接近してにわかにかき曇った沙漠に急に吹いてくるかなり強い風でメスキートの木の枝がいきりたつような揺れに似て、予測のつかないかたちで文章のコンテクストをいったん宙吊りにし、別の時空をもちこみ、論旨とは必ずしも重ならないかたちで情動を掻きたて、記憶の火を起こす。文章のこうした部分は、心情といっても色合いといってもいいが、そう呼んでもあまりしっくりこない。よい呼び名だと思うのは「気象」だ。みずからの文章に、気象の変化を呼びこむことに成功しているのが作家であり、そこからは文章そのものが別の高原に立ち、別の風景を横切ってゆくことになる。

「自然」という単語をあらゆる留保つきで使うならエコクリティックはつねに自然を問題にする。正面きって問題にしないときでも、その問題圏があることをことあるごとに示唆し、自分の心が人間社会のどのあたりに位置するかを標定しつづけている。彼女の著作の中でどれがいいというような態度はぼくはとりたくないが（著作全体という不可算名詞において彼女をとらえ彼女に学ぶことのほうがずっと大切）、それでもいかにもこれが彼女らしいと思える本はある。『迷うことについて』がそれだ（東辻賢治郎訳、左右社、二〇一九年。原著は ***A Field Guide to Getting Lost***, 2005）。自伝的・個人的要素の強い、独立して読める五つのエッセーのあいだを、「隔たりの青」と題された間奏のような章が埋めてゆく。この構成自体が意表を突く着想だ。青という色をモチーフとしているが自由度は高く、のびやかに、しばしば唐突な転換をともなって、つぶやくようなナレーションがつづく。

世界はその際《きわ》や深みで青色を帯びる
この青は迷子になった光の色
地平線の青、隔たりの青
迷ってしまった光
もう長い間
視界の限界にみえる青に心を揺り動かされていた
孤独と憧憬の色
こちらからみえるあちらの色
自分のいない場所の色
決して到達することのできない

（同書36ページに現れるフレーズからの構成）

そんな隔たりの青、さまよいや不在の青をうっすらと身にまとうこの本は、ぼくが最初に使った表現でいえばきわめて「西アメリカ」的な本だ。アメリカ西部を主な舞台としながら、それがどこでもない場所につながってゆく。沙漠のようなひらけた場所が充満した空白として主題化される。

アメリカ西部という場所の広大さは現在そこに移住して暮らしている者にさえほとんど知られていない。その広がりは、旅する者に向かって、大きな荷物のように抱え込んでいる過去を手放し、自分をもう一度つくり出すように誘いつづけてきた。(p.57)

西へ行こう、何者でもないものとしてやり直そう、という集団的な衝迫がヨーロッパからアメリカスへ、東海岸から中西部を経て西部へと人をむかわせ、やがて「太平洋の壁」(ジャン＝フランソワ・リオタールの小説の題名)にぶつかり折り返しを余儀なくされたかれらが溜まった西海岸が二十世紀後半の対抗文化とグローバル資本主義文化の中心なき中心となっていったのは文化史的事実だが、意識するかしないかは別としてそんなベクトルを内面しつつ個人的な再定義を図るための試みの空間が西アメリカなのだ。歴史をもたない者は歴史の探究にむかう。資産をもたない者は資産というからくりを暴露することにむかう。超越性への通路をもたない者は形而上学批判にむかう。自分のものと呼べる庭をもたない者は沙漠の空白にむかう。人間的社会にみたされない者は動植物との遭遇をめざす。こうしたすべてを可能にしてくれる、その可能性・自由が西アメリカであり、それは現実の土地であるとともに精神的な態度であり、想像の広がりであるとともにいま自分が自分の足で立っているきわめて具体的な地点のことでもある。

地水火風の痕跡はいたるところにあるが、ソルニットの文章の自由度・開放感を支えている大きな要素は、それらの元素の流動を暗黙の背景として、不意に動植物が出現してくる点だろう。モハヴェ沙漠の動物たちの思い出。

これほど動物たちでにぎやかなところは初めてだった。いつも近くにワタオウサギやジャックウサギがいて、サバクウズラが視界を横切ったり顔をのぞかせたりした。朝早くにはウサギたちがダンスをし、遊びながら空中へ飛び上がるのがみえた。午後遅くには、一匹のコヨーテが囲い地をゆっくりと横切ってゆくのをよくみかけた。ボブキャットが冷ややかにこちらをみていたこともあった。近所にはピューマをみたという人もいた。そして朝には家のすぐ側の道では二羽のミチバシリが追いかけっこをしているのがお決まりの光景だった。(pp.144-145)

そしてそれらを見る人間は、そうした動物たちをまた言葉として受け止める。つまり、何かを語ろうとしているものとして。いったい何を？　植物という動かない人々がその地点の地水火風、土壌と水脈と陽光と地形と気象の表現であることはすぐにわかる。植物とは土地の言葉なのだ。そしてそんな植物たちにささえられて生きる動物たちもまた、われわれ人間にとっては言葉として現れる。

野の生き物は何を伝えようとしているのだろう。そのメッセージはあらゆることを語っているようにも、何も語っていないようにも思える。まさに動物たちの存在そのものと同じ言葉なき言葉は何を語っているのか。（中略）ところが、最良の文章はまるであの動物たちのように、思いがけず、落ち着きはらって現れるのだ。何も語らずにすべてを語る、沈黙に近づいてゆくような言葉だ。たぶん、書くこととはそれ自体が砂漠なのだ。それ自身が荒野《ウィルダネス》なのだ。

（pp.146-147）

エクリチュール（書くこと、文章）が与える自由が沙漠の自由とひとつになり、書かれる前の白紙が沙漠の潜在的な充溢と同一視される。沙漠ではごく近くの（ときには微視的な）近景と、無際限の遠景が同時に目に入ってくる。時間軸上で考えてもおなじことだ。西アメリカの沙漠、たとえばアリゾナのソノラ沙漠で、小高い岩の丘に立ってメキシコとの国境地帯の方角を見渡すと、このすべてがあるときには海の底だったということがひたひたと迫ってくる満潮のように感じられることがある。地質学的な時間が押し寄せ、たった今のこの目の前にある風景が一万年、十万年、数千万年前の名残にみたされていることが感じられる。ただ気づかないだけで、これとおなじことは文においても起きているわけだ。ある語を使えば、その語がさししめしてきた存在や現象はそのつどその場にミクロな幽霊的なかたちで召喚されている。その語が使われてきた歴史的経緯も、知識があって鋭敏な観察者にはただちに想起されるだろう。鉱物、菌類、動植物の観察と変わりない。ある文章を沙漠として、森として、読み書くことに、それだけの全面的な関わりがほんとうは要求されている。ただ、われわれはしばしばあまりに怠惰で、全身で読むことなく、想像力のスーツにより延長され拡大された大きな「私」たちの全体を十分に駆使することなく、ある文章の可能性をばらばらに投げ出したまま、一過性のものとして読んでいるのではないだろうか。

そしてこれはどこの川のことなのか、西アメリカのいずれかの川での経験をめぐるひとことが、動物や自然史に対する彼女の感覚を明らかに証言し、その言葉にみちびかれてわれわれもまた水の流れを見直そうという気に誘われる。

その旅の間、わたしはボートから身を乗り出して川底をみつめていた。誰もその名を知らないような川が、これまたほとんど知られていない川へと合流し、眼下には、何千という石、数えようもない数の石が通り過ぎ、これ以上澄んだ水はないというほどに澄み切った水の底に灰色やピンクや黒や金を幾マイルも幾日も漂わせ、その水をわたしはそのまま飲んでいた。無生物はすべてを目撃し、何もいわない。動物たちはもっと饒舌だ。そして彼らは消え去りつつある。(p.205)

どこに流れてゆくのか。われわれはどんな終わりに立ち会っているのか、人間はどんな終わりを作り出してしまったのか。後戻りする道はあるのか。取り戻す方法はあるのか。

日本列島で最後のニホンオオカミが捕獲されたのは一九〇五年。最近になって、犬の家畜化がはじまったのは東アジアであり、日本犬はオオカミにもっとも近い犬種のひとつであるという説がしばしば口にされるようになった。オオカミ再導入論者はある程度のオオカミが山野に住むことにより生態系のバランスが回復されると主張する。ぼくはそれに賛成。そもそも二十世紀初頭までの少なくとも数万年、列島にはオオカミがいるのが常態だったのだ。現実にオオカミが再導入される可能性がどれほど低かろうと、そのことはいいつづけなくてはならない。そのためのひとつの方法として、どんな文章の中にもオオカミを登場させるという手がある。われわれが全員で演じる世界という言語劇《シュプラッハシュピール》において「狼」をなくてはならない、つねにそこにいるもの、少なくともその影をいつでもみんなが意識せざるをえないものにしてしまうことだ。言語の呪術的使用？　そのとおり。だが絶滅を強いられたものの名を呼びつづけ、それを思い出しつづけることに意味はある。ふたたびオオカミを甦らせるためには、まず文字としての「狼」をいたるところで増殖させなくてはならない。狼、狼、狼、狼、狼。もちろんこれは喩え話。だが、実際に現実を変えるための準備運動となりうる喩え話だ。

ソルニットがとりくむようなノンフィクションの文章はエッセーすなわち試論と呼ぶにふさわしい。現実の事象から出発して考えを述べる、関連する書物を読んで自分にとっての発見を報告する、そんな考えや発見が共有されればわれわれが想像する世界に別の方向への傾斜をもたらすことができる。読む人の考えを刺激し、なんらかの反応、行動に駆り立てる。世界と呼ばれる巨大な塊は、あくまでも実在するのに、われわれのひとりひとりは自分が組み立てたちっぽけでいびつな想像物をもってそれに代えるしかない。その限界を意識するならば、その想像につねにその次の枝を接木してやる必要がある。そして人間にとってはつねに、他の誰かによって集約された情報がもっともうけいれやすい。自分の想像の、思考の、素材あるいは部品として採用しやすく、役に立つ。エッセーが必要だ。

彼女の最新作はジョージ・オーウェルを扱った評伝『オーウェルの薔薇』（*Orwell's Roses*, 2021）。オーウェルの端正な文章をソルニットがお手本のように思っていたと知るのは、うれしいことだ。あれだけ社会の縁にこだわりみずからを身体的危険にさらすのを厭わなかったオーウェルが、植物を愛し熱心に薔薇を作っていたということの意味を考えようとするこの本のあるページで、ぼくはこの数年気になっていたWood Wide Webというフレーズに再会し、また注意がそちらにむいた。

ドゥルーズとガタリが使ったリゾームという概念、リゾーム（根茎）とツリー（樹木）の対立について簡単に述べたあと、彼女が注目するのは面積四十数万平方メートルにおよぶユタ州のアスペンの森のことだ。この森をなす四万本ともいわれるアスペンの樹はすべて互いのクローン（遺伝情報をおなじくするもの）で、地下に膨大な根を共有していることがわかった。つまり、森の全体がひとつの樹であり、これこそ地球上で最大の有機体だというのだ。最大であり最古、樹齢は八万年（推定の数字のうちもっとも大きいもの）。地下の菌根ネットワークがこれらの木々をつなぎ栄養交換し、物質による情報伝達を行う。これがウッド・ワイド・ウェブ。この言葉は別に彼女の独創ではないが、一緒に歩いている誰かがふと立ち止まり、そこにある何かに興味を引かれて連想を語り出すことがときには非常に記憶に残るように、彼女のエッセーを構成するこうした小さな停止・回想・方向転換は、それ自体が論述という歩行の速度と気分を決め、読むものを別の場所に誘ってくれる。

このアスペンの樹にはPandoというニックネームがある。「私は広がる」という意味のラテン語だ。だが動植物の「私」とはそもそも菌類との全面的な共生体であり、私の輪郭をよく見れば見るほどその境界線は物質的にも情報的にもゆらぎ、私もまた小さなpandoにすぎないことが明らかになるだろう。文章とは、すでに述べたように、文章そのものがいわば擬人化されてそれを書いた者の似姿においてうけとめられるものだと思うが、誰のものでもありえない言葉という素材、そこに生じていた無数の流れ、それらの流れの合流とその水面に打たれた網のようなものを本質とする文章の姿は、もともとつねに誰がどこでどんなふうに接続してもいいネットワークとしてあった。つまり、どんなエッセーを読んでも、次の一文はきみが書いていい。きみが延ばしてゆけばいい。その内容をきみが生きてゆけばいい。レベッカ・ソルニットのエッセーには、そんな西アメリカ的自由があふれている。

2022

解説

幻視の歩行によせて

川瀬慈

管啓次郎の歩行は幻視する。蹂躙され、収奪され、切り刻まれ、地球のあちこちにばらまかれた歌と祈りを。召喚し、浮かび上がらせる。大地や海に根差して生きる叡智とことばの地層を。それらは嵐のなかで消えかかった蝋燭の炎のように、力なく頼りないものなのかもしれない。それらは都会のコンクリートのジャングルのなかで座礁した小舟なのかもしれない。いやひょっとすると、地上においては不可視であるが、土壌の栄養を吸い上げ、雨水を飲み、しぶとく、したたかに成長し続ける根のような存在なのかもしれない。その歩行は、離れた点と点をむすび、あちこちに無数の斜線を引き続けることによって、古から、未来から、同じく幻視する歩行者たちを、今ここ、に呼び集め、彼ら彼女たちに伴走し、詩想する。そしてどのような神にも国家にも集団にも属さないアンセムを共奏する。想像の島と島は結びつき、列島となり脈打ち始める。それは世界を一元的な流れにひきよせ回収しようとする、とてつもなく大きな欲望を拒絶する。その歩行は、行間にかすかな風を吹かせ、あなたの頬を優しくなでたかと思えば、次の瞬間、怒りの熱波を吹き荒らし、ほら、あなたが住む都市のアスファルトの下に眠る、殺戮された無数の先住民の、吟遊詩人の、煮えたぎる血の鉱脈にアクセスする。そうしてあなたが、私が、実は帝国の雇用者であったという事実をすら冷徹につきつける。ふと気づけば、我々が自明の理として抱え、あたりまえのように寄りかかってきた世界の基軸や枠組みはいつのまにか溶解している。さらに、記号や数字を用いる、地球表面を縮小させてこしらえた地図とは全く異なる地図が、我々のなかに、まるで積乱雲のようにもくもくとたちあがっていく。この地図を携えて、あなたも私も歩み始めるだろう。誰に止められようが邪魔されようが、思考の放浪をはじめることになるだろう。

ことばははたして世界を摑むことができるのか？　アフリカの野を、ストリートをかけめぐりながら、この青臭く、牧歌的な問いを、私は心の奥底でふつふつと発酵させてきた。理性や論理という「夢」に倦み、文化の記述を巡る学術の因習に囚われながら、まるで何か得体のしれない魔物から全速力で逃げ出すように、弦楽器をかきむしり、延々と繰り返される野の太鼓のビートに、いたずらに身を任せて踊り狂ってきた。異邦とのあまりにも鮮烈で生々しい邂逅を前に、民族誌と呼ばれるものは、たとえそれがテクストであれ、映像であれ、すべては経験からのむなしい敗走に見えた。自己を規定するあらゆる力の働きを忌避し、自らを内側から焼き尽くそうとする、想像力とも狂気ともいえるような欲求（いや、世界を果てしなく異化したいという願望とでも呼ぼうか）を、手でまさぐり、すくい取り、じっと見つめながらも、かといって、それをどうすることもできずに悶々と佇んでいた。そんな矢先、管啓次郎の歩行に出会った。民族誌にも文学にも帰結することを拒みながら、揺れ、彷徨い、苛烈に脈打ち続ける詩想と出会った。地軸は揺らぎ、思考の湖面に波が起き、ゆっくりとうねり始めた。その経験が何であったのかを容易に言語化することはできない。管の著作に出会い、自分のなかに決して止むことのない地殻変動がおきた。

管の歩行は、世界とことばの絶望的な距離に背をむけてそこから歩み去ることも、かりそめの概念や抒情詩の類によってそれらを取り繕うこともしない。ヒト以外の存在をも含む〝他者〟との邂逅や衝突を通した、自己の絶え間ない解消と生成の繰り返し――いわば自らの存在を賭したその崇高な挑戦を通して、世界とことばの距離、亀裂に豊穣な想像の泉が湧き出すことを指し示し続ける。そして優しく、厳かに教えてくれる。土地の具体的な細部や人間、動植物との直接的な出会いに突き動かされて物語ることは、たとえ荒々しく、不器用なかたちであったとしても、この広大な世界にささやかな波をまきおこす、とてつもなく意義のある行為であるということを。管の歩行は時空を超えてちらばった幻視者の歩行につらなりからみ、うねり続ける山脈である。無数の水脈を惑星のいたるところに伸ばす生命体でもある。水脈のむこうには、心躍るさらなる水脈のつらなりと、とほうもない知の地平が待ちうけている。

思想、いや詩想の冒険とも呼べうる文章の数々が並ぶ本著。それらのなかには一九九〇年代初頭に記されたものもあれば、ごく最近書かれたものも含まれる。約三十年近くに渡る管の歩行、遊歩。人新世というキーワードを前景化しつつ展開する今世紀の思想潮流や各種の議論に先んじて、それはつむじ風のように足早に、大股に、地球上を駆けめぐってきた。それは、西洋の帝国の企図、国家という装置やシステムを相対化し、成り上がりの生物種としてのヒトの傲慢を戒め、多種多様なすべての種とのつながりのなかにヒトを位置づけ直し、自己・他者の輪郭と境界を問い、「地水火風の流動と生成」、すなわちエレメントがからみあう思考の未明の原野へと、あなたを、私を、休むことなく誘い続けてきた。

気候変動、環境破壊、戦争、紛争、感染症の蔓延、経済格差のさらなる拡大。今日、危機と危機が絡みあい、また新たな危機が呼び寄せられ、地球を殺伐とした空気が包んでいる。阿鼻叫喚の未来に我々の惑星の頭のさきっちょは、すでに少しつっこんでいるというにもかかわらず、グローバルな資本の巨大な歯車は、あろうことか、日々回転の速度を増してゆく。管の歩行は、この獰猛な歯車に回収されえない、小さな無数の〝もう一つの神話〟の種子を注意深く掬い取り、あちこちに蒔いていく。これらの種子は、コンクリートでできた人工的な近現代の環境の地表をつきやぶり、やがて芽生え、あなたを、私を、果てしない思考の放浪に誘うことになるだろう。あなたは見る。単線的な、数値による年代によっては決して捉えることのできない、連綿とした命のつながりを。インドラの網のなかに浮遊するヒト、動物、昆虫、樹木、菌類たちを。それらの存在の呼吸に注意深く耳を傾けてみようか。ヒト以外のヒトたちと対話を試み、エレメントのからみあいの次元に自らを放擲してみようか。体内を風が駆け抜け、雨が貫通する。土地が動植物をつぶやく。そう、花々は土地のため息、歌、つつましやかな祈り。砂漠は雄弁に沈黙を星々と月に明け渡す。土地はあなたを、私を突き抜けて語り、世界を祝福する。世界は無数の響きあいのなかに在る。すべての主体の境界は砂塵となって風に吸われ、混沌とした濁流にのまれていく。海と空と大地が、生と死が、相互に貫入しあうように、すべてはすべての存在のあいだを融通無碍に還流していく。

時代の変遷のなか、混沌としたこの世界を掴もうと、その崩壊を少しでも先のばしにしようと、また新たな思想がめくるめく生まれては展開し、あなたと私の目の前を駆け足で通り過ぎていくだろう。そのようななか、管の歩行は、どのような類型化も桂冠をも拒みつつ、惑星のすみずみに詩想の水脈を伸ばし、脈打ち続けていくことだろう。多種多様な〝もう一つの神話〟の萌芽を持ち望みながら。

（文化人類学者）

あとがき

一冊の本とは死者たちの森だ。魂の痕跡が並び、さまざまな不在の声が響く。あらゆる文章には死者たちとの対話という側面があるが、それは実在する相手が生きていてもおなじであらゆる文章において人はすでに少し死に、そのぶん、より大きな生を手にしている。たとえその文章の書き手が自分だったとしても、過去の自分はそれほど自分ではない。

こうして数々の死者たちおよび生きた土地の声に触発されて書いた昔の本からの選集を編んでみた。末尾のセクションをなす単行本未収録の三つのエッセーの初出を記しておく。「十和田奥入瀬ノート」は『十和田、奥入瀬　水と土地をめぐる旅』（青幻舎、二〇一三年）から。「写真的シャーマニズムについて」は津田直『SAMELAND』（limArt、二〇一四年）から。「エレメンタル」は「群像」二〇二二年三月号（講談社）から。

敬愛するスージー甘金さんとミルキィ・イソベさんに漫画と装丁をお願い

することができて、このうえなく幸運でした。解説を書いてくれたのは誰よりもブルージーな映像人類学者の川瀬慈さん。大変な編集作業をひきうけてくれたのは東辻浩太郎さん。みなさん、本当にありがとうございました。ここで見つかるかもしれないいくつかの種子が、別の土地で芽吹くことを祈っています。

管啓次郎（すが・けいじろう）

1958年生まれ。詩人、比較文学研究者。明治大学大学院理工学研究科〈総合芸術系〉教授。1980年代にリオタール『こどもたちに語るポストモダン』、マトゥラーナとバレーラ『知恵の樹』の翻訳を発表。以後、仏・西・英語からの翻訳者として活動すると同時に『コロンブスの犬』(1989)『狼が連れだって走る月』(1994) などにまとめられる批評的紀行文・エッセーを執筆する。本書のもととなった『トロピカル・ゴシップ』(1998)『コヨーテ読書』(2003)『オムニフォン<世界の響き>の詩学』(2005) はポストコロニアル多言語世界文学論の先駆として高く評価されている。2011年、『斜線の旅』にて読売文学賞受賞。2010年の第1詩集『*Agend'Ars*』以後、8冊の日本語詩集と1冊の英語詩集を刊行。20ヵ国以上の詩祭や大学で招待朗読をおこなってきた。2021年、多和田葉子ら14名による管啓次郎論を集めた論集*Wild Lines and Poetic Travels*が出版された。

エレメンタル 批評文集
2023年6月16日 第一刷発行

著　者　管 啓次郎
発行者　小柳学
発行所　左右社
〒151-0051 東京都渋谷区千駄ヶ谷3-55-12 ヴィラパルテノン
Tel 03-5786-6030 Fax 03-5786-6032
https://www.sayusha.com

印刷・製本　創栄図書印刷株式会社

Printed in Japan ISBN978-4-86528-372-3 C0090